LES MOTS ENTRE MES MAINS

Guinevere Glasfurd

LES MOTS ENTRE MES MAINS

TRADUIT DE L'ANGLAIS PAR CLAIRE DESSERREY

Titre original :
THE WORDS IN MY HAND
Publié en Grande-Bretagne en 2016 par Two Roads,
un département de John Murray Press, Hachette UK.

Couverture : © Jeff Cottenden.
Photo auteur : © Stefano Masse, 2014.

Préludes est un département de la Librairie Générale Française.

Pour Saskia.

« Bene vixit, bene qui latuit[1] »
René Descartes,
lettre au père Mersenne,
avril 1634.

---

1. « A bien vécu celui qui s'est bien caché » (Ovide, *Tristes*, III, IV, 25). *(Toutes les notes sont de la traductrice.)*

AMSTERDAM, 1635

Glace

Je fais le tour de sa chambre à tout petits pas. Ce que je cherche n'est pas là. Son horloge, ses documents, le verre où il range ses plumes sont envolés, disparus. Si j'ai déjà vu cette pièce vide sans m'en alarmer, aujourd'hui, cela ne fait que raviver ma douleur. Ce n'est ni de l'argent ni un souvenir que j'espère trouver ; ce sont des mots, un billet écrit de sa main. Il n'y a rien. Il est parti sans prendre congé et a emporté toutes ses affaires avec lui.

Je soulève les draps qu'il a fait tomber du lit et tâte le matelas : il est froid. *Même le néant possède une forme. Il est ce qui a existé, ce qui aurait pu advenir.*

« Helena ? » M. Sergeant m'appelle du rez-de-chaussée avec une brusquerie inhabituelle. « Helena ? » Je serre les poings. Plus fort : « Helena ! » Son ton est sec, presque cassant.

J'essuie mes yeux, ravale mes larmes, inspire profondément. J'attrape la rampe et descends l'escalier. La porte d'entrée est grande ouverte, toute la chaleur s'échappe de la maison. En arrivant sur les dalles que j'ai lavées hier, je fais comme toujours : je marche sur la pointe des pieds pour ne pas laisser de traces. Je m'arrête en apercevant Limousin, qui m'attend dehors avec M. Sergeant. Je repose les pieds à plat sur le sol et me redresse. Lorsqu'ils me voient approcher, ils s'écartent sans mot dire. Ce n'est pas la peine, je sais ce qu'ils pensent.

Le cocher ajuste la bride, lance mon baluchon sur le toit et ajoute en plaisantant, l'air de rien : « Il n'y a que des plumes, là-dedans ! » Les chevaux font claquer leurs sabots et rongent leur frein. Je monte en baissant la tête et referme derrière moi. Sur chaque banquette est posée une couverture pliée et, dessous, un panier rempli de victuailles – des pommes, deux miches de pain, un fromage, de la viande séchée. Des provisions pour deux ou trois jours, peut-être plus. La vue de toute cette nourriture suffit à me soulever le cœur.

Le cocher annonce à Limousin : « On va passer par Amersfoort et Apeldoorn. Ensuite, si la route est praticable, Deventer ne sera plus qu'à une journée de voyage. L'Yssel est entièrement gelée. Quel hiver… Vous feriez mieux d'attendre. » Limousin réplique sèchement : « Certaines choses ne peuvent pas attendre. »

Il s'installe en face de moi. Il sent le tabac et le vin – l'odeur aigre de quelqu'un qui ne s'est pas lavé. Pourvu qu'il n'entende pas l'inquiétude dans ma voix : « Deventer ? »

Il saisit une couverture, l'étale sur ses genoux et me fait signe de l'imiter. Je déplie l'autre, et aussitôt le froid s'étend sur moi, transperce ma jupe et gagne mes jambes. Au moment où le coche commence à

14

rouler, je cherche M. Sergeant ; il n'est plus là. Je comprends alors que c'est vraiment fini ; il n'y aura pas de retour en arrière. J'en ai le souffle coupé.

Limousin croise les bras et se met sur le côté ; une lumière grise éclaire sa pommette. Il doit sentir que je l'observe car il se tourne vers moi.

« Quoi ?

— Nous n'allons pas à Leyde ?

— Leyde ? » Il ricane et sa bouche esquisse un rictus.

« Je ne connais personne à Deventer, le Monsieur le sait. »

Il inspecte ses ongles, fait semblant de réfléchir.

« Limousin, *je vous en prie*, c'est sûrement une erreur.

— Je ne fais pas erreur. Monsieur n'a pas fait mention de Leyde. Nous allons à Deventer. »

Son regard me dit : *Je sais de quoi je parle*, et se durcit en s'attardant sur mon ventre. Ce voyage fait de lui un gardien, un seigneur, un maître. Il se met à l'aise, et j'ai beau presser mes jambes contre la banquette, je ne peux éviter que ses genoux touchent les miens.

En cahotant sur les pavés, le coche se dirige vers les faubourgs. J'essaie de me souvenir où se trouve Deventer sur la carte, mais elle devient floue, les routes et les canaux s'effacent progressivement. Sentant monter une nausée qui me brûle la gorge, je me jette en avant. « Il faut que je sorte ! » Limousin retire mes doigts de la poignée et me repousse. « Reste assise ! Assise ! » Il est plus fort que j'aurais cru. Ses lèvres sont blêmes, ses joues se sont couvertes de plaques rouges. « Tu n'as qu'à ne pas bouger. »

Je me frotte l'épaule là où il m'a touchée. Nous roulons le long du canal de Prinsengracht et n'en voyons que la largeur d'un carreau. Sous cette lumière blafarde, les demeures aux volets clos ressemblent à des forteresses froides, aveugles. Nous prenons de la vitesse. Chaque tour de roue nous éloigne de Westermarkt. Voir la ville défiler ainsi m'est insupportable. Deventer, Deventer, Deventer, Deventer : le mot tourbillonne dans mon esprit au rythme du claquement des sabots.

« Que vais-je dire à ma mère ? » C'est sorti malgré moi. Je cache mon visage et les larmes que j'ai retenues toute la matinée jaillissent. J'éclate en sanglots. Limousin fixe le lointain, sans ciller, en apparence peiné par mon chagrin. « Nous allons prier pour ton pardon, Helena. » Je joins les mains en fermant les paupières. Je n'ai jamais entendu cette prière ; je fais des mouvements avec ma bouche pour former des phrases et des sons qui me sont inconnus.

« *Ô Vierge des vierges, ma Mère, je viens vers vous, et gémissant sous le poids de mes péchés… Ne méprisez pas mes prières, mais écoutez-les avec bonté et exaucez-les…* »

Mon Dieu pardonnez-moi, mon Dieu pardonnez-moi, mon Dieu pardonnez-moi…

Je rouvre les yeux : nous avons franchi les remparts. Je croise les bras sur mon ventre.

Seigneur, Monsieur, qu'allons-nous devenir ?

AMSTERDAM, 1634

Livres

De lui, je ne perçois que des détails – les larges rubans de ses souliers, la courbure de ses épaules, ses cils noirs. J'ai remarqué qu'il a des doigts tachés d'encre, des mains délicates d'écrivain, à la peau claire et plus fines que les miennes, que je voudrais cacher tellement elles sont calleuses.

Et cette façon qu'il a de toucher sa bouche, de poser un doigt sur ses lèvres lorsqu'il se concentre avant de parler. Je dois prendre garde à ne pas le dévisager, à ne pas attirer son attention. Je ne dois surtout pas le déranger. Je l'ai entendu crier après son valet, Limousin, qui était entré sans prévenir, et je ne veux pas qu'il s'en prenne à moi. Ce n'est pas facile de ne pas faire de bruit avec la pompe à eau qui grince et les fenêtres qui vibrent ; même les draps propres craquent quand je les étends sur le lit, si fort que cela me fait tressaillir. Et plus je tressaille, plus il résonne, ce tintamarre au cœur de la maisonnée. Je me déplace sur la pointe des pieds, j'ai même peur de trébucher sur mon ombre.

Betje veut tout savoir sur ce Monsieur. Je lui dis qu'il est français et elle ouvre de grands yeux. Une fois qu'elle a tiré de moi tout ce qu'elle a pu, elle me pince en disant « Monsieur » sur un ton qui nous fait pouffer de rire.

*
* *

Depuis deux ans que je suis au service de M. Sergeant, je n'ai jamais vu de pensionnaire tel que lui. Il n'a pas encore mis le pied ici que déjà, il est différent des autres. Habituellement, ils sont logés dans les pièces qui donnent sur l'arrière, au nord, là où même les jours de grand soleil la lumière est voilée comme si on la regardait de sous une couverture.

Quelques semaines avant sa venue, afin de s'assurer que le Monsieur serait « convenablement reçu », M. Sergeant m'a accompagnée pour inspecter les chambres – c'était bien la première fois qu'il s'en préoccupait. J'ai compris que ce locataire serait mieux loti que ses prédécesseurs et que M. Sergeant, avec lui, engageait sa réputation.

Il a monté l'escalier en soufflant ; il n'est pas habitué à autant d'exercice. « Notre hôte français est un grand penseur, Helena. Il a besoin de calme et d'un endroit où travailler. Il a été très clair à ce sujet : *une chambre tranquille* – ou *tranquette* ou *trompette*, enfin, quelque chose de ce genre. Il a un serviteur – *un valet* – que nous devrons accueillir aussi. »

Un valet ? Bigre ! Je ne sais si c'était l'effort de monter l'escalier ou tous ces mots français, mais

M. Sergeant a dû s'arrêter pour reprendre sa respiration. Ce n'était pourtant pas la dernière fois de la journée qu'il serait hors d'haleine. Il a ouvert la porte en grand et s'est exclamé : « Ah ! Mon Dieu… Mon Dieu ! » On aurait dit qu'il venait de mordre dans un citron en croyant que c'était une pêche. J'ai tiré mon châle sur mes épaules. La pièce était fermée depuis des mois. Qu'espérait-il trouver ? Des murs miraculeusement tendus de velours et de satin ? Un lit couvert d'oreillers en plumes de canard – oreillers qu'il ne possédait pas ? Dans cette chambre que la morosité emplissait ainsi que du brouillard, on ne pouvait avoir que de sombres pensées. Il y avait certainement du brouillard dans le pays de notre hôte ; ce n'était pas une raison pour l'obliger à vivre dedans en permanence.

Mon père, qui voyageait beaucoup, m'avait parlé de la France. Il embarquait régulièrement pour plusieurs semaines à bord d'un navire de commerce faisant voile vers Bordeaux, et avait rapporté à ma mère un châle jaune qu'il prétendait avoir fait tisser avec le soleil de la campagne française. C'était son préféré ; elle l'a porté jusqu'au jour où mon père n'est pas revenu. Ensuite, elle l'a replié et le soleil s'est éloigné.

M. Sergeant a tourné les talons et s'est rendu dans la grande pièce où il entrepose ses livres. Il en a tellement – trop pour que je puisse les compter –, entassés dans des coffres et des paniers, attachés avec une ficelle, débordant des caisses ou posés sur des étagères, qui ne sont pas assez nombreuses pour les recevoir tous. La lumière vive m'a éblouie. M. Sergeant a gonflé les joues, s'est balancé d'avant en arrière, puis son visage s'est éclairé quand une idée lui est venue. Il m'a tapoté le front : « On ne réfléchit pas bien dans un endroit lugubre, Helena. Nous allons donner cette pièce à Monsieur Descartes ; son valet et les livres iront à l'arrière. » J'étais trop surprise pour parler. Chaque fois que j'avais suggéré de les changer de place, il avait refusé : cette pièce était la seule qu'ils *méritaient*.

« Ce qu'il faudrait maintenant, c'est que la construction de cette église prenne fin pour que cesse ce vacarme. » Juste à ce moment-là, les marteaux se sont mis à cogner sur les pierres et une planche est tombée d'un échafaudage au milieu des cris. Il s'est emporté : « Qui aurait cru que l'œuvre de Dieu fût aussi bruyante ? À Herengracht, cela ne se produirait pas. »

M. Sergeant rêvant d'habiter au bord du canal des Seigneurs, c'est un peu comme si je convoitais une tulipe pour mon anniversaire : ce sont les négociants qui vivent là-bas ; les libraires s'établissent où ils peuvent. J'aime bien la demeure de M. Sergeant : elle est cachée dans une petite rue transversale et donne sur une place où se tenait un marché avant qu'on construise Westerkerk – la plus belle église de Hollande. Les travaux extérieurs ne sont pas encore terminés. Je ne sais toujours pas si sa maison penche vers la gauche ou si ce sont ses fenêtres qui penchent vers la droite. Peu après mon arrivée, je me suis mise sur le trottoir et j'ai incliné la tête d'un côté et de l'autre, pour voir si cela suffirait à la remettre d'aplomb, ce qui a beaucoup fait rire M. Sergeant. Il souffre de crises de goutte qui le font boiter. Ils forment une drôle de paire, l'étroite bâtisse hollandaise de guingois et l'Anglais rondouillard à la patte folle : il n'y a de ligne droite ni chez l'un ni chez l'autre.

Une fois que la pièce de devant a été vidée et que la date de la venue du Monsieur a été confirmée, M. Sergeant n'a pas perdu de temps pour diffuser la nouvelle. Quand M. Veldman est passé lui rendre visite, il n'avait pas franchi le seuil qu'il l'en informait. Ils sont tous deux libraires — et concurrents, ce qu'ils n'admettent ni l'un ni l'autre. M. Veldman est spécialisé dans les récits de voyages et les cartes — qu'il appelle livres du monde —, M. Sergeant dans la poésie et les traités moraux « de nature édifiante ». Le jour où M. Veldman a qualifié l'une des récentes acquisitions de mon maître de « commérages d'une qualité littéraire douteuse », M. Sergeant n'a plus voulu le recevoir tant qu'il ne lui aurait pas fait porter suffisamment d'eau-de-vie pour effacer le préjudice et laver l'affront. « Nous verrons bien qui de nous deux est la commère », a-t-il déclaré en avalant une grande rasade. Pour finir, il a vidé le pichet et s'est endormi en ronflant dans son fauteuil.

Tout en se défaisant de sa cape, M. Veldman réagit à ce que lui apprend M. Sergeant. « Descartes, *le* Descartes ? Avez-vous perdu l'esprit ? »

M. Sergeant poursuit sans tenir compte de sa remarque : « Je dois reconnaître que je suis très flatté.

— Vous a-t-on parlé de ses précédents logements ? S'il n'était pas à l'abattoir, il passait son temps dans sa chambre à découper des animaux, dont certains n'étaient même pas morts. »

M. Sergeant avale sa salive. « Helena, va chercher à boire pour notre visiteur. » M'est avis qu'il en a besoin lui aussi. Je replie la cape de M. Veldman sur mon bras et apporte le plateau que j'ai posé sur le buffet.

« Oui, ajoute ce dernier, qui apparemment s'amuse beaucoup, vous pouvez imaginer… »

Je remets les verres d'aplomb. M. Sergeant a pâli. M. Veldman adopte le ton qu'il emploierait pour un récit édifiant : « Il jette aussi des animaux par la fenêtre – vivants, bien entendu. Et tout cela au nom de sa *méthode* !

— Quoi qu'il en soit, réplique M. Sergeant, le sieur Huygens est d'avis que cet homme est un génie. Cela me suffit. »

M. Veldman fait mine de se protéger les yeux de la main. « Je suis ébloui ! Nous pourrions peut-être organiser une soirée avec le génial Monsieur Descartes ?

— Une soirée ? » M. Sergeant se dandine d'un pied sur l'autre. « Je suppose qu'il sera occupé. Probablement très occupé. »

Piqué, M. Veldman hausse les sourcils et saisit un verre. « C'est un catholique déclaré, vous ne l'ignorez pas. » M. Sergeant balaie sa phrase d'un geste :

« La tolérance est essentielle. Vous et moi sommes bien placés pour le savoir. Il est libre d'occuper son temps à sa guise.

— J'aurais aimé connaître son opinion sur Galilée. Qu'importe… Cela m'étonnerait qu'il publie, en tout cas prochainement.

— Patience, Veldman, patience ! Cet homme a plus d'une corde à son arc. »

M. Veldman s'esclaffe. « Je dirais plutôt *impatience*, arrogance et ambition. Et mauvais caractère, si ce que j'ai entendu est vrai. »

M. Sergeant boit une gorgée, se gratte la gorge. « Ce sera un honneur de l'héberger. Dans cette maison.

— Sur ces sujets, je m'incline – comme à l'accoutumée – devant votre jugement. » Il fait une légère courbette.

M. Sergeant le taquine : « Ne seriez-vous pas quelque peu jaloux, Veldman ? »

M. Veldman rit à nouveau. « Un vieil homme a droit à ses petites jalousies de temps à autre. » Il lève son verre à la lumière et ajoute, en me lorgnant à travers : « Fort joli ! »

« Mon cher, puisque vous aimez être envieux, venez voir ce que j'ai rapporté d'Utrecht. »

Il l'entraîne dans son bureau. Une fois que la porte est refermée, j'emporte les verres pour les laver. Celui de M. Veldman, je le lave deux fois.

Fleurs

Le pasteur de Noorderkerk raconte des histoires incroyables à propos des Français – ils porteraient fraises et collerettes, soieries et satins, rubans et dentelles. J'ai du mal à imaginer un homme affublé de pareils accessoires. Est-ce que notre hôte viendra avec sa collection de perruques ? Boira du vin au réveil et de l'eau-de-vie au petit déjeuner ?

Le matin de son arrivée, M. Sergeant m'envoie acheter des fleurs. Avant de s'enfermer dans son bureau, il me recommande : « Assure-toi qu'elles sont bien *françaises* », sans m'en dire plus.

Au marché, je fais le tour des étals – pivoines, marguerites, chèvrefeuille, roses de toutes les couleurs. Qu'y a-t-il de français là-dedans ? Si Betje était là, elle aurait une opinion, même si, au fond, elle n'en sait pas plus que moi. Des pivoines ? Toutes les demeures qui bordent Herengracht en ont qui paradent à leurs fenêtres : *Admirez-nous*. Je n'aime pas ce genre de fleurs : elles peuvent être fanées à l'intérieur sans que cela se voie, ne sont que flétrissure et mélancolie, et perdent leurs pétales au moindre souffle.

J'essaie d'attirer l'attention d'une marchande :
« Excusez-moi. En avez-vous des françaises ? » Elle
s'essuie sur son tablier et me montre du chèvrefeuille
dans un panier : « C'est tout ce que j'ai. » N'est-ce
pas une plante tout aussi anglaise que les roses ? Elle
lève les yeux au ciel. Si je ne tapotais pas ma bourse
pour lui rappeler pourquoi je suis là, elle m'enverrait
au diable. Elle part fouiller derrière son étalage et
rapporte un petit panier de lavande. « C'est fait pour
être séché ; on s'en sert pour éloigner les mouches.
Je suppose que vous pouvez les mettre dans l'eau
d'abord, si ce sont des fleurs françaises que vous cher-
chez. »

J'en prends un bouquet pour respirer son parfum.
Il m'évoque une colline violette, un grand ciel
bleu, un soleil couleur de pêche. La marchande fait
la moue. « Je n'apprécie pas cette odeur, cela me
fait éternuer. » Je le hume à nouveau. Craignant
peut-être que j'épuise sa senteur, elle me demande,
en croisant les bras : « Alors, vous le prenez ? »

Oui, je l'achète. J'ai des *bouquets* à faire. Quand
M. Sergeant m'a expliqué ce qu'il voulait, j'ai
répondu : « *Boeket ?* » Nous nous sommes regardés,
j'ai écarquillé les yeux pour nous deux. « *Boe-kay*,
Helena. *Boe-kay.* »

Je mets donc un *boekay* de roses dans son bureau,
puis je monte à l'étage avec un *boekay* de chèvrefeuille et de lavande, en essuyant les gouttes au fur
et à mesure. Je dispose les fleurs, j'ouvre les volets
pour faire entrer le soleil, j'éloigne la table du mur,
fais glisser la chaise vers la droite, vers la gauche. Où

admire-t-on le mieux Westerkerk ? Je connais un moyen d'en voir plus : je colle ma joue contre le châssis de la fenêtre, ferme un œil et cligne de l'autre. Un carré de lumière argentée et vibrante apparaît : Prinsengracht ; ce n'est plus de l'eau, c'est un bijou. La table, le bouquet, la chaise vide : c'est donc là qu'il va réfléchir. D'après M. Sergeant, il y passe ses journées. Je n'ai jamais entendu parler d'une chose pareille.

Je replie les draps pour aérer le lit, balaie le sol. Voilà, j'ai terminé. Je contemple la chaise, la porte, à nouveau la chaise. Je décide de m'asseoir le temps qu'il me faudrait pour descendre et remonter, et d'attendre une pensée surprenante, fantastique – une pensée française, quelle qu'elle soit. Ce qui me vient à l'esprit n'est rien de tout cela : les bas de M. Sergeant de ces deux dernières semaines, qui trempent dans un seau à la cuisine et que je dois laver. Cela me fait penser que d'ici peu, j'aurai à frotter ceux de deux hommes en plus. Le seau n'est plus plein, il déborde.

Je me relève. Moi, il vaut mieux que je réfléchisse debout.

À la fin de la matinée, la maison sent la lavande, la rose et le ragoût d'agneau aux épices que j'ai mis à cuire avant le petit déjeuner. M. Sergeant respire le fumet qui s'échappe de la marmite et se frotte les mains, ravi. « Parfait, Helena. Exactement ce qui convient. Nous n'avons plus qu'à attendre. »

Je décroche un seau d'eau qui chauffait dans l'âtre et le porte jusqu'à la table. Je n'ai pas besoin de miroir pour savoir que je suis écarlate ; mes pieds le seront bien plus si je renverse cette eau dessus. M. Sergeant s'écarte. Il contemple les pots que j'ai alignés en tortillant sa barbe : oignons, beurre, citrons et estragon ; sur le côté, deux poules maigrichonnes à plumer. Je lui explique : « De la poule en daube.

— Ah ! » Son visage s'éclaire à l'instant où le mélange d'ingrédients se transforme en un plat qu'il connaît, et qui est l'un de ses favoris. Je fais glisser un morceau de beurre dans la poêle. Si j'ai le temps de tout préparer, je pourrai m'échapper tôt demain matin pour voir Betje.

Je plonge une poule dans le seau et l'enfonce avec une baguette. L'eau devient grise et se couvre d'une écume givrée ; il en monte une odeur écœurante de poulailler, que je me retiens de respirer. Je fais tournoyer la bête pour que son plumage soit bien imprégné et je compte. À trente, je recommence. Le temps nécessaire pour un volatile de cette taille, c'est quatre fois trente ; après, il se met à cuire. Quand le relent parvient à ses narines, M. Sergeant recule de deux pas. « Bien, je vais te laisser. » Il repart si vite que la vapeur le suit. *Dix-sept, dix-huit, dix-neuf, vingt…, vingt-neuf, trente.* Je la sors avec une grimace de dégoût.

*

* *

Le soleil a dépassé le clocher de l'église. J'entends un petit coup à la porte. En ouvrant, je découvre un homme mince, à la peau claire, pas plus grand que moi, vêtu d'une casaque noire au col relevé. Ni soie ni satin, pas plus de manchettes de dentelle que de canne à pommeau d'argent ou de perruque.

Ses cheveux bouclés tombent jusqu'à ses épaules. Ils sont noirs, striés de gris, de même que sa barbe taillée. Son front est surmonté d'une courte frange qui met en valeur ses yeux écartés, tout aussi sombres. Ses paupières lourdes lui donnent un air ensommeillé. Il les plisse, comme pour se protéger d'une lumière trop vive, et me salue en français : « *Bonjour* », et en hollandais. Il s'incline, un léger sourire au coin des lèvres. Voici donc l'homme qui jette les animaux par les fenêtres ? J'avale ma salive, courbe la tête, ouvre en grand et me cache derrière le battant. C'est la seule réponse que je puisse lui donner. M. Sergeant sort de son bureau pour l'accueillir : « Monsieur Descartes ! Entrez, entrez. Ses affaires, Helena, vite. »

Je jette un œil depuis la porte.

« Non. Limousin, mon valet, va s'en charger. »

Le Monsieur fait signe à un homme qui se tient en retrait sur le trottoir et qui est en train de curer sa pipe. Ses habits sont trop petits pour lui et l'on peut voir ses chevilles, ses poignets et son cou. En entendant son nom, il se redresse, tape sur sa pipe pour en faire tomber le tabac et la glisse dans la poche de son gilet. Il s'incline devant le Monsieur puis devant M. Sergeant. À côté de lui sont posés deux petites malles, quelques livres entourés d'une lanière de cuir, une couverture roulée et un coffret de la taille d'une chaufferette ; un très beau coffret en bois orné d'une plaque de cuivre. Je m'avance pour le prendre, mais il me repousse : « *Pas ça !* »

« Mon horloge, explique le Monsieur. Limousin considère qu'elle est un peu à lui.

— *C'est précieux.* » Il la tient contre lui. « Elle doit être manipulée avec précaution. » Je rougis. Il me croit incapable de porter une boîte ?

M. Sergeant entraîne le Monsieur à l'intérieur. « Nous allons vous installer et boire un verre ou deux. Ensuite, je vous montrerai Westerkerk, sur la place. Elle doit être observée d'une certaine façon. Même si elle n'est en rien comparable aux cathédrales parisiennes, bien entendu, je suis persuadé que je parviendrai à vous convaincre de sa splendeur. Ah, Paris ! Ça, c'est une ville ! »

Le Monsieur pénètre dans le vestibule à la suite de M. Sergeant, et moi à la suite du valet, qui ne s'intéresse pas beaucoup à ce qui l'entoure. Il est à l'évidence plus âgé que le Monsieur et ses joues sont creuses. Soit il n'aime pas manger, soit il ne mange pas suffisamment de ce qu'il aime.

« Je m'appelle Helena. Je suis la servante de M. Sergeant. » Je lui tends la main en espérant qu'il me comprendra.

Il enlève un fil sur sa manche et tire sur ses poignets trop courts en braquant son regard sur moi. Je fais retomber mon bras.

« Votre nom, je vous prie ?

— Li-mou-sin. » J'ai l'impression qu'il me présente trois *poffertjes*[1] sur un plateau, à déguster l'une après l'autre.

« Li-mo-sa ? »

Son visage se crispe à chaque syllabe que je prononce. J'ai l'impression que son nom s'enfouit tel un lapin dans un trou ; quand je crois l'avoir attrapé, la queue a disparu. La perspective d'avoir à s'expliquer l'assomme. « Limousin. C'est la région d'où je suis originaire. Il suffit d'avoir des connaissances élémentaires en géographie pour le savoir.

— Limousin, c'est votre nom ?

— C'est ma *préférence*, c'est ainsi que je souhaite qu'on m'appelle. »

Je fronce les sourcils.

« *Voorkeur*, dans ta langue. » Il connaît mieux le hollandais que je ne le pensais. Elle est quand même surprenante, cette *préférence* : est-ce que je m'appelle Leyde ou Amsterdam ? Je fais de mon mieux pour ne pas sourire.

Je le conduis à l'étage et lui fais visiter les chambres. D'un signe de tête, il approuve celle du Monsieur. En découvrant la sienne, il paraît moins réjoui. Il va à la fenêtre, jette un œil dans la cour, garde ses pensées pour lui. Nous ne sommes pas si différents, après tout.

Je m'apprête à repartir. « Je vous laisse ranger vos bagages.

— Un instant. Si tu as une question concernant Monsieur Descartes, il faut venir me voir d'abord,

---

1. Petites crêpes rondes.

compris ? Je suis son *intermédiaire*. Je m'occupe de ses affaires.

— Oui, bien sûr.

— Parfait. »

Ses épaules se relâchent et il condescend à me faire un petit sourire. J'attends un peu, au cas où il aurait autre chose à dire ; il s'assied sur le lit et tâte le matelas d'un air résigné. En moi-même, je me dis : *Limousin, tu parles ! Monsieur Vinaigre, plutôt.*

Pendant que M. Sergeant et le Monsieur déjeunent, il vient me rejoindre à la cuisine. Il goûte mon ragoût, le trouve presque aussi bon que celui de sa mère et en reprend une cuillerée.

« Monsieur n'y touchera pas, en revanche. Il évite la viande. »

Je pense, consternée, à ma poule en daube. Je vais devoir faire cuire un autre plat et je ne pourrai pas sortir tôt demain matin. Il retire ses bottes, coupe une pomme avec son canif, la mange en piquant les morceaux avec la lame et se met à siffloter en tambourinant sur la table. D'après M. Sergeant, ils seront là *au moins* tout l'été. Ses doigts qui battent en rythme et son sifflet peu mélodieux me font grincer des dents.

« C'est la première fois que vous venez à Amsterdam ?

— Par Dieu, non, certainement pas ! » Il est surpris, non de ma question, mais que je ne sois pas au courant. Suis-je censée connaître toutes leurs allées et venues ?

« J'espère que le logement vous convient.

— *Merveilleux*. Le précédent n'était pas du tout confortable.

— Les pensionnaires de M. Sergeant repartent toujours satisfaits. »

Il prend une expression accablée. *Quel rabat-joie! Quelle que soit la quantité de sucre qu'il ingurgite, il n'en aura jamais assez.*

« Êtes-vous ici pour l'été? Tout l'été? » Je souris pour ne pas qu'il me croie pressée de les voir repartir.

Il hausse les épaules. « *Sais pas*. Monsieur a un certain... mode de vie, des *habitudes*. D'abord Dordrecht, puis Franeker. » Il parle en agitant les mains vers la gauche, vers la droite. « Plus tard, Amsterdam, Deventer. Avant cela... » Il lève le bras pour rassembler ses souvenirs. « Avant cela, l'Italie, la Pologne, l'Allemagne... Nous déménageons sans arrêt. Très souvent. J'ai perdu le fil. »

La Pologne, l'Italie, l'Allemagne? Ces noms étincellent tels des miroirs. J'essaie de me rappeler si je les ai déjà vus sur une des cartes de M. Veldman. « À votre place, je l'aurais perdu aussi! »

Il me toise froidement et je comprends que je viens de franchir une ligne qui nous sépare. Des lignes, il y en a partout pour me faire trébucher. Comment allons-nous communiquer si nous ne nous *parlons* pas? C'est un valet, pas un libraire, ni un maître. Il est vrai que je ne suis qu'une servante, hollandaise qui plus est, et non française. Je ne suis certainement pas un *intermédiaire*. Il a tracé ces lignes pour m'éloigner de lui autant que possible. Pourtant, il n'est qu'un valet, un *knecht*. S'il ne le connaît pas, ce terme-là, je le lui apprendrai un jour.

« La question n'est pas de compter, croyez-moi. Monsieur a besoin de paix. Pas de surprises. Pas de visites. Nous bougeons, nous changeons d'endroit jusqu'à ce que nous trouvions le calme – ce qui est fort rare. » On dirait qu'il me met au défi d'émettre un son.

Amsterdam n'est à coup sûr pas une ville calme, ni dénuée de surprises. N'a-t-il pas entendu parler des foules que Westerkerk attire – et pas seulement le dimanche ? Il n'est peut-être pas utile que je le mentionne.

Je lui verse du vin. Il lève son verre à la lumière, le fait tourner lentement, baisse le nez pour le sentir. « *Il est bon !* » Je souris. M. Sergeant s'est donné du mal pour le dénicher et m'a dit : « Deux pour le valet, pas une goutte de plus. » Il en avale une gorgée après l'avoir gardée un peu en bouche, et une autre. « Fameux. Boire ça ici... dans un endroit pareil. » Il scrute le fond – espère-t-il y voir la France ? – et passe le doigt autour, songeur. « Le froid dans ce pays est un véritable cauchemar... *un cauchemar.* »

Cauchemar ? Voilà un mot bien peu cauchemardesque ! Pour moi, il est aussi doux que la laine.

A-t-il de la famille ? Je me demande quand il la voit, et même s'il la voit de temps en temps. J'imagine son existence : suivant son maître de ville en ville sans poser de questions ni se plaindre – ou en tout cas sans que ses plaintes parviennent aux oreilles de son maître.

Je lui propose de le resservir. Il accepte, et m'invite à en verser un peu plus lorsque j'en suis à la moitié. Aménager la chambre du Monsieur à l'avant a été la bonne décision. Je m'inquiète pour le valet, dans cette pièce froide et sombre à l'arrière. Je m'arrangerai pour lui apporter une couverture supplémentaire.

Il finit son verre, croise les bras et ferme les paupières. Je ne suis pas sûre qu'il soit assoupi, mais je reste silencieuse. Je ne veux pas le déranger : s'il réclame encore à boire, je n'aurai plus rien à lui donner.

Après le déjeuner, M. Sergeant sort sur la place avec le Monsieur. Ils se postent devant l'église et, avec de grands gestes, M. Sergeant commente la forme voûtée d'une ouverture. C'est un orateur. Plus d'une fois, j'ai vu ses clients donner des signes d'impatience ; c'est d'ailleurs le cas du Monsieur, qui tente de s'échapper sans paraître grossier.

Je me remets à ma tâche ; je referme les volets car la lumière commence à baisser. La fenêtre de la chambre du Monsieur était ouverte et plusieurs feuilles de papier sont tombées. En les reposant sur la table, je m'aperçois qu'il a jeté les fleurs que j'avais disposées avec tant de soin – il n'a gardé qu'un brin de lavande, qu'il a mis dans un verre ! À côté, sous son encrier, il a glissé quelques notes et un croquis. Un bien étrange dessin : il n'a reproduit que la tige, et non la fleur. En plus, elle n'est même pas droite :

là où elle touche l'eau, elle s'interrompt et repart décalée sur le côté.

C'est curieux. Je me baisse au niveau du verre en clignant des paupières. Là où la tige entre en contact avec le liquide, elle semble coupée en deux. Je la tire, la replonge. *Ça alors !* Je pense à toutes les fois où j'ai mis des fleurs dans un vase sans m'en rendre compte. Je lui apporterai une fleur avec une grosse tige pour qu'il la dessine. Juste une. Une des roses de M. Sergeant, par exemple.

Je vois peu le Monsieur. Pourtant, il est partout où mon regard se pose – comme s'il se tenait quelques pas devant moi, qu'il venait juste de quitter mon champ de vision. En moins d'une semaine, nous sommes à court de chandelles et de sel. Il manque des verres dans le placard, que je retrouve sur le rebord de la fenêtre de sa chambre, remplis d'une eau grise. Il a pris un vieux plat d'étain dans la cuisine et l'a couvert de bouts de chandelles. Sur une assiette, il a fait couler des flaques de cire, avec la marque de son pouce sur chacune. Je me garde bien de toucher à tout cela.

Il n'ouvre pas sa porte avant midi, puis s'absente et envoie Limousin en courses dans la direction opposée. M. Sergeant, qui se réjouissait à la perspective d'avoir de la compagnie au déjeuner, doit être déçu : le Monsieur préfère prendre ses repas dans sa chambre. Souvent, il ne rentre qu'après dîner et je l'entends aller et venir jusque tard dans la nuit. Je lui laisse de quoi manger sur un plateau près de sa porte, sous une assiette. Je découvre ainsi ce qu'il aime et ce qu'il n'aime pas. Il est friand de sucreries ; je lui prépare du gâteau aux pommes à la cannelle, je passe du babeurre à travers une mousseline et le parfume avec de la vanille pour obtenir du *hangop*. Ces plats reviennent toujours vides.

Parfois, il ne quitte pas sa chambre, et je dois faire le ménage en sa présence, après le déjeuner pour être sûre qu'il soit habillé. Je retire mes pantoufles pour ne pas le déranger. Il est assis les yeux fermés sur une chaise qu'il a tirée près de la fenêtre. Il me fait penser à un chat lézardant au soleil, ni éveillé ni endormi. Il ne se rend pas compte de ma présence.

Chaque jour, je replie les draps, les défroisse et aère le matelas. Deux fois par mois, je lave la literie et son linge. Au bout de quatre semaines, je n'ai toujours pas eu sa chemise de nuit. Un jour qu'il pleut, ce qui signifie qu'il ne sortira pas, j'entre tout doucement et me mets à genoux pour voir si elle n'est pas tombée par mégarde sous le lit.

« Que cherches-tu ? »

Je sursaute, et me relève en m'essuyant sur mon tablier. « Je...

— Oui ?

— Y a-t-il des vêtements que je dois laver, Monsieur ?

— Certainement. Limousin a dû te les apporter. »

Je triture le tissu entre mes doigts.

« Quelque chose ne va pas ?

— Je n'ai pas eu votre chemise de nuit, Monsieur.

— Ma chemise de nuit ? »

Mes joues deviennent écarlates. Il renverse la tête en arrière et éclate de rire. « Quelle chemise de nuit ? »

Mon cœur bat aussi fort que si j'avais monté dix étages à la suite. Je m'enfuis de la pièce, poursuivie par son rire qui cascade sur mes talons. Dans ma précipitation, j'en oublie mes pantoufles. Je n'ose pas remonter et marche pieds nus jusqu'au soir. Quand je finis par trouver le courage d'aller les récupérer, je les découvre devant sa porte, avec un papier posé sous l'une d'elles. Je le déplie : *Vos pantoufles – vous aurez froid sans elles.* Dessous, il a fait un petit dessin.

Je cligne des yeux. Rien n'est droit. Pas même la tige d'une rose dans l'eau.

AMSTERDAM, 1632–1633

Verre

Westerkerk n'est pas fréquentée par les gens de ma condition. Mon église, c'est Noorderkerk. Pour m'y rendre, je dois remonter le canal Jordaan ; cela ne me dérange pas, c'est mon quartier. Le dimanche, je me lève une heure plus tôt que d'habitude : avant de partir, il faut que j'allume les feux que j'ai préparés la veille et que je cuisine le petit déjeuner ; il faut aussi que je compte le trajet depuis Westermarkt si je veux arriver avant six heures. Pour me présenter devant Dieu, j'aime être toujours à la même place : sur le côté et à l'arrière, là où la lumière tombe directement d'une haute fenêtre. Je m'efforce de ne pas dévisager les paroissiens qui entrent. Je reconnais des négociants du Jordaan, des servantes qui bavardent en groupes, virevoltent tel des pigeons, puis se calment une fois sur le seuil ; des petits commerçants, aux fraises si larges et si plissées que leur tête paraît détachée de leurs épaules. Plus grande est leur collerette, plus ils opinent du chef pendant le prêche du pasteur, et plus grande est l'attention que ce dernier leur accorde une fois son sermon terminé.

Je n'ai pas envie de porter une fraise et cela me convient que le pasteur ne me remarque pas. Je me couvre d'un carré de mousseline, que je place assez bas sur mon front pour cacher mes cheveux. Il me vient de ma mère ; c'est tout ce qui subsiste du trousseau qu'elle avait prévu pour mes noces. Après la disparition de mon père, elle a ouvert le tiroir et vendu les pièces une à une. Je me souviens avoir pensé : *Ne suis-je pas censée me marier ?* Je ne pouvais pas poser la question à haute voix : il fallait bien manger. Pour finir, du mari pour lequel elle avait mis tout cela de côté, il n'y avait plus que des morceaux de tissu effilochés. En déchirant une nappe pour en faire des mouchoirs, elle a déclaré : « Il n'y a guère que Dieu qui puisse nous venir en aide. »

Elle s'est remise à filer la laine, comme avant son mariage, et m'a appris. À nous deux, nous gagnions moins qu'un manchot. La vente du linge de mon trousseau et la laine filée ne suffisaient pas à nous nourrir. Thomas, mon frère, a pris la mer. Ma mère a entendu dire qu'on avait besoin de servantes à Amsterdam. Quand elle me l'a annoncé, je n'ai pas relevé les yeux ; cela n'aurait servi à rien.

Le jour de mon départ, elle a redressé mes épaules puis, me pinçant de ses doigts fins, a accroché sa broche à mon châle. Elle m'a prise dans ses bras, m'a enveloppée de sa chaleur douce et forte ; j'ai senti en elle une énergie que je ne lui connaissais pas et j'ai eu, tout à coup, l'espoir que nous resterions ensemble. J'ai posé ma joue contre la sienne et me suis blottie contre elle. Elle s'est raidie – la perspective de notre séparation avait jeté un froid entre nous – et m'a repoussée gentiment. « Que tu as grandi ! Bientôt tu vas travailler, tu recevras des gages... » Je savais qu'elle essayait de me réconforter, mais j'avais entendu que les servantes n'étaient payées qu'une fois par an. Qui pouvait dire ce que j'allais gagner, dans combien de temps je la reverrais ? J'ai avalé ma salive. « Et vous, Mère ? Qu'allez-vous devenir ? » En relevant mon menton, elle a répondu : « Allons... Je me débrouillerai. J'irai voir le pasteur s'il le faut. » Elle a remis la broche en place et quand j'ai voulu m'approcher à nouveau, ne m'a pas laissé faire. « À Amsterdam, il y a le monde entier – *rends-toi compte !* Travaille dur, Helena. Je sais que Dieu t'accompagnera. » La seule chose dont j'étais sûre, c'était que je n'étais pas d'accord avec ce qu'elle me proposait et mon refus me clouait au sol, m'enserrait les chevilles. Elle m'a donné mon baluchon, ma Bible, et je n'ai eu d'autre choix que de les prendre. Nous avons marché jusqu'au coche. Quand nous nous sommes séparées, elle a serré ses bras autour d'elle. J'ai appris ce jour-là qu'il y a différentes façons de se dire au revoir. Une fois que je ne serais plus là, elle aurait un souci en moins.

En partant, j'ai levé la main ; en réponse, elle a seulement agité les doigts.

J'emportais avec moi une lettre d'introduction auprès de M. Slootmaekers, un agent du bureau qui plaçait les domestiques dans les familles de commerçants. Je savais lire, écrire et réciter mes prières. Je pouvais préparer les repas, tirer de l'eau, entretenir un feu. Avec le temps, j'apprendrais tout ce qui était nécessaire. Je pouvais certainement être utile à quelqu'un.

En fait, personne n'avait besoin d'une servante sachant écrire. Ce n'était pas nécessaire qu'on me le dise : je le lisais sur les visages. Un hochement de tête, une moue dubitative, un haussement d'épaules, un long regard froid qui descend le long du nez, les yeux qui se plissent – j'ai vu tout cela pendant que M. Slootmaekers me traînait le long du Singel, de l'Amstel et du Jordaan dans les deux sens.

C'était une journée lugubre, et nous en étions à la fin. Les maisons se pressaient les unes contre les autres dans l'obscurité ; elles me faisaient penser à des hommes emmitouflés dans de longs manteaux gris. Derrière les portes qui s'ouvraient aux petits coups de M. Slootmaekers, nous apercevions toutes sortes de merveilles, des éclats écarlate, orange et or qui disparaissaient presque aussitôt. Dans l'une de ces demeures, la dame s'est tenue sur le seuil, les mains jointes, telle une reine sur son trône, à écouter M. Slootmaekers lui présenter sa requête depuis le trottoir. Elle portait une bague ornée d'une pierre bleue qui bougeait sur son doigt, aussi impressionnante que l'œil de Dieu. M. Slootmaekers m'a appris que cela ne se fait pas de fixer les bijoux de cette façon. Nous avons poursuivi notre chemin.

En arrivant à Westermarkt, il faisait nuit. M. Slootmaekers avait été informé qu'un libraire de sa connaissance était en quête d'une servante. Un libraire ? En frappant à la porte, il se demandait en marmonnant quels maigres honoraires il pourrait en obtenir. Il m'a dissimulée dans l'ombre : « Tenez-vous en arrière, ma fille. » Le fait de me voir pouvait donc faire capoter l'affaire ? Nous avons attendu. Une vague lueur vacillait à une fenêtre, mais rien ne bougeait à l'intérieur. M. Slootmaekers a tapé, plus fort, avec sa canne.

« Voilà, voilà ! »

Nous avons entendu des clés cliqueter, tomber à terre, puis un verrou qu'on tirait. Un vieil homme à la barbe fournie, le crâne luisant cerné de touffes de cheveux blancs, nous a examinés d'un air inquiet depuis le seuil.

« Oui ? Quoi ? Ah, Slootmaekers. Je vous attendais. Depuis si longtemps que je m'étais assoupi. » Il a épousseté des miettes sur son gilet et s'est gratté la gorge. Il parlait avec un drôle d'accent – on aurait dit qu'il suçait un noyau.

M. Slootmaekers s'est incliné : « M. Sergeant, veuillez excuser cette visite tardive.

— Vous avez quelqu'un ? Je suis bien en peine depuis que la dernière fille que vous m'avez amenée, Gerarda, a dû partir. »

M. Slootmaekers m'a tirée de derrière lui et m'a poussée dans la lumière en cherchant dans sa poche mon certificat chiffonné. Je n'osais pas lever les yeux. Il m'a ordonné : « Tiens-toi droite ! » J'ai redressé la tête, c'était tout ce que je pouvais faire.

M. Sergeant a fourré le document dans son gilet. « Sais-tu cuisiner ? »

J'ai fait signe que oui. Il s'est frotté les mains. « Bien, entre !

— Vous ne voulez pas voir ses références ?

47

— Dans cette lumière ? Voyons plutôt si cette demoiselle est capable de préparer des crêpes. Il n'y a pas de meilleure référence. »

Il nous a fait traverser deux pièces sombres en enfilade et descendre quelques marches. Il régnait une drôle d'odeur : ni de crasse ni de propreté – une odeur animale, mais pas celle d'un chat, d'un chien ou d'une bête qu'on pouvait s'attendre à trouver dans ce genre d'intérieur. Une fois dans la cuisine, il a jeté quelques brindilles sur le feu, un feu si chétif que j'aurais pu l'attraper. « Il va bientôt prendre. » Il n'en était pas aussi sûr que ses paroles le laissaient penser.

Il a soulevé une pile de livres sur la table puis, ne sachant où les mettre, les a reposés au même endroit. J'ai rajouté du bois dans la cheminée, et quand la poêle a été bien chaude, j'ai fait cuire les crêpes. Ensuite, j'ai gratté le pain de sucre, l'ai réduit en poudre et en ai parsemé les crêpes. Il ne m'a pas quittée des yeux, la cuiller levée, et les a toutes dévorées, dans la cuisine, sans même s'asseoir. Au bruit qu'il faisait, on aurait cru qu'il n'avait rien mangé depuis une semaine. J'ai su plus tard que Gerarda était partie en donnant un préavis de trois jours et qu'il avait dû se contenter de pommes, de prunes et d'un fromage qu'il avait grignoté jusqu'à la croûte. Ce n'était pas une situation très enviable. Apparemment, il n'y avait pas de Mme Sergeant.

Entre deux bouchées, il m'a glissé : « Slootmaekers me dit que tu sais écrire. Ma vue n'est plus ce qu'elle était. »

Je l'ai dévisagé pour voir s'il fronçait les sourcils. Il a levé les bras, semblant remercier Dieu. J'ai vu le moment où il allait me prendre dans ses bras ; au lieu de cela, il m'a rendu son assiette vide : « Fameuses ! »

M. Slootmaekers a pris congé. Peu après, M. Sergeant est monté à l'étage. Le silence s'est installé. Il ne restait pour seule lumière que celle de ma chandelle et je n'en ai pas trouvé d'autre, seulement quelques morceaux consumés. Tous les pots étaient vides, à part un qui contenait un oignon ; en soulevant les couvercles, je ne voyais que de grands trous sombres. Je n'avais pas osé demander si j'étais l'unique servante. Personne pour me montrer comment m'y prendre, pour me seconder ? Mon estomac s'est serré à l'idée que j'allais devoir me débrouiller seule.

À Amsterdam, il y a le monde entier. Il était là, de l'autre côté de la porte, à m'attendre. J'étais trop fatiguée pour y penser. Je me suis endormie sur la table, les mains encore blanches de farine.

Le lendemain matin, j'ai découvert mon lit dans une alcôve à côté de la cheminée de la cuisine, sous une étagère. J'ai défait mon baluchon et étalé tout ce que je possédais : mon carré de mousseline, ma broche, mon châle. J'ai ouvert ma Bible et déplié le papier qui était glissé dedans, où était seulement écrit *Aemilia*, le nom du bateau de Thomas. Il était parti depuis un an déjà, et ne rentrerait pas avant une autre année. J'ai posé la Bible sur l'étagère. La literie était rangée dans un tiroir, sous le lit. On m'avait raconté que certaines servantes dormaient à la cave, que d'autres devaient se contenter d'un trou tapissé de paille. J'ai tapoté le matelas, qui était souple ; j'étais soulagée qu'il ne soit pas humide.

Plus tard, M. Sergeant est venu me faire faire le tour du propriétaire. Nous avons commencé par la cour, à l'arrière. En faisant mine de me présenter à une lointaine parente, il s'est incliné : « La pompe à eau, Helena. » Un chat roux m'observait depuis un muret. J'avais presque envie de faire une courbette. J'ai soulevé la poignée et après quelques grognements et gargouillis, l'eau est montée. La soute à tourbe, avec un billot pour le petit bois, était un peu plus loin. Nous sommes passés dans un espace ombragé, tendu de cordes à linge, où des draps mis à sécher se gonflaient et se creusaient dans le vent. Des corneilles qui se chamaillaient dans les arbres se sont envolées dans un concert de croassements furieux. Deux servantes sont sorties d'une des maisons d'en face et se sont approchées. La plus petite, qui atteignait à peine l'épaule de l'autre, n'avait guère plus de douze ans, à mon avis. En me voyant, elles se sont arrêtées. Je les ai saluées et la petite a chuchoté quelque chose à l'oreille de la grande en gloussant. « Des bécasses », a commenté M. Sergeant en repartant. Avant de rentrer, j'ai regardé par-dessus mon épaule. La plus jeune s'est mise à faire des tours sur elle-même jusqu'à ce que l'autre lui crie de cesser. Je le faisais aussi, autrefois ; maintenant, j'étais obligée de marcher droit.

M. Sergeant m'a conduite dans son bureau, à l'avant. Sous la poussière, le plancher, aussi brillant que du verre, renvoyait mon reflet comme une flaque, avec mes chevilles collées au sol. J'ai reculé d'un pas pour vérifier que mes pieds étaient encore avec moi. M. Sergeant s'est exclamé : « Magnifique, n'est-ce pas ? Avec un peu de cire, il sera parfait. » *Un peu* de cire ? Même en vidant des ruches entières, cela ne suffirait pas. J'ai compris ce qui m'attendait : des journées entières à genoux, à astiquer, astiquer. Une vieille douleur s'est réveillée dans mes bras.

Sur le mur du fond, une grande bibliothèque était remplie de livres reliés de cuir. Voilà d'où venait l'étrange odeur de la veille : *des livres*, ou plutôt des peaux qui les recouvraient. À côté, deux vitrines avaient été placées en évidence devant la fenêtre ; chacune ne contenait qu'une seule feuille imprimée, portant un titre et un nom. Sur l'une étaient dessinés des insectes, des oiseaux et des arbres. Je reconnaissais les lettres, pas les mots qu'elles formaient. « Ce sont des frontispices, m'a expliqué M. Sergeant. Si le livre suscite suffisamment d'intérêt, on l'imprime. Il est écrit en latin. Aujourd'hui, il y en a de plus en plus en hollandais, ainsi qu'en anglais et en français – bientôt, tout le monde achètera des livres à Amsterdam. Si chaque habitant de la ville le faisait… Ce jour-là, j'habiterai sur Herengracht. » Il a passé le doigt sur une étagère, mais pas pour vérifier si elle était poussiéreuse. « Un livre, ce n'est pas suffisant – ce n'est jamais suffisant. Ce qu'il faut, c'est une *bibliothèque*. Une bibliothèque est un investissement pour le futur, Helena. »

Nous sommes montés à l'étage, dans ses appartements – une chambre lumineuse et une petite pièce où il entreposait ses vêtements, dont le contenu avait manifestement été vidé dans la première. Elles donnaient toutes les deux sur l'avant, au-dessus de son bureau. Sa chambre était meublée simplement, avec une armoire en chêne et deux chaises à haut dossier. Les portes de l'armoire étaient ouvertes, les chaises encombrées d'habits – autant de travail qui m'attendait car il n'y avait aucun moyen de savoir ce qui était propre et ce qui ne l'était pas : j'allais devoir tout laver.

Sur une petite table entre les chaises étaient posés deux portraits en miniature représentant une femme entourée d'hibiscus et de roses, et un M. Sergeant beaucoup plus jeune, aux joues empourprées. En me voyant les admirer, il a commenté : « Peintes dans mon jardin d'Oxford, qui était vraiment *beau*. » Un jardin, quelle merveille ! Une sorte de marché aux fleurs personnel. Derrière chez nous, il y a une courette où le soleil ne vient jamais et où il ne pousse presque rien.

Au-dessus de sa chambre, après une seconde volée de marches, une pièce basse de plafond renfermait des documents, des registres et quantité de livres. En comparaison, son bureau était bien rangé. Enfin, il m'a montré deux mansardes à l'arrière, qu'il réservait à ses pensionnaires. « Cela me permet de m'approvisionner en thé. »

Du thé ? J'ai failli lui poser la question, mais il avait commencé à redescendre l'escalier. À mi-chemin, il s'est arrêté : « Voilà ma maison. Même si elle n'est en rien comparable avec celle que je possédais avant, c'est la mienne.

— Oui, M. Sergeant.

— Ces derniers temps, elle n'a pas été entretenue correctement – *ainsi qu'elle devrait l'être*. »

J'ai opiné du bonnet, alors que je ne comprenais rien. Cette bâtisse était immense pour une seule personne, avec tellement d'espaces *vides* inutiles, et des objets si éloignés les uns des autres, des chaises placées à l'écart uniquement pour qu'on puisse les admirer. Je n'imaginais pas qu'une chaise puisse servir à autre chose qu'à s'asseoir, qu'on pouvait simplement la contempler. Et ces feuilles exposées dans les vitrines : comment du *papier,* recouvert de textes imprimés ou écrits à la plume, pouvait remplir et faire vivre une maisonnée, alors que les ballots de laine qui s'entassaient chez nous rapportaient si peu ?

D'une voix douce, il a ajouté : « Tes références mentionnent que ton père a disparu. D'une certaine façon, Helena, nous sommes tous deux des réfugiés. Les circonstances de la vie nous entraînent dans des directions inattendues. Cette période est riche en événements et Amsterdam une ville intéressante pour un libraire. Nous avons nos espoirs, nos prières. En un sens, c'est une consolation. De même qu'un bon livre, bien entendu. »

J'ai murmuré : « Oui. » Je me sentais si loin de chez moi.

Il a repris avec entrain : « Bien ! J'ai quelque chose à célébrer, je vais donc boire du thé. En as-tu déjà préparé ? »

J'ai secoué la tête. Je n'en avais jamais entendu parler.

« Je vais te montrer. Juste une fois. »

Il s'est mis à mes côtés pour m'exposer les différentes étapes, dont il fallait respecter l'ordre scrupuleusement.

Après, j'ai compris qu'il s'agissait en fait de verser de l'eau sur des feuilles recroquevillées. D'abord, on devait l'amener à ébullition, attendre que les bulles montent dans la casserole sans faire bouillir trop long-temps, sinon le breuvage serait gâché. Qu'on puisse gâcher de l'eau était nouveau pour moi.

« Si elle n'est pas assez chaude, le thé n'infuse pas, la boisson est insipide – donc très mauvaise – et doit être jetée. Un tel gaspillage est trop affreux pour qu'on puisse l'envisager. »

Infuser ? Insipide ? Affreux ? Ces mots me plaisaient : ils me chatouillaient la main.

Il est allé chercher le thé, qu'il conservait à l'inté-rieur de son bureau dans une petite boîte en argent fermée à clé. Il a versé la moitié d'une cuillerée de feuilles sèches dans un pot à la forme étrange.

« Pas plus, Helena, sinon je ferai faillite. L'eau, vite. »

J'ai versé l'eau dans le pot.

« Voilà ! Cela suffit. »

Je me suis penchée au-dessus du récipient : en une seconde, sous la vapeur, l'eau a pris une belle teinte ambrée et le parfum de l'herbe après la pluie.

« Parfait. » Il a pris sa montre dans sa poche. « Ensuite, il faut minuter. »

J'ai observé la montre, le thé – qui a foncé et est devenu de la couleur d'une vieille chaussure. J'étais bien contente de ne pas être obligée de le boire.

Pour moi, la maison de M. Sergeant était un palais ; elle était pourtant modeste comparée aux belles demeures qui bordaient le canal des Seigneurs, dont les ouvertures toujours plus grandes semblaient vouloir s'approprier le ciel ou attirer l'attention de Dieu. Certaines étaient édifiées avec si peu de briques que, de loin, elles paraissaient remplies d'air ; d'autres se penchaient sur la rue au point qu'on aurait dit qu'elles se tenaient sur la pointe des pieds, s'attendant peut-être à ce que je fasse en passant une révérence – que je ne faisais pas.

Le soir, avant que les volets soient fermés, quand les bougies étaient allumées à l'intérieur, les pièces étincelaient telles des lanternes dorées. Au petit matin, dans la lumière bleutée, avant que le soleil passe au-dessus des toits, je ne pouvais déterminer où finissait le verre et où commençait le firmament. J'avais l'impression de me tenir sous le regard de Dieu dans une immense église à ciel ouvert.

Un jour que je rentrais du Botermarkt, je m'étais arrêtée devant des ouvriers qui fixaient des volets neufs sur une baie qui était au moins deux fois plus haute que moi. J'ai eu une pensée pour la fille qui était chargée de la nettoyer. Je n'avais encore jamais vu de volets de cette sorte, en bois entièrement sculpté de rubans noués, de chérubins, de roses et de cerises. Le soleil éclairait la vitre obliquement et je pouvais y contempler les oiseaux descendre en piqué, mon reflet, les nuages qui couraient derrière. Étais-je dans le ciel ou était-il tombé dans la rue ? J'ai plissé les yeux, les ai ouverts en grand.

J'ai entendu au-dessus de moi le grincement d'une fenêtre qu'on remontait. Une femme s'est penchée et m'a pointée du doigt. « Eh! toi, là!

— Moi?

— Oui, toi. » Elle a agité son torchon dans ma direction. « Tu touches à mes carreaux? »

J'ai sursauté et fait un pas en arrière.

« Descends cette marche! Allez, ouste! Comment oses-tu? »

J'ai reculé jusqu'à la rue. « Non, je…

— Quelle effrontée! Tu as touché mes carreaux!

— Ce n'est pas vrai!

— Menteuse! Que Dieu te prenne la langue et en fasse un nœud!

— Je n'y ai pas touché! Dieu ne vous a pas donné des yeux pour voir? »

Elle a bredouillé : « Ça alors! »

Sans demander mon reste, j'ai pris mes jambes à mon cou et j'ai couru d'une traite jusqu'au milieu de Prinsengracht, après avoir mis deux ponts entre elle et moi. Mon cœur grossissait à chaque battement et je ne pouvais plus respirer. Quand j'ai été à bout de forces, je me suis reposée contre un arbre, puis j'en ai fait le tour jusqu'à me retrouver face au canal. J'ai recroquevillé mes pieds sur la margelle, prise entre le fou rire et les larmes.

Coups

M. Sergeant reçoit des visiteurs presque chaque jour. Certains sont des provinciaux qui séjournent chez lui une semaine, parfois plus. Je finis par comprendre que ceux qui viennent de l'ouest aiment entamer la conversation et que ceux qui sont originaires du nord n'apprécient pas de me voir ouvrir la bouche ; je ne dois m'enquérir ni de leur voyage, ni de leur bien-être, et ne pas tendre la main pour les saluer. Mon rôle se résume à prendre leur cape, les aider à retirer leurs bottes, leur apporter à boire sur un plateau s'ils me le demandent.

Je vois rarement les deux servantes qui habitent en face. Un jour que je retire des draps de la corde à linge, la plus âgée vient vers moi. Sans me proposer de m'aider, elle m'interpelle, les bras croisés, en se déhanchant : « T'es d'où ?

— De Leyde. »

N'est-il pas poli de dire d'abord bonjour ? Elle n'est pas si jeune que ça : elle a peut-être vingt ans – en tout cas, elle est plus âgée que moi. Elle se recule et me dévisage. « Faut croire que t'es mieux ici que dans une ville où y a la peste. » Sans me laisser le

temps de répondre, elle reprend : « Ils l'ont renvoyée, tu sais ?

— Qui ça ?

— Gerarda. Celle qui était là avant toi.

— Renvoyée ?

— Bien contente que ce soit pas moi qui travaille
là-bas. Il est bizarre, non, avec tous ses livres ? *Pauvre*
Gerarda.

— Qu'est-ce que tu veux dire ? Qu'est-ce qui
s'est passé ?

— Voyons ça... » Elle m'examine, tâte mes
habits, me pince le bras. « Un peu maigrichonne,
un peu *jeunette,* cette demoiselle de Leyde, mais
mignonne. Ça ne te dérange pas, de la remplacer ? »

Je me tortille pour me dégager. « Lâche-moi !

— On te l'a déjà demandé ? » Elle roule des
hanches en mettant son pouce dans sa bouche.
Devant mon visage perplexe, elle se met à rire. « Tu
vois ce que je veux dire ? »

Je me redresse. Je n'ai pas l'intention de lui dire
ce que je sais ou ne sais pas. Pas dupe, elle ajoute :
« Toi, faut que je t'aie à l'œil. »

Je ne sais que penser de son expression : est-elle
inquiète pour moi ou simplement moqueuse ? Je
ramasse mes draps. Elle me saisit par le bras et me
fait pivoter vers elle ; son sourire a disparu. « C'est pas
le vieux monsieur dont tu dois te méfier...

— M. Sergeant ?

— Les filles comme nous, ça compte pour rien.
Plus vite tu le sauras, mieux ça vaudra pour toi. »

Elle me lâche et, cette fois, détourne les yeux. Qu'y a-t-il eu ? Que sait-elle ? C'est curieux qu'il n'y ait pas de maîtresse de maison – il n'y a pas de Mme Sergeant et il n'y en a pas depuis des années. De ce fait, je ne suis pas tenue aux mêmes règles que les autres servantes, obligées de revenir du marché en toute hâte, en permanence à la disposition de leur maîtresse. M. Sergeant ne se préoccupe guère de moi ; tant que je lui sers des plats frais et bien cuisinés à l'heure, tant que tout est *ainsi que cela doit être* – son seul et unique principe pour l'entretien d'un foyer –, j'organise mes journées à ma guise.

« Tu sais te repérer ? Tu es déjà allée plus loin que le Jordaan ? »

Je hausse les épaules. Qu'est-ce que ça peut lui faire ? « Je suis allée le long de Herengracht. Des deux côtés. »

Son sourire réapparaît d'un coup. « *Des deux côtés ?* Tu as tout vu, donc ? – ça m'étonnerait. » Elle me donne un coup d'épaule, moins fort que ses pincements. Ses joues sont parsemées de taches de rousseur et ses yeux d'un bleu très pâle ; je n'en ai jamais vu de cette couleur – celle du jour avant qu'il se lève, quand on tombe du lit à l'aube.

Elle me serre la main. « Je m'appelle Betje. Rejoins-moi ici demain. Je te montrerai Amsterdam – *des deux côtés.*

— Je ne…

— Après le petit déjeuner. Je sais que tu peux. De toute façon, tu vas au marché, non ? »

Alors que j'ouvre la bouche pour répondre, elle fait demi-tour sans se préoccuper de ce que j'ai à dire, traverse la cour en direction de sa maison et disparaît entre les lessives ; seules ses traces de pas prouvent qu'elle était bien là. Elle ne m'a même pas demandé mon nom. Est-elle toujours aussi autoritaire ? *Il n'y a rien de bon à attendre de quelqu'un qui décide à ta place de cette façon.* Je fais monter l'idée à la surface tel un poisson dont le ventre lance des éclats argentés dans la lumière du soleil, puis l'éloigne autant que possible, l'enfonce dans les profondeurs. J'irai si je veux.

Je ramasse mon linge et me dépêche de rentrer.

Le lendemain matin, je vais la rejoindre, mais elle n'est pas là. J'ai pourtant fait ce qu'elle m'a dit : je me suis échappée dès que j'ai pu. J'ai débarrassé la table du petit déjeuner en laissant M. Sergeant le couteau levé, en train de mâcher une dernière bouchée de hareng : « Je n'avais pas tout à fait… », a-t-il dit alors que je lui retirais son assiette. Je sautille presque en quittant la pièce ; j'espère qu'il se dira que je n'ai pas entendu et qu'il ne me rappellera pas. Une fois dans le couloir, j'écoute à la porte et je compte jusqu'à trois ; toujours rien. Je cours à la cuisine, fais tomber son assiette dans un seau, attrape ma cape et sors en vitesse.

Je me poste vers le cercle de terre piétinée où nous étions la veille et j'attends. Pas de Betje. Il est peut-être trop tôt ; je compte les arbres, les nids dans les branches : elle n'arrive toujours pas. Je fais le tour de la maison pour le cas où elle m'attendrait devant ; elle n'y est pas non plus. Pour finir, je me dirige vers l'endroit où elle travaille en me faufilant entre les cordes où pendent les draps, jupons raides et collections de bas qui ballottent telles de longues jambes qui gouttent. Est-elle partie sans moi ? A-t-elle changé d'avis ? Je suis triste car la réponse aux deux questions est peut-être *oui*.

Elle habite dans une bâtisse beaucoup plus grande que celle de M. Sergeant et encore plus imposante de près. Je ne peux pas y pénétrer sans raison, alors je l'attends près du muret. Je n'ai pas envie de me rendre seule au marché ; je préférerais y aller avec elle. J'essaie de repousser mes doutes. Elle va venir, sûrement…

Le portillon est ouvert et, par la porte entrebâillée de la cuisine, je l'aperçois. Elle n'est pas habillée pour sortir : elle porte encore son tablier. Elle disparaît aussitôt, une pile d'assiettes sous le menton, avec derrière elle la petite servante, presque aussi chargée, qui marche en pliant les genoux, courbée telle un roseau sous le vent. La gouvernante, une femme plus âgée, s'avance à pas lourds jusqu'à la porte et l'ouvre d'un coup d'épaule. Je me recule afin qu'elle ne me voie pas. Elle tend le bras pour sentir la température – déjà douce, la première bonne journée pour sécher le linge depuis des semaines. Elle se tape sur la hanche, apparemment mécontente, et crie, en rentrant dans la pièce : « Betje ! Viens ici ! »

Soudain, j'entends un fracas de vaisselle brisée sur les dalles, puis un chapelet de hurlements et de mots qu'on ne doit pas dire, ni même penser. « Qu'est-ce que c'est que cette gourde, cette bonne à rien ! Dieu t'a donné des saucisses à la place des doigts ? » Ensuite, il y a le son mat de quelque chose qu'on fait tomber – celui d'une boule de pâte à pain jetée sur une table – et un cri. Le pain ne crie pas. Le son reprend, suivi d'un gémissement qui se transforme en plainte. Enfin, le bruit de la terre cuite qu'on balaie et qu'on vide dans un seau.

« Taisez-vous, toutes les deux ! Tu vas me le payer, Betje. »

Depuis le portillon, j'aperçois Betje, sur le seuil, qui écrase ses larmes. La gouvernante surgit à ses côtés et lui tire le bras d'un coup sec pour la ramener face à elle. « Tu crois que je vais supporter ça longtemps ? Hein ? Dix *stuivers*[1] ! Dix *stuivers* ! Dix de plus que ce que tu vaux ! Bouge ton derrière de là ! Allez, dehors ! » À grandes bourrades dans le dos, elle pousse Betje dehors.

Quand elle passe devant moi, je l'appelle : « Betje ! » Elle tire nerveusement sur les cordons de son tablier ; ses cheveux défaits s'échappent de sa coiffe ; ses yeux sont humides. Elle me souffle : « Viens » sans tourner la tête. Je la suis, car le passage est trop étroit pour que je puisse marcher à côté d'elle. « Pas moi qui l'ai cassée, son assiette ! Mon derrière ? Et le sien, de croupion ! Une boule de lard. Avec une face de suif, en plus.

---

1. Pièce de monnaie équivalant au vingtième d'un florin, qui fut en circulation en Hollande jusqu'aux guerres napoléoniennes.

— Pourquoi tu as… ? Pourquoi elle t'a accusée ? »
J'ai du mal à parler alors qu'elle court devant.

« J'ai dit que c'était moi. Pour pas qu'Antje prenne
les coups. »

Antje ? La jeune servante ?

Betje roule son tablier en boule, sans se préoccuper que les cordons traînent par terre. Ses bras sont
rouges des claques qu'elle a reçues et parsemés de
taches aussi grises que la suie de cheminée. De plus
près, je me rends compte qu'en fait ce ne sont pas des
taches : ce sont des traces de coups. Un, deux, trois,
quatre traits… des doigts ? Une marque de main :
celle de la gouvernante sur le bras de Betje.

« Betje ! Qui t'a fait ça ? C'est elle ? Dis-moi !
M. Sergeant ne ferait jamais une chose pareille. »

Elle tire sur ses manches, qui étaient encore relevées. « C'est rien. » Elle les fait glisser sur ses bras et
boutonne ses poignets.

Tout le long de Prinsengracht, les seules paroles
que j'entends sont celles des passants que nous croisons. Je lui parle ; elle ne répond pas. Elle ne dit pas
un mot ; peut-être a-t-elle décidé de ne plus ouvrir
la bouche.

Plumes

Cela fait quatre mois que je travaille. L'automne est arrivé ; les canaux sont noyés dans la brume et le jour se lève sous une lumière grisâtre venue de la baie de l'Yssel. Un après-midi, M. Sergeant m'appelle dans son bureau. Sur sa table, il a posé une feuille et un encrier. Avec un canif, il taille un bec dans une plume d'oie, souffle dessus, l'observe en plissant les yeux et me la tend.

« Montre-moi comment tu écris. »

Écrire ? *Avec une plume ?* Mon cœur fait des embardées. Je l'attrape en la serrant fort.

« Malheureuse ! Surtout pas de cette façon ! Tu vas la briser ! »

Je me penche vers l'encrier ; il m'écarte d'un geste. « Non ! Non ! Viens ici. » Il se lève et m'invite à prendre sa place. Son siège a conservé la chaleur de son corps. Il est beaucoup trop grand pour moi ; mes bras paraissent tout maigres sur les accoudoirs et quand je m'appuie sur le dossier, ma colonne se courbe bizarrement ; je ne remplis pas l'espace. Je me glisse vers l'avant, trempe la plume dans l'encrier, deux fois pour plus de sûreté, et attends ses instructions. D'un signe, il me signifie que ce qu'il veut va de soi : « Ton nom. Écris ton nom. »

Helena Jans van der Strom.

Je regarde ce que je viens de rédiger. Je suppose que c'est mon nom ; j'aurais aussi bien pu l'avoir fait les yeux fermés, et le tremblement de ma main n'a rien arrangé. Je soulève la feuille pour lui montrer. Il la contemple, me dévisage, ne semble pas voir le rapport entre elle et moi, fait la grimace. Je me rends bien compte que ce n'est pas beau : tout est agglutiné, les lettres penchent à droite et à gauche, certaines plus grosses que les autres. Je vois qu'il est déçu.

« Encore. Recommence. »

Il reste un long moment à la fenêtre, en se balançant sur les talons, les bras dans le dos.

« Voyons si la poésie nous inspire plus :

> *Siet alderhande jongen*
> *Die pijpen even soo gelijck de moeders songen*[1]... »

Je m'avance vers la page, en espérant que cela va m'aider, mais je suis incapable de suivre la grêle qui s'abat de sa bouche. Ma plume accroche le papier. À la fin, la feuille est piquetée de taches ; certains mots se sont enfuis avant que j'aie eu le temps de les écrire, d'autres ont sauté à pieds joints dans des flaques noires.

« Non ! Va moins vite et tiens ta plume sans appuyer ; cela viendra tout seul. *Recommence.* »

J'ai beau essayer encore et encore, je ne parviens pas à empêcher l'encre de faire des pâtés quand je

---

1. Vers du poète calviniste Jacob Cats (1577-1660).

pose le bec. *Comment fait-on ?* Ce n'est pas possible. Sur le registre de M. Sergeant, où sont recensés les titres des livres et leur prix, il n'y a aucun pâté : l'encre a coulé de façon régulière, sans trace de la colère qui m'agite. Je contemple ma feuille maculée. M. Sergeant est concentré sur sa déclamation. L'une des taches ressemble à une pomme ; j'y ajoute une petite queue et une feuille. Je fais de même avec une autre tache, et une troisième, puis je dessine une pomme à partir de rien et j'inscris *Aple* à côté.

« Qu'est-ce que c'est, Helena ?

— Des pommes. » Cela me paraît pourtant évident.

« Je vois ça. Les pommes, aussi plaisantes à l'œil qu'elles soient, ne sont d'aucune utilité pour un libraire. J'ai besoin de mots, pas de *fruits*. » Ses épaules se voûtent. « Je crois qu'il est temps de fermer les volets. »

D'une phrase, il m'a éconduite. Une fois sur le palier, je frotte mes mains l'une contre l'autre. Je les déteste. « Vous êtes stupides. Stupides ! » J'aurais dû le prévenir que je ne me suis jamais servie d'une plume. Il va penser que je ne sais pas écrire.

Le soir, je m'assieds dans mon lit, les genoux contre la poitrine. Pourquoi les mots n'ont-ils pas voulu venir ? Ont-ils disparu ? D'un doigt, je trace les lettres de mon nom sur ma paume. Elles glissent les unes dans les autres sans difficulté. Je me pelotonne sous le drap. Le jour où Thomas a refusé de me montrer celles qu'on lui avait apprises à l'école, je l'avais supplié, je m'étais pendue à son bras, à sa jambe, et pour finir au pan de sa chemise jusqu'à ce qu'il se déchire ; il m'avait menacée, le poing serré. Cela ne m'avait pas découragée. Le soir, j'avais dessiné un « H » sur ma main dans le noir. C'est ainsi que j'ai commencé – avec mon initiale. Encore et encore, jusqu'à ce que, une à une, les lettres se fixent dans mon esprit. Ensuite, j'étais passée à une prière – *Notre Père qui êtes aux cieux* – et à la fin de l'été, l'année de mes dix ans, je pouvais l'écrire entièrement. Je le fais à nouveau pour être sûre que je la connais encore. Les mots sont bien là. Dans ma tête, dans mes doigts. Ce que je dois faire, c'est m'entraîner.

Le lendemain matin, dès que je l'entends bouger, je frappe à la porte de son bureau. « M. Sergeant ?

— Oui, Helena ?

— Puis-je écrire pour vous ? »

Il lève les yeux de ses documents. « Non, je ne crois pas. Plus tard, peut-être. » Il ne m'appelle ni ce jour-là, ni le suivant. Après, je cesse de poser la question et je n'en parle plus.

Toute la semaine, la déception me suit telle une ombre. Chaque livre que j'époussette, chaque document que je range me paraît trois fois plus lourd, plombé par ma bêtise. Tous ces mots parfaitement calligraphiés me toisent avec dédain.

Au lieu de me donner des textes à rédiger, il me charge de préparer ses plumes. Si je ne suis bonne qu'à ça, je vais m'appliquer. J'arrache les barbes, ainsi qu'il me l'a montré, et je gratte les tuyaux pour qu'il ne subsiste aucune trace de duvet. M. Sergeant en passe une entre le pouce et l'index. *Elle doit être lisse pour que la pensée n'ait nulle part où s'accrocher… aucune excuse, aucune raison de s'attarder, de faire un faux pas ou de s'arrêter.* Les premières que je prépare auraient accroché des paragraphes entiers. Je les mets directement au feu.

« Une plume d'oie doit avoir de la grâce. Si elle n'en a pas, ce n'est qu'un canard », déclare M. Sergeant en riant de sa plaisanterie. Avec de grands gestes, il prend celle que j'ai préparée et tend le bras en avant comme s'il plaçait un couteau en équilibre. Il n'a besoin ni d'encre ni de papier pour juger qu'elle est bonne ou mauvaise. Il annonce : « Canard ! » et la jette par-dessus son épaule. « Une autre ! Cette fois, apporte-moi un cygne ! »

J'apprends ainsi ce qu'est une bonne plume. Tout doit être parfait avant la taille du bec ; selon qu'il est pointu ou large, le résultat sera totalement différent. Apparemment, seule une plume sur vingt est acceptable ; les autres finissent dans la cheminée ou à ses pieds. À voir le sol autour de son fauteuil, on pourrait croire certains jours qu'il a lissé son plumage ; d'autres, qu'on vient de le plumer.

Je balaie celles qu'il n'a pas retenues. C'est dommage de les jeter. Y en a-t-il une qui serait adaptée à ma main ?

Si j'ai des plumes, je n'ai ni encre ni papier, et encore moins d'argent pour m'en procurer. Sur le seuil de la porte de la cour, je réduis en poudre du charbon de bois ; je passe ensuite la journée à frotter pour effacer les taches. Il ne permet pas d'obtenir une encre de bonne qualité, pas plus que la suie ; le sang coagule et bouche le bec ; le cacao ne se dissout pas dans l'eau froide. Si la betterave produit une ravissante encre rose, je dois mettre le jus à réduire très longtemps et M. Sergeant se plaint de l'odeur. Je n'ose pas me servir dans son thé, alors je trempe ma plume dans le fond de sa tasse ; les mots brillent autant que de l'ambre, mais s'effacent en séchant et il ne reste que leurs fantômes. De tous les produits que j'ai testés, c'est la betterave qui donne les meilleurs résultats.

J'ai désormais des plumes, de l'encre, et toujours pas de papier. M. Sergeant en possède, bien sûr ; si je me fais prendre, il me renverra. Je ne peux pas me servir sans demander, et si je le fais, il voudra savoir pourquoi. Que lui dire ? *Je veux écrire, M. Sergeant — vous êtes d'avis que je ne sais pas, et moi, j'ai décidé que si.* Que répondrait-il ? Je dois trouver de quoi remplacer les feuilles ; en comparaison, la taille des plumes est une tâche facile et l'obtention d'une encre rose un exercice banal.

Je fais des essais sur des matériaux que nous avons en abondance ou qui ne lui paraîtront pas curieux : de vieux draps, la table, une assiette. La toile, même repassée, boit l'encre ; les lettres s'emmêlent en faisant des taches qui ressemblent à une portée de porcelets ;

je ne me laisse pas séduire par cette image. Si j'écris sur la table, je dois effacer l'encre tout de suite avant qu'elle colle. La meilleure page, c'est mon assiette, mais ça ne sèche pas. Je perds patience et la rince dans le seau. Je décide de cuire une pâte à tarte très fine, aussi dure que du bois, et j'aurais tenté d'écrire dessus si M. Sergeant ne s'était pas précipité pour la manger.

Un soir, après qu'il est monté se coucher, à court d'idées, je remonte ma manche. Ces premiers mots – sur mon avant-bras, de l'intérieur du coude jusqu'au poignet – sont ceux qui chatouillent le plus. Quand il n'y a plus de place, je relève ma jupe et je continue au-dessus de mon genou, sur ma cuisse.

J'écris, j'écris tout le temps.

Betje est parfois brusque, je m'en suis rendu compte – aussi bien en paroles qu'en gestes. Ce n'est sans doute pas volontaire. Je suppose que c'est sa façon de faire sortir d'elle les coups qu'elle reçoit. Un jour que nous étendons une lessive sous un soleil d'hiver pâle et laiteux, elle me saisit soudain le bras : « C'est quoi, ça ? » dit-elle en se penchant plus près. Je n'avais pas vu que le bouton de mon poignet s'était détaché et que ma manche était ouverte. Elle est bouche bée. Même s'ils sont à moitié effacés et pas très bien formés, ce sont, indubitablement, des *mots*.

« Aïe ! » Je cherche à me libérer.

« Qu'est-ce qu'il a, ton bras ?

— C'est rien.

— Non, c'est pas rien ! » Elle remonte ma manche. « De l'écriture ? Il y a des mots sur ta peau. *Partout !* »

Elle essaie de s'expliquer cette éruption étrange, frotte dessus avec son pouce.

« C'est arrivé comment ?

— Je les ai écrits. » Cela ne sert à rien de lui dire autre chose, elle ne me lâchera pas tant qu'elle ne saura pas la vérité.

« Tu les as écrits ? *Tu as écrit ça ?*

— Oui…

— Ça dit quoi ? »

Je les connais par cœur. « *Nordakirk. Godt. Beteeye…*

— *Godt !* Le nom de Dieu ? Betje, c'est moi ! Où ça ? » Je le lui indique et elle appuie dessus ; on dirait qu'elle s'attend à ce qu'il bouge, ou la morde. « Lis la suite. »

Je n'en ai pas envie. Elle m'en montre un autre. « Celui-là, c'est quoi ?

— *Patte-pelu…*

— *Patte-pelu ?* C'est ce que je dis ! Je ne t'ai pas permis ! Tu ne m'as jamais dit que tu savais écrire.

— Seulement les mots… que j'aime bien. »

Elle recule d'un pas, ébahie. « Mon nom ?

— Oui. »

Elle me montre un arbre. « Tu pourrais écrire ça ? » Je fais signe que oui. « Ce caillou ? Ce mur ? Cette maison là-bas ? Le ciel ? Amsterdam ? » Elle ouvre les bras. « La *Hollande* ? »

Je frotte mon bras. Je ne veux pas qu'elle s'imagine que je suis fière ou que je me considère supérieure à elle. Elle cherche à comprendre ce que tout cela signifie.

« T'écris un des livres de M. Sergeant ?

— Pas du tout !

— T'es une drôle de fille. » Elle passe le doigt sur son nom. « Comment tu fais ? Je peux aussi ? »

Je m'attendais à tout sauf à ça. « Je n'ai pas fini d'apprendre, Betje.

— T'as écrit mon nom. Moi, je ne sais même pas ça. » Elle trépigne. « Ils ne sont pas qu'à toi, tout de même ! »

Je revois toutes les plumes que j'ai cassées tellement j'étais frustrée, la betterave que j'ai jetée dans le pot de chambre pour en masquer l'odeur. Je réfléchis. « Tu sais lire ? » Elle fait non de la tête. « Il faut d'abord que tu saches lire, Betje. Je te montrerai. »

Lui montrer ? *D'abord ?* Qu'est-ce que je raconte ? Comment vais-je pouvoir lui montrer quoi que ce soit ? Mais je l'ai dit et je ne peux plus l'effacer. Ses yeux s'agrandissent quand elle comprend ce que je viens de dire. « Tu le feras ? Tu promets ? » En levant la main, je pense à Thomas. Cette promesse sera-t-elle plus facile à tenir ? Pas sûr. « C'est promis. »

Elle a alors un geste qu'elle n'a jamais recommencé : elle m'attire vers elle et me serre dans ses bras.

Ardoise

L'automne s'efface devant l'hiver. Une fois le Nouvel An passé, nous nous tournons vers le printemps. Je suis au service de M. Sergeant depuis un an. Le jour où il me règle mes gages, il m'offre également une ardoise et de la craie.

« Voilà pour toi, Helena. J'ai eu une excellente idée : je m'en servirai dans la cuisine pour noter ce dont j'ai besoin si tu n'es pas là.

— Merci ! » La cuisine n'a jamais été aussi éloignée de mon esprit. Je m'empare de l'ardoise ; pour moi, elle est aussi belle qu'un plat en argent : sans le vouloir, il vient de me donner le moyen d'apprendre à lire à Betje.

Nous nous voyons presque tous les jours et allons au marché ensemble. Nous passons plus de temps dehors car le soleil se couche plus tard. Il n'y a pas moins de travail, mais on peut faire les courses en fin de journée, contrairement à l'hiver, où la nuit tombe si vite. J'aime être en sa compagnie, même si elle monopolise la parole et m'ôte les mots de la bouche avant que j'aie eu le temps de l'ouvrir. Ses phrases balaient les miennes, elle voudrait penser à ma place, alors que je ne suis pas souvent d'accord avec elle.

Un jour, elle s'interpose entre le boucher, qui me tend une tranche de poitrine de porc dont l'aspect ne lui plaît pas, et moi. Elle le repousse avec une grimace : « Non! Pas question qu'elle achète ça. » Si cette viande n'est pas d'une qualité excellente, c'est pourtant la meilleure que j'aie trouvée ce jour-là. Betje m'attire sur le côté et me dit tout bas : « On repassera tout à l'heure, quand il voudra s'en débarrasser. » À notre retour, il a plié boutique et je dois me rabattre sur un morceau de porc à la couenne grise. Je croise les bras, mécontente : le premier était bien plus rose.

Je montre à Betje l'ardoise et la façon de tenir la craie. J'énonce : « A » en écrivant la lettre. « À toi. » Elle se penche sur l'ardoise pour que je ne puisse pas voir. Lorsqu'elle a fini, elle la retourne – sa lettre est aussi grosse qu'un petit pain! Je la félicite : « C'est bien! » Je vois qu'elle est déçue ; elle s'attendait probablement à savoir écrire tout de suite.

J'aime me servir d'une craie : c'est plus facile à manipuler qu'une plume, ça ne fait ni pâtés ni taches, et si je me trompe, je passe un chiffon et je recommence. En revanche, cela met de la poussière partout et je ne dois pas la faire tomber sur un objet foncé. En pensant aux documents de M. Sergeant, je me rends compte que c'est mieux que rien, mais qu'on ne peut pas s'en servir sur les registres et les livres.

Ce n'est pas facile de trouver un moment dans la journée où l'on ne risque pas de nous appeler ou de nous surprendre. Dans la cour où l'on fait sécher le linge, c'est impossible, car nous ne sommes pas les seules à l'utiliser. Il ne faudrait pas que je finisse par faire l'école en plein air à toutes les servantes de Westermakt.

« Je pourrais venir dans ta cuisine quand M. Sergeant n'est pas là ? » Cela ne me plaît pas. M. Sergeant n'a pas d'horaires réguliers et considère la pièce comme une annexe de son bureau : il y éparpille des documents et des ouvrages un peu partout chaque fois qu'il entre à la recherche d'un « morceau à grignoter » pour tenir jusqu'au prochain repas. « Comment pourrai-je te dire qu'il est sorti ? » Je ne peux pas entrer dans la maison de Betje et demander à lui parler – je n'ai pas oublié les manières de la gouvernante. Non, ce n'est pas la solution. Il faut que ce soit un endroit où deux domestiques peuvent aller sans se faire remarquer, où leur présence ne paraîtra pas étrange quelle que soit l'heure. Puis je trouve : « Noorderkerk ! » Au regard qu'elle me lance, j'aurais pu aussi bien lui proposer de danser dans l'église.

« On ne peut pas faire ça !

— Cela ne nous empêchera pas de prier. J'écrirai sur l'ardoise avant de partir et tu liras là-bas. »

Nous commençons ainsi, une prière après l'autre. Nous nous asseyons à l'écart, en dissimulant l'ardoise que nous nous passons. Elle ânonne ses prières, efface le texte du doigt au fur et à mesure, et Dieu l'entend tout autant. Pendant qu'elle prie, je prie aussi. Pour ma mère, pour Thomas, pour mon père. Pour M. Sergeant et pour elle. Je prie pour que les mots viennent à elle et elle à eux.

Le soir, je déchiffre ma Bible en tentant de me souvenir comment les mots s'épellent; je les répète sans cesse, lettre après lettre, à voix basse. Moi aussi, j'étudie. Cela met des semaines. Des mois. À ce rythme, cela mettra des années.

Je ne sais pas pourquoi Betje veut apprendre. Lorsque je lui demande, elle me reproche de vouloir tout garder pour moi. Je proteste : « Ce sont les garçons qui ne partagent pas, Betje ! » Je revois Thomas refusant de le faire, écrivant lui-même le nom de son bateau parce qu'il ne m'en pensait pas capable.

« Tout ce que Mme Hoek fait de ses journées, c'est pousser des cris et arranger des bouquets, me dit Betje. À ton avis, elle posséderait des bateaux, elle aussi, si elle avait été à l'école ? »

Sa question nous laisse sans voix. Nous baissons les yeux. Ce jour-là, je remarque qu'elle fait plus d'efforts.

À l'église, nous ne pouvons pas écrire. Pour cela, il nous faut un lieu bruyant où le crissement de la craie ne se remarquera pas. Nous nous installons sur les marches, au bord du canal Lindengracht

– personne ne prêtera attention à deux servantes qui prennent l'air. Je me rends compte que c'est pourtant loin d'être le lieu idéal : de colère, Betje jette plus d'un morceau de craie dans l'eau, et ne s'arrête que lorsque je la menace de ne plus rien lui expliquer si elle recommence. Elle tape du pied. « À quoi ça sert, de toute façon ? Qu'est-ce qu'on peut faire avec ça ? Des listes ?

— Une fois qu'on a appris, ça ne s'en va pas, Betje, on n'oublie pas.

— Des listes ! »

Je trace avec mon doigt son nom sur sa paume. Elle la retire d'un coup. « Ça chatouille !

— Ce n'est pas une chatouille. Ni une liste. C'est ton nom ! » Je replie ses doigts.

« Si Dieu voulait qu'on écrive, il nous permettrait d'aller à l'école. C'est pas bien, tout ça.

— Peut-être que nous sommes les premières, Betje. Il est peut-être en train de changer d'avis. »

Elle se calme.

Sur le chemin du retour, je me remémore ce que j'ai dit. *Les mots changent tout, même ce que je pense.*

La fois suivante, Betje n'a pas envie d'écrire. Elle fouille dans son panier et en tire une lettre à la cire craquelée, au papier jaune et taché. Elle tremble en me la tendant, détourne la tête. « Tiens ! » Son visage est tout triste. Je m'approche pour la consoler ; elle m'en empêche.

77

Je la déplie. Il me faut un moment pour saisir de quoi il s'agit. Il n'y a pas de : *Chère Betje, Cher M. Hoek* ou *Cher...* Elle ne comporte que quelques lignes et un morceau de papier épinglé sur le côté.

« Qu'est-ce qu'elle dit ? Je n'arrive pas à lire. Je sais que ça parle de moi parce que j'ai vu mon nom. C'est à propos de ma mère, c'est ça ? Helena, dis-moi, s'il te plaît !

— Ça... »

J'essaie de comprendre ce que je lis. L'éclat du soleil sur la feuille, même jaunie, m'éblouit. La violence de ces mots me fait mal aux yeux.

« Oh, Betje. » Elle ne m'a jamais parlé d'elle, et tout à coup j'en sais trop.

« Vas-y, lis ! »

Je lui raconte alors ce que contient la lettre. Je déchiffre l'en-tête – *Orphelinat et foyer pour enfants d'Amsterdam* – et la date – *16 février 1615*. Elle fixe un point derrière moi, comme si elle contemplait son passé.

« Elle date du jour où on t'a amenée à l'orphelinat. Tu avais deux ans.

— Deux ans ? » Ses yeux se remplissent de larmes.

« Oui. Tu vois, là, c'est le nom de ta mère. » Mon doigt se fige sous la ligne que je m'apprête à lire.

« Allez, continue ! »

J'ai du mal à déchiffrer car le papier est usé. *L'enfant nous a été confiée par Elizabet Andringa – sa mère.*

« Par ma mère ?

— Oui. Elle venait d'Alkmaar.

— Alkmaar ? » Elle m'arrache la feuille. « Alkmaar ? C'est marqué où ? » Je lui indique le mot pour
qu'elle le reconnaisse. « Pas de père, hein ? C'est ça ?

— Non. Pas de père. »

Elle me la rend en me montrant le papier épinglé.
« Et ça, c'est quoi ? »

Il n'y a pas de signature, juste un X un peu tordu
– la croix qu'a tracée Elizabet Andringa, sa mère. Je
le lis à haute voix. « *Ma chère Betje, je ne t'aurais jamais
laissée. Je ne peux pas te cacher, je ne peux pas te garder
avec moi. Pardonne-moi.* » Je le replie.

« Elle m'a abandonnée. » Betje enfouit son visage
dans son bras replié. Moi aussi, je me sens mal.

« Elle était où, cette lettre, Betje ?

— Les Hoek l'ont gardée sans m'en parler. » Betje
va et vient tout en parlant, sans se rendre compte
qu'elle s'approche un peu trop du canal. « Ils n'auraient pas dû, elle est *à moi* ! » Elle se frappe la poitrine.
« Alkmaar ? Pourquoi m'avoir fait venir ici ? *Ici ?* »

Je l'ignore. Cela n'a plus d'importance.

« Betje, Betje. Il faut que tu remettes cette lettre
à sa place. Ils te jetteront dehors s'ils s'aperçoivent
que tu l'as volée.

— Ils n'avaient pas à me le cacher. Ils m'ont dit
que j'étais orpheline, comme Antje. Je n'ai jamais
été orpheline ! Ma mère m'a amenée ici elle-même !

— Betje, écoute… » Je la secoue par les épaules
pour la faire taire. « Tout cela s'est passé il y a des
années. Range-la. Les Hoek sont ce qu'ils sont,
Betje, mais ils t'emploient. Sans travail, qu'est-ce que
tu deviendras ? Tu iras où ? » Je m'en veux de lui

parler ainsi, elle aurait besoin de paroles plus douces
– c'est néanmoins la vérité. « Tu l'as prise où ?

— Dans le secrétaire de M. Hoek. »

Je n'en reviens pas. La lettre me brûle les mains.
« Qu'est-ce que tu faisais dans son secrétaire ?

— Je voulais du papier pour écrire.

— Tu dois la rapporter, Betje, tout de suite ! Le
passé, c'est le passé. »

Elle me la reprend brusquement. « J'aurais préféré
que tu ne m'apprennes rien ! »

La colère m'envahit. « Et moi, j'aurais préféré que
tu ne me demandes rien ! »

Nous nous dévisageons, le cœur lourd, choquées
de ce que nous venons de nous dire.

« Oh ! Betje, je suis désolée ! »

Elle s'essuie les yeux avec sa manche, prend
une grande respiration qui se termine en petit rire.
« Alkmaar... Première nouvelle. Je ne l'aurais jamais
appris si je n'avais pas su – si *tu* n'avais pas su – lire. »

Quai

Quand j'interroge Betje sur ce qu'elle a fait de la lettre, elle me répond simplement : « *On n'en parle plus.* »

Un jour que nous rentrons du marché aux poissons, songeuses, elle cueille une touffe de graminées sur le bas-côté et souffle les graines vers le canal. Sur un ton presque accusateur, elle me lance : « J'suis sûre que toi, t'as de la famille.

— J'ai un frère – Thomas.

— Un seul ?

— Oui, plus âgé que moi. Il est marin.

— Marin ? Tu ne m'avais pas dit que tu avais un frère matelot !

— Si je l'ai encore… Il a embarqué pour les Indes orientales.

— Les Indes orientales ! » Elle se dandine, les mains sur les hanches.

« Il est parti plusieurs mois avant que je vienne ici et je ne l'ai pas revu. Il faut un an pour les atteindre et autant pour en revenir. Je ne sais pas s'il rentrera un jour.

— Oh, ça, on ne sait jamais ! » Elle a aussi des absents qui la préoccupent.

« Je suis allée voir sur les quais.

— *Tu es allée sur les quais?* »

Je vois qu'elle n'en revient pas : j'ai fait quelque chose qu'elle me considérait incapable d'accomplir seule.

« T'as parlé à qui? »

Je gratte une croûte sur mon bras. Je n'ai pas envie d'en dire plus.

« Il ne suffit pas de poser la question en priant pour que les gens sachent.

— Personne n'avait de ses nouvelles.

— Tu connais les quais?

— Oui… » Je n'en suis pas si sûre.

« Tu sais que les bateaux qui rentrent au port doivent se déclarer au Bureau des douanes? »

Devant mon silence, elle s'exclame : « Ha! J'en étais sûre! »

Avant que je puisse ouvrir la bouche, ou m'y opposer, elle me tire dans la direction contraire à celle de Westermarkt. « Allez, suis-moi!

— Où ça?

— Sur les quais! On est à mi-chemin. À moins que tu préfères y aller de ton côté? On ira demander à la douane si son bateau est arrivé. Si ça se trouve, il est déjà reparti! »

Et s'il n'a pas accosté? Si tout ce que j'apprends, c'est qu'il a disparu en mer? L'inquiétude s'enfonce en moi. De nous deux, c'est moi qui traîne les pieds.

« Presse-toi. Il y a plus de bateaux qui reviennent que le contraire. Est-ce que je travaillerais pour M. Hoek sinon? Il n'aurait pas une servante à son service, une Mme Hoek, une belle demeure avec tout ce qu'il y a dedans si ses bateaux pointaient tous la poupe vers le ciel. » Elle se tapote le derrière pour illustrer ses paroles.

Nous avons le temps. M. Sergeant n'a pas besoin de moi : il veut simplement que je lui présente une assiette pleine à l'heure du repas. Je me laisse entraîner. Betje chantonne une mélodie que je ne connais pas, à propos d'une femme qui attend son bien-aimé, une longue complainte qu'elle sait par cœur. Tout ce que je peux faire, c'est fredonner avec elle, même si c'est un peu faux.

Est-ce sa chanson ou le fait que Thomas me manque autant ? Ce jour-là, je décide que je n'épouserai jamais un marin. La dernière fois que mon père est parti, mes parents sont restés serrés dans les bras l'un de l'autre, sans bouger. Sur le coup, je n'y ai pas réfléchi. Je ne sais comment ma mère a pu vivre sans savoir si cet au revoir serait le dernier.

En chemin, nous ne croisons que des couples. Certains se promènent bras dessus bras dessous, main dans la main, tout sourires. Leur bonheur m'intrigue. D'autres, le visage fermé, semblent avoir épuisé toutes les paroles qu'ils avaient en réserve l'un pour l'autre. Il se peut que je me marie un jour. C'est bizarre de penser à un mari, aussi bizarre que si je portais une culotte.

Je cherche Thomas partout, partagée entre l'espoir de le rencontrer et la certitude que je ne le verrai pas.

Le jour où il nous a annoncé qu'il avait signé pour embarquer sur un navire marchand en partance pour les Indes orientales, j'ai cru qu'on me jetait moi aussi dans l'océan.

« Ce n'est pas possible, tu ne peux pas partir ! »

Je me suis tournée vers ma mère en espérant qu'elle arriverait à le convaincre de demeurer avec nous. Comment aurait-elle pu l'en empêcher alors qu'il prétendait être né pour prendre la mer ? Il a passé un bras sur ses épaules, lui a dit : « Ça rendra le père fier de moi, pas vrai ? » et elle a eu un petit sourire.

« Quand appareilles-tu ?

— Dès que j'aurai signé l'enrôlement. Je serai à Amsterdam avant toi ! » Il a pris la salière et une pomme dans un plat. Il a posé la salière au centre de la table : « Ça, c'est la Hollande », et la pomme, pas très loin. « Ici, la France. » Il a sorti une pièce de monnaie de sa poche et l'a fait rouler jusqu'au bord. « Là, les Indes orientales – c'est *là* que sont les richesses. » Il l'a tapotée avec son doigt.

Le monde était si petit, présenté ainsi sur une table. Notre père, à chacun de ses voyages, s'absentait plusieurs semaines alors qu'il ne partait que pour la France. Si le sel était la Hollande et la pièce les

Indes orientales, la traversée que Thomas avait indiquée entre les deux durerait des mois.

« Ne vous inquiétez pas. Je reviendrai ! » Il m'a pincé la joue, sûr de lui, avec un grand sourire. « Lorsque tu seras à Amsterdam, demande après moi, promis ? Je vais naviguer sur l'*Aemilia*. » Il a écrit le nom avec du charbon de bois sur un morceau de papier qu'il m'a donné. Quand j'ai posé les doigts dessus, il s'est à moitié effacé. Le soir, je l'ai tracé plusieurs fois dans ma paume pour être sûre de m'en souvenir, de ne jamais l'oublier.

Mon garnement de frère. Ses yeux brillaient, l'océan s'y reflétait déjà. Néanmoins, en lui prenant la main, j'ai su. J'ai su parce que j'ai senti dans sa poigne, dans la façon dont son regard fuyait le mien, qu'il n'était pas certain de revenir. J'aurais dû la garder dans la mienne, la serrer bien fort ; l'instant est passé, je l'ai lâchée. Il a fait glisser la pièce, l'a lancée et a souri en la rattrapant.

Comme les pièces de monnaie, les promesses brillent d'autant plus qu'elles sont neuves. Il avait dit : une année dans un sens, une année dans l'autre – il serait donc de retour pas ce printemps, mais le suivant.

Sur les quais, je n'avais rien appris. Apparemment, ma question était insensée. « Deux ans ? Et le rabiot ! », m'avait répondu un marin à qui j'avais expliqué la destination de Thomas. J'avais compris alors que sa promesse n'était rien de plus qu'un espoir fou, un talisman contre la tempête, une ficelle plongée dans l'eau pour qu'un jour il puisse tirer dessus et retrouver son chemin.

Betje s'est arrêtée de chanter. Nous sommes à Nieuwe Brugh et prenons à gauche en direction des quais. Les odeurs et les bruits nous parviennent déjà. L'épaisse fumée des tonneaux de goudron mis à chauffer pour le calfatage stagne dans l'air. En raison de la température douce, les ponts des bateaux sont couverts de dizaines de seaux et j'observe, fascinée, les matelots frotter et passer le faubert. Il y a encore plus d'animation que la dernière fois que je suis venue. Jusqu'aux sommets des mâts où des nuées d'oiseaux se disputent les meilleurs points de vue. Je n'ai jamais vu autant de navires de toutes tailles, en provenance du monde entier.

Dans la mêlée et la cohue, je me sens de plus en plus coincée, recroquevillée sur moi-même. Ma robe n'a pas de poche dans laquelle fouiller ; cela n'empêche pas des doigts de me pincer et de me frôler pour vérifier que je ne dissimule pas quelque objet intéressant.

« Tu te doutes du genre des femmes qui fréquentent ce quartier », me dit Betje. Je ne mets pas longtemps à l'apprendre. Un homme me bouscule et me sourit en découvrant une rangée de chicots noirs : *Alors ma mignonne ?* Un autre s'écrie : *J'ai un beau morceau de morue pour toi ici*, en agitant les doigts entre ses jambes. *Faites excuse !* me lance un troisième en retirant son chapeau et en me faisant tournoyer.

Nous débouchons sur une grande place et Betje s'écrie : « Ça y est, nous y sommes ! » en avisant un grand édifice carré en briques. Elle comprend la question qui se lit sur mon visage, car elle ajoute : « D'après M. Hoek, tous les bateaux doivent se déclarer au Bureau des douanes. Il s'imagine que je n'entends rien pendant que je fais le service, mais j'écoute tout. » Elle louche en tirant la langue. M. Hoek dirige un chantier naval et possède une petite flotte personnelle. M. Sergeant aimerait bien avoir son oreille, le soulager de quelques florins et remplir sa demeure de livres. Je le sais parce que M. Sergeant parle aussi parfois comme si j'étais sourde.

Betje me montre une forêt de mâts. « Les navires des Indes orientales, devant nous ! » Il y a tellement de bateaux, comment peut-elle les reconnaître ? Elle se faufile dans la foule en me traînant à sa suite, et quand un homme fait mine de l'embrasser, elle se débarrasse de lui par une bourrade. Elle se glisse telle une anguille et rien ne l'empêche d'avancer. Je baisse la tête et ne la quitte pas d'une semelle. Après un long moment passé à nous frayer un chemin en jouant des coudes, nous réussissons à remonter jusqu'au bâtiment de briques.

Elle s'apprête à monter les marches. « Betje, attends. » Des armoiries ornées d'ancres et de cordages surmontent la porte. En dessous, un nom est gravé dans un linteau de pierre. « Allez, viens !

— Ce n'est pas le Bureau des douanes. » Je déchiffre le panneau : « *Grande Guilde des charpentiers de marine et constructeurs navals, Amsterdam.*

— Je ne connais pas ces noms. » Ce n'est pas une excuse – juste la simple vérité. Elle hausse les épaules. « Bon, et là ? C'est le bon ? » Je me tourne vers celui qu'elle m'indique – *Guilde des cordiers.* À ce rythme, elle va nous faire visiter toutes les corporations d'Amsterdam. Nous passons devant les sièges de plusieurs compagnies navales. Au fur et à mesure, je lis les noms à voix haute ; le Bureau des douanes n'en fait pas partie. Nous nous éloignons du quai et pénétrons sur une esplanade.

« Betje ! Le Bureau de la GWC, la Compagnie néerlandaise des Indes occidentales ! »

Mon cœur fait des bonds. La VOC ne doit pas être loin. À ce moment-là, un homme sort, vêtu d'un justaucorps de drap rouge orné d'un baudrier de brocart doré qui retient son épée à la hanche. Ses boutons de cuivre brillent au soleil et les boucles de ses souliers cliquettent à chaque pas.

« Monsieur, s'il vous plaît ! » Il pivote sur lui-même ; ses yeux passent bien au-dessus de moi, puis il les baisse et me voit.

Betje me souffle : « Partons d'ici ! »

S'il l'a entendue, il n'en laisse rien paraître et me sourit. « Bonjour. Êtes-vous perdues ? »

Betje : « Non. »

Moi : « Un peu. »

Il caresse son épée et semble amusé. Betje m'enfonce un doigt dans le dos.

« Vous vous rendez quelque part, mes jouven-
celles ? »

Je réponds : « Oui… presque.

— Presque ! » Il éclate de rire. Je n'ai jamais vu
une bouche s'ouvrir aussi grand.

« Nous n'avons besoin de rien, merci », reprend
Betje. Je lui jette un œil furieux.

« Nous cherchons la VOC, la Compagnie néerlandaise des Indes orientales. Vous la connaissez ?

— Ah ! Des espionnes ! Je l'ai deviné tout de suite. »
Ses yeux pétillent. Le soleil me chauffe le visage.
Je ne peux me retenir : « Oui, un espion serait trop
visible, ne croyez-vous pas ? »

Mon cœur bat à tout rompre – cette phrase,
même si c'est moi qui l'ai prononcée, paraît tellement incongrue dans ma bouche. Betje tire un coup
brusque sur ma robe. Elle est la seule à ne pas sourire.

« Absolument ! », répond-il en riant de plus belle.
Il lèche son doigt et lisse sa moustache. « Eh bien,
mesdames…

— Nous allons partir », rétorque Betje, qui, pour
une fois, joue mon rôle.

Après l'avoir observée comme une enfant à qui
l'on demande de se calmer, il s'adresse à moi : « Vous
n'êtes pas tout à fait au bon endroit. La Vereenigde
Oost-Indische Compagnie est au bord du canal
Kloveniersburgwal. »

Kloveniersburgwal, évidemment ! Je vois très bien
son emplacement. Même si je n'ai pas besoin d'indi-
cations, je l'écoute me les donner et les lui répète en
bégayant un peu, et en souriant s'il me corrige.

Betje intervient : « Nous savons où c'est. » Elle me prend le bras.

« À votre aise, *mesdames…* Vous ne pourrez le manquer. Accordez-moi cependant le plaisir de vous accompagner. C'est une promenade agréable. Nous pourrons faire mieux connaissance. Je… »

Je n'ai pas le temps d'en entendre plus : Betje m'a attrapée par la manche et nous sommes déjà en train de traverser la rue. *J'épouserai peut-être un marin, après tout.* Jamais un homme ne m'a souri ainsi.

Betje brise mes rêveries d'un coup : « Arrête ! Tu vas au-devant des ennuis, fais-moi confiance. » Elle joint les mains en papillotant des paupières, et je n'ai pas très envie de voir le miroir qu'elle me tend : « *Un espion serait par trop visible…* Ce qui est très visible en revanche, c'est ce qu'il avait derrière la tête ! » Je rougis. Ce n'est pas ce qu'elle croyait.

À mesure que les bruits du quai s'éloignent et sont remplacés par les conversations policées du quartier de Herengracht, je redescends sur terre. L'habit de drap rouge, les boucles de laiton poli ne sont plus qu'une foucade aux couleurs chatoyantes, qui s'envole dans le ciel avec le vent.

On ne peut pas confondre le siège de la Vereenigde Oost-Indische Compagnie avec autre chose. Betje déchiffre sans difficulté les lettres au-dessus de la porte : « VOC ! » À l'intérieur, un homme vêtu d'un pardessus noir nous regarde arriver derrière un haut bureau. Son pourpoint est tendu sur un estomac aussi rond et dur qu'un navet. J'ai du mal à me le représenter dans un bel habit de drap rouge. Lorsque nous lui demandons où est l'*Aemilia*, son visage se ferme. « Cette information ne peut être communiquée aux personnes de votre qualité. » Il tousse, crache dans un récipient posé sur son bureau, sort un mouchoir et s'essuie le nez en se couvrant la figure.

Betje m'attire sur le côté. « Par où va-t-on ? » Nous sommes dans un immense vestibule où débouchent plusieurs corridors. Un bureau de recrutement est installé en son centre, autour duquel des hommes se bousculent pour attirer l'attention de l'agent recruteur. Peut-être est-ce là que Thomas a signé le rôle avant de monter à bord de l'*Aemilia*. Ce n'est pas le moment de tergiverser. Je lis les panneaux recouverts de dorures et richement sculptés : *Salle des cartes, Bibliothèque, Salle du Conseil, État civil*.

J'en montre un à Betje : « État civil ? »

L'homme derrière son bureau éternue, ce qui fait glisser sa perruque sur le côté. Nous n'avons pas le temps de voir s'il tombe de sa chaise : nous avons déjà disparu dans le couloir.

Le bureau de l'état civil est plus petit que ce que j'imaginais et ne contient qu'une table entourée de quatre chaises. L'un des murs est recouvert de rayonnages où sont alignés des registres reliés dans la même peau de porc que les livres de M. Sergeant.

« Tu vois, Betje, ils sont classés : A-E, F-H, I-M, N-R, S-Z. » Ils sont aussi rangés par années ; plus ils sont anciens, plus la reliure est sale.

« On ira plus vite si on s'y met à deux. »

Elle ouvre un classeur et le feuillette vers l'avant, vers l'arrière, avant de le fermer d'un coup sec. Il date de 1622, bien avant que Thomas prenne la mer. Peut-être ne sait-elle pas non plus compter ?

Je lui propose : « Je m'en occupe. Pendant ce temps, assure-toi que personne ne vient. »

Elle fait la moue. Quelques minutes plus tard, elle revient dans la pièce et se plante devant une carte accrochée au mur.

« Tu as vu, Helena ? »

Je la reconnais : M. Sergeant possède la même, bordée de dessins représentant des hommes vêtus de culottes flottantes et de longues robes, et des femmes portant des voiles et des chapeaux pointus qui les font paraître presque deux fois plus grandes. Je vois ce qui attire Betje. Elle se penche pour lire : « EV–RO–PA. Europe ? C'est bien ça ?

— Oui. »

J'ouvre le registre de 1632. Il recense les bateaux et leurs traversées, avec les dates de *Départ* et de *Retour*. Je suis la page du doigt : cargaison, équipage, grade des marins. *Chargement à l'aller :* briques, verre, laine, toiles de lin – *Chargement au retour :* bois de santal, bois de rose, teck, poivre, cardamome noire, clous de girofle. Les malheureux qui ont péri sont indiqués à la fin sous la rubrique : *Trépassés.* Je feuillette, minutieusement ; aucune mention de l'*Aemilia*.

Je passe à l'année 1633 ; sa reliure brille car on l'a peu manipulée. Je parcours le texte en diagonale jusqu'aux entrées les plus récentes, en tournant les pages rapidement. Il est là : l'*Aemilia* – le bateau de Thomas ! « Je l'ai trouvé ! »

Betje va à la porte, passe la tête dans le couloir, me lance fébrilement : « Dépêche-toi ! »

Je fais glisser mon doigt. Si seulement il pouvait lire aussi !

« *Vite*, Helena ! »

Je poursuis ma lecture : son bateau a accosté à Amsterdam le 7 août 1633. *Le mois dernier !*

Puis j'aperçois une notule au bas de la page. Je n'en ai pas vu jusque-là. C'est aussi la liste la plus courte : elle ne comporte que trois noms. Toute la joie que je ressentais s'efface immédiatement.

~ Déserteurs ~
Henk Klaum
Isaak de Vriet
Thomas van der Strom

Thomas, déserteur ? Les mots se bousculent dans mon esprit affolé. Betje me tire par la manche : « Presse-toi ! »

Elle referme le registre et nous sortons de la pièce en toute hâte, sans nous arrêter à la mine interloquée d'un employé qui se dirige vers nous. « Eh, vous deux… » Nous continuons à avancer. Au bout du couloir, nous nous mettons à courir.

Carte

Je suis à peine rentrée que M. Sergeant m'appelle dans son bureau.

« Peux-tu m'expliquer ceci ? »

Il tient dans une main une poignée de vieilles plumes.

« Et cela ? »

Dans l'autre, une tasse ébréchée.

« Je cherchais un croûton dans la boîte à pain et, à la place, j'ai découvert ces preuves d'activités coupables. Puisque ce n'est pas moi qui ai déposé ces objets à cet endroit, j'en déduis, sauf si tu es en mesure de m'apporter la preuve du contraire, que c'est de ton fait. »

Je les reconnais tout de suite : les plumes au bec taché de rose, la tasse qui contenait l'encre qui a séché. J'ai été tellement occupée à déchiffrer ma Bible que je ne les ai pas utilisées depuis des semaines. Je les contemple, presque aussi surprise que lui. D'habitude, j'enveloppe le pain dans un torchon pour le conserver, et non dans une boîte ; il ne peut pas le savoir. Je vois qu'il a ouvert tous les pots, fait tomber des oignons, mis en tas les navets et les carottes. Il a fouillé partout et est resté sur sa faim.

« Oh…

— As-tu écrit sans… – il choisit ses mots – sans mon *consentement*?

— Je…

— Montre-moi tes mains. Allez, voyons cela. »

Je les lui tends. Il plisse les yeux, fait la moue.

« Retourne-les. »

Elles sont propres des deux côtés.

« Je t'ai donné une ardoise et de la craie pour les listes de courses et les choses de ce genre.

— Oui, M. Sergeant.

— Je vais les reprendre si tu n'en as pas l'usage.

— Non, M. Sergeant!

— Oui, M. Sergeant; non, M. Sergeant. Je ne suis pas content, Helena, est-ce clair? Pas content du tout.

— Je suis désolée, M. Sergeant.

— Je l'espère. Ta *fonction* consiste à faire la cuisine et le ménage. Tu le fais bien, je le reconnais, mais je ne te paie pas pour que tu t'amuses – il examine le fond de la tasse – avec de l'encre. »

Il se lance dans une longue tirade sur la nécessité de ne pas se laisser distraire. Lui, par exemple, se doit d'écarter les textes de piètre qualité, voire salaces. Aussi séduisants qu'ils puissent être, il perdrait un temps fou à les lire, et compte tenu du fait que le nombre d'heures dans une journée et les capacités de l'esprit à assimiler sont limités… Il s'agite en parlant et n'a pas lâché les plumes. Elles pourraient provenir d'un des oiseaux dessinés sur les cartes de M. Veldman. Une espèce des pays lointains. *Un oiseau de paradis.*

95

« Je vais devoir te les confisquer, Helena. Tu as ton ardoise et ta craie. Les plumes et l'encre sont réservées à… »

Je mets un moment à comprendre qu'il attend que je finisse sa phrase.

« Des écrits dignes de ce nom, M. Sergeant. » *Les dignes écrits des hommes.*

Il redresse les épaules. « C'est cela même. Des écrits dignes de ce nom. Très exactement. »

Il met la tasse sous son nez, renifle et grimace. « Qu'est-ce que c'est ?

— De la betterave.

— Je dois reconnaître que tu ne manques pas d'imagination. »

Il verse un peu d'eau dans la tasse et, en guise de cuiller, mélange avec un doigt, qu'il essuie sur son pantalon. Il trempe une plume dans l'encre, attrape une feuille et se met à écrire. Apparemment, le résultat le satisfait.

« L'effet est tout à fait frappant… »

Je regarde à l'envers l'écriture de M. Sergeant. En séchant, la couleur s'est délavée et a perdu son éclat.

« C'est beaucoup plus rose quand c'est frais.

— Je n'en doute pas. Cependant, pour le but que nous poursuivons, qui est d'illustrer cette petite *expérience*, c'est suffisamment rose pour moi. »

Je ne suis pas en bonne posture. « M. Sergeant ?

— Oui, Helena ?

— Que veut dire *déserteur* ?

— Qui s'est enfui pour éviter d'être arrêté. Pourquoi ? Est-ce ce que tu envisages ?

— Non, M. Sergeant.

— Bien. Je n'aimerais pas cela. Betterave ou pas betterave. » Il me rend la tasse. « Va la laver. » Alors que je m'apprête à sortir, il me rappelle. « Je serais heureux que tu utilises ton ardoise et ta craie. Pendant ton temps libre, bien entendu.

— Oui, M. Sergeant. »

Je ne peux lui dire que ma craie n'existe plus – Betje en a jeté la moitié dans le canal. Je n'ai désormais ni encre ni plumes.

C'est pourtant le cadet de mes soucis. Thomas ne s'est pas simplement échappé : il est *déserteur*. Il s'est mis dans un sale pétrin.

Betje m'accompagne jusque devant la maison des Veldman. Le jeudi, chez eux, c'est jour de lessive. Le jour où je tiens ma langue et n'ouvre pas la bouche.

« Qu'est-ce que tu as ? Tu te fais du souci pour ton Thomas ?

— Je ne sais pas quoi faire. Où peut-il être ? »

Elle soupire. « Ce qui est sûr, c'est qu'il ne traîne pas dans le quartier du port ! »

J'ai réfléchi aux endroits où il peut aller. Pas chez nous, en tout cas. Je n'ose imaginer l'accueil que notre mère lui réserverait. Sa honte serait d'autant plus grande maintenant que notre père a disparu. Je ne sais pas quelles difficultés Thomas a rencontrées ; notre père les a probablement connues aussi et n'a pas pris la fuite pour autant. *Déserteur*. Pour la première fois, je déteste un mot. Je voudrais l'évacuer de mon esprit, ne jamais l'avoir lu.

« Qu'est-ce qu'il t'a dit à propos de l'encre ? » Betje m'a déjà demandé à plusieurs reprises de le lui raconter et, pour une raison que j'ignore, les commentaires de M. Sergeant lui paraissent d'une incroyable drôlerie. Je lui réponds en imitant sa voix : « Il a dit qu'elle produisait un "effet tout à fait frappant". » Ce jour-là, je n'ai pas le cœur à plaisanter ; cela n'empêche pas Betje de rire, l'histoire lui plaît toujours autant. À mesure que nous nous rapprochons de chez les Veldman, je ralentis le pas. Betje me sourit gentiment : « Ça va passer vite. » Elle sait ce que m'inspire cet endroit.

Je déteste ce qui m'attend : une journée entière à laver, essorer, étendre et plier le linge. J'aime faire les courses pour M. Sergeant car il m'envoie dans tous les quartiers d'Amsterdam. La blanchisserie, c'est ce qui me plaît le moins. Il ne m'a pas fallu longtemps pour apprendre à plier un drap toute seule, et une fois qu'on maîtrise la technique, on ne peut pas le plier plus plat. En revanche, Amsterdam, *Amsterdam* ! Ce qu'on peut y découvrir est inépuisable.

Depuis plusieurs mois, je vais chaque semaine chez les Veldman aider à la lessive. En échange, M. Sergeant reçoit un demi-cruchon d'eau-de-vie, que je rapporte en prenant bien garde à ne pas en perdre une goutte alors que je ne tiens plus sur mes jambes. Si le niveau est un peu bas, M. Sergeant fronce les sourcils : soit j'en ai renversé, soit j'ai travaillé moins dur, ce qui aura incité M. Veldman à réduire la quantité.

Je redoute ces jeudis car je dois en plus y glisser tout mon travail pour M. Sergeant ; cette journée-là équivaut à deux réunies en une seule.

Je dis au revoir à Betje et je gravis d'un pas lourd les marches qui mènent à la porte des Veldman. Je frappe un petit coup en espérant que Jette, leur servante, m'entendra. Parfois, je dois faire *tap, tap, tap* pour attirer son attention ; *tap, tap, tap* ! telle une mésange qui nettoie son bec sur la gouttière. À cette heure, les volets sont fermés et la famille encore au lit, je ne peux pas me servir du heurtoir.

C'est une famille lugubre en toutes circonstances. M. Veldman, sa femme, leur fils Bartels et leurs deux filles, Sofia et Cokkie, n'ont rien de sympathique. Ces dernières sont aussi raides que des piquets et cachent sous leurs vêtements immaculés un caractère tout en ongles et en dents. *Capricieuses* est l'adjectif qu'emploie M. Sergeant pour les décrire ; depuis que j'en connais le sens, je le trouve bien trop gentil.

M. Veldman fait commerce des cartes. Il possède des plans de Paris, de Londres, d'Édimbourg, de Berlin, de contrées inconnues qui semblent appartenir au monde des rêves, plus chimériques que réelles. Sur l'un de ses murs est accrochée une carte du monde où l'on voit des poissons aussi gros que des navires, des arbres surmontés de plumes, des chats qui ont la taille de moutons. J'imagine ces poissons qui peuvent avaler un bateau, ces peuples qui vivent au loin sur la terre ferme, comme moi. Sur ces cartes, les routes maritimes vers l'Orient sont indiquées par des lignes. Parfois, je me dis que la Terre se transformerait peut-être en balle si je les tirais toutes en même temps.

Tout en ramassant ses cheveux en chignon, Jette ouvre la porte et bâille. Elle n'a pas encore enfilé son tablier. Moi non plus. Ce que les Veldman ne voient pas ne peut pas les froisser. Nous nous saluons d'un signe de tête. Son vocabulaire se limite en tout et pour tout à trois ou quatre mots. J'ai très vite compris que c'était sa façon d'être. Les premiers temps, elle était peut-être une pipelette puis au fil des jours, mot après mot, tout a disparu.

Elle a déjà allumé le feu sous la lessiveuse pour mettre l'eau à bouillir. Je lui souris pour la remercier et elle fait de même en réponse.

Sofia et Cokkie ne sortent jamais. En tout cas, jamais le jeudi. Chaque fois que je les vois, elles me donnent l'impression de s'ennuyer à mourir : elles commencent des broderies, font tomber leurs livres par terre; sur le lutrin, leur Bible est toujours ouverte à la même page; elles ont reçu en cadeau une épinette, qu'elles ont fait grincer une ou deux fois avant de la transformer en secrétaire. Elles arrangent des bouquets sans s'adresser la parole, cassent les tiges, coupent les fleurs, jettent le feuillage. L'après-midi, Jette et moi les entendons se chamailler; nous relevons la tête, comprenons ce qui se passe et reprenons notre tâche.

Betje m'a dit un jour que nous avions de la chance et je n'ai pas compris pourquoi. Depuis que je vais chez les Veldman, je me rends compte que je bénéficie d'une liberté que ces demoiselles n'ont pas. Elles me font penser aux poules entassées dans des paniers au marché, affolées par la peur. Qui voudrait mener la vie des filles de M. Veldman, cloîtrées, confinées, *captives*?

Pas moi, en tout cas.

Pendant que la lessive bout, je vais nettoyer le bureau de M. Veldman. Dans cette pièce, les volets sont toujours fermés. Le premier jour, je me suis fait réprimander parce que je les avais ouverts en grand. Mme Veldman m'a crié dessus et m'a donné une tape : « Nigaude! Les encres! Les encres! » Les encres en question sont celles qui servent à colorier les cartes. La lumière fait perdre leur éclat à certaines teintes – le rouge, en particulier. Je ne vois pas l'utilité de fabriquer des cartes que l'on ne peut contempler qu'en plissant les yeux dans le noir.

Presque toujours, il y en a une nouvelle exposée au mur. Ce jour-là, en pénétrant dans la pièce, je suis stupéfaite : même dans la pénombre, je peux voir qu'il s'agit d'un plan d'Amsterdam. Si seulement j'en avais eu un à mon arrivée! Je ne parvenais à retrouver mon chemin qu'en longeant les canaux, ce qui m'obligeait à de longs trajets rectilignes lorsque je devais déposer des lettres ou des invitations à venir admirer les dernières acquisitions de M. Sergeant – les œuvres de Jacob Cats, van Goudhoeven et Schryver, ou des livres importés d'Angleterre et d'Allemagne.

Je pose mon balai contre le mur. Le dessinateur doit vivre au ciel et observer la ville de là-haut : il a non seulement représenté les rues, mais aussi les bâtiments, jardins, marchés, églises, hospices et monuments ; les bateaux le long du quai ; de tout petits bonshommes alignés devant Noorderkerk ; le bétail dans les champs au-delà des remparts de la ville. Chaque bâtisse se dresse verticalement. Je touche le papier pour m'assurer que le plan est bien plat. Il y a aussi de minuscules détails : des pommes dans les arbres, des chemises qui sèchent au soleil, des moulins à vent pas plus gros que mon ongle. Je suis Prinsengracht jusqu'à Westerkerk, je compte les maisons de la rue jusqu'à celle de M. Sergeant. *Celle de M. Sergeant ! Ça alors !* Je m'attends presque à me voir en train de secouer les draps à la fenêtre.

« Il est de Blaeu », fait une voix derrière moi.

M. Veldman ! Je sursaute comme s'il m'avait fait : « Bouh ! »

« Son chef-d'œuvre, à mon avis. N'est-il pas fascinant ? » Ce n'est pas le plan qu'il fixe, c'est moi. Sa moustache frémit. « Je t'en prie, jette un œil. » Il tend la main pour m'inviter à l'admirer ; je fais un pas en arrière. Je suis son regard vers le balai posé contre le mur, puis vers le plancher jonché de papiers et manifestement pas encore nettoyé. Il est si proche de moi que je sens son souffle sur ma joue.

« N'as-tu pas du travail, Helena ? Vas-tu rentrer chez M. Sergeant avec juste un quart de pichet d'eau-de-vie ?

— Si, M. Veldman ; non, M. Veldman. » Je fais une révérence, saisis mon balai et me remets à balayer pendant qu'il me suit des yeux.

J'aurais aimé pouvoir discuter avec Betje sur le chemin du retour. Je dois me contenter de ma propre compagnie. Au moins, j'y suis habituée ; je sais quelles questions me poser et quelles réponses il vaut mieux éviter.

– *Comment s'est passée ta journée, Helena ?*

– Eh bien, merci de me le demander, elle s'est passée passablement bien – *passablement bien* : c'est ainsi que s'exprime M. Sergeant lorsqu'il veut dire, en vérité, *sinistre*.

– *Est-ce un pichet plein d'eau-de-vie que je vois là ?*

– Cela aurait dû… Il y a eu une retenue.

– *Une retenue ?*

– Une retenue.

– *Puis-je en connaître la raison ?*

– J'ai admiré les cartes.

– *Helena, Helena, vas-tu apprendre un jour ?*

– *(faisant la sourde oreille :)* Un plan d'Amsterdam, en réalité…

Je soupire. C'est alors que je le vois : *Thomas !* Devant moi, à une trentaine de pas, les mains dans les poches, courbant le dos. Je crie : « Thomas !

Thomas ! » Je me mets à courir ; l'eau-de-vie gicle et pique mes doigts gercés. Je les porte à mes lèvres et l'alcool me brûle la bouche.

« Thomas ! Thomas ! »

Il m'entend enfin et s'arrête de marcher. Moi aussi, alors que je ne l'ai pas encore rattrapé. A-t-il grandi à ce point ? Perdu presque tous ses cheveux ? Au moment où il pivote, je vois un homme qui a facilement vingt ans de plus, qui ne me connaît pas et ne m'a jamais vue. « Oh ! » Je rebrousse chemin, en tenant toujours le pichet, dont une bonne partie du contenu a débordé. Ma jupe empeste l'eau-de-vie.

Dans mon esprit, les cartes de M. Veldman se bousculent, se superposent, se mêlent et tout devient méconnaissable.

Thomas a pu s'enfuir n'importe où. Peut-être est-il toujours à Batavia. Il est très loin d'ici.

Je jette ce qui reste d'eau-de-vie – et le pichet – dans le caniveau.

AMSTERDAM, 1634

Chandelle

J'entends à la porte un coup sonore et impérieux, puis un second au moment où j'attrape la poignée. Sur le seuil, un homme qui donne l'impression d'avoir couru tout le long de Prinsengracht tient un paquet enveloppé dans du tissu.

« Est-ce ici que réside Monsieur Descartes ? »

Je ramène une mèche de cheveux derrière mon oreille. « C'est cela.

— J'ai un livre à lui remettre.

— Il n'est pas là, je suis désolée. »

Il accuse le coup.

« Il ne sera pas de retour avant ce soir. Sait-il que vous devez passer ? Je peux le lui donner, si vous voulez. »

Il le serre contre lui. « Non ! C'est pour Monsieur Descartes.

— Il s'est absenté.

— Dans ce cas, je vais l'attendre.

— Je peux le ranger en lieu sûr. » Je tends la main sans ouvrir plus grand. Il se retourne au passage d'un coche, se gratte le front, le cou.

« Je suis venu dès que j'ai pu. Je le connais *depuis des années*. Je vous en *conjure*. »

Je vous en conjure ? Jamais personne, parmi mes connaissances, ne m'a parlé ainsi. Il me rend nerveuse, mais je vois qu'il ne va pas s'en aller.

« Eh bien, entrez, monsieur…

— Beeckman. Merci. Oui. »

Une fois à l'intérieur, il va droit à la fenêtre, regarde à gauche et à droite, sursaute quand je viens prendre sa cape.

« Pardonnez-moi. Y aurait-il un endroit où je puisse m'asseoir ? »

M. Sergeant est à Utrecht ; je ne peux laisser ce M. Beeckman seul dans le bureau. Je l'accompagne à la salle à manger ; lorsque je m'apprête à repartir, il me suit dans la cuisine, pose le livre sur la table sans le lâcher. Même assis, il paraît prêt à bondir sur ses pieds.

« Vous venez de loin, M. Beeckman ?

— De Dordrecht. En passant par Haarlem. » Il examine la pièce et s'arrête sur un quignon de pain.

« Avez-vous faim ?

— Je suis affamé. »

Je lui apporte de la salade et du fromage en plus du pain. Il mange sans se dessaisir de son présent, sans s'en éloigner d'un centimètre.

« As-tu du vin ? » Je lui en verse un demi-verre. Il me fait signe de reposer le pichet sur la table.

« Descartes est ici pour longtemps ? » Il boit une grande rasade et en fait couler quelques gouttes sur sa chemise.

« Ça, je ne sais pas, monsieur.

— *Monsieur*, vraiment ? », répond-il en riant.

Il reprend du fromage et de la mie de pain, remplit son verre, le vide d'un coup, se ressert. Si le Monsieur n'arrive pas rapidement, il n'y aura bientôt plus rien. Il se détend un peu, assez en tout cas pour retirer son bras de l'ouvrage. Il lève les yeux, je baisse les miens ; il a vu que je l'observais.

« Je m'attendais à le trouver ici. Il savait que je viendrais. J'ai fait toute cette route, et me voici contraint de profiter de ton hospitalité. »

Il branle du chef comme si le Monsieur était responsable du fait qu'il vient d'avaler plusieurs verres d'affilée. Son paquet est couvert de miettes, ce qui ne semble pas le préoccuper.

« Il reçoit des visiteurs, je suppose ? »

Je secoue la tête. En fait, il est le premier.

« Voilà qui ne me surprend aucunement ! »

Il réfléchit. J'imagine qu'il va relancer la conversation dans une autre direction, mais il poursuit sur le même sujet : « Je ne pensais pas avoir l'occasion de le revoir. Je le connais depuis très longtemps ; il a même été mon élève, autrefois. Pour lui, ce n'étaient que des *fantaisies sans fondement*. » Il se frappe le front avec deux doigts. « Tout vient de lui. S'il a appris de moi, ce n'est que pure coïncidence − ça, c'est tout *Descartes* ! » Il finit son verre et, une nouvelle fois, le remplit à ras bord. « J'ai soif, je suis désolé.

— Non, non, je vous en prie…

— Nous commençons tous quelque part. Moi. Lui. Même toi. » Il trace un trait sur la table avec son doigt. « Un encouragement, une rencontre fortuite, une conversation − il y a tant de façons de mettre une existence en mouvement. C'est ainsi, et me voilà marié et père de sept enfants. Un jour, quelque chose – cela peut être la lumière particulière d'un matin particulier – fait s'interroger : est-ce cela, ma vie, est-ce ce que j'avais en tête ? » Il ponctue ses paroles en tapant du doigt sur la table. « Je suis désolé. Sept enfants, une bonne épouse : j'ai de la chance. » Je le soupçonne d'être un peu ivre.

« Comment t'appelles-tu ?

— Helena, monsieur.

— Eh bien, Helena, tu ne sais pas ce que tu as dans ta cuisine. Ceci – il déplie le tissu – est un ouvrage hors du commun. »

Pour moi, c'est un livre, rien de plus.

« Absolument hors du commun. »

S'il s'exprime lentement en raison de tout ce qu'il a bu, il a clairement envie de parler. J'ose une question : « Est-il hollandais, monsieur ?

— Hollandais ? Oh, non, non, non.

— Français, alors ? »

Il éclate de rire. « Grands dieux, non ! *Italien*. Par l'un des plus grands esprits vivants – Galileo Galilei. »

Galilée ? J'ai déjà entendu ce nom ; pourtant, impossible de me souvenir à quelle occasion.

Il se recule sur sa chaise. « Ton hôte fait pâle figure en comparaison. » Il a l'assurance de celui qui peut affirmer ce qu'il veut à quelqu'un de mon rang. « Il est terrifiant, n'est-ce pas ?

— Qui ça ?

— Descartes, voyons !

— Eh bien… » C'est vrai qu'il s'emporte après Limousin presque chaque jour.

« C'est bien ce que je pensais. Néanmoins, nous nous plions tous à ses injonctions. Je ne l'ai pas vu depuis des années, je n'ai reçu de lui que des insultes, et pourtant, je lui apporte ce dont il a besoin. Remarquable, vraiment. À ton avis, qu'est-ce que cela fait de moi ? »

Je ne sais que répondre.

« Au choix, un ami extraordinairement fidèle ou un parfait imbécile. » Il siffle son verre en trois gorgées, s'essuie la bouche du revers de la main, retire ses bottes d'un coup de talon. « Je serais bien en peine de faire la différence. Bon, je vais me reposer un peu. Le coche d'eau de Haarlem m'a épuisé, comme toujours. »

Je sors de la cuisine. Que puis-je faire à part le laisser dormir ? Je ne peux pas préparer le repas avec un homme assoupi devant moi. Le dîner attendra.

Limousin est le premier à rentrer. Quand je lui apprends qui est là, il s'écrie : « *Mon Dieu* », passe la tête par la porte, la retire. « *Mon Dieu.*

— Aurais-je dû le renvoyer ? »

M. Sergeant m'a confié la maison en son absence. Il ne fera pas de reproches au Monsieur ; en revanche, je le vois très bien m'en adresser à moi – *Ce n'est pas ainsi que cela devrait être, Helena.*

111

Limousin fait les cent pas en se tenant le front. « Il n'y a rien qu'on puisse faire pour l'instant. » Il repasse la tête. « *Mon Dieu.* »

Rien à faire ? Je peux lui dire de partir.

Limousin traîne dans le vestibule et se précipite sur le Monsieur dès qu'il franchit la porte. Il s'agite en tous sens, prend sa cape et son chapeau, brosse son habit. « Monsieur, Monsieur ! *Avez-vous fait bonne promenade ?* » Le Monsieur hausse les épaules, agacé. « *Suffit !* » Au moment où je m'apprête à lui parler, Limousin lui annonce sur un ton compassé en me lançant un regard accusateur : « Vous avez un visiteur, Monsieur. *M. Beeckman.* Ce n'est pas moi qui lui ai dit qu'il pouvait attendre. »

Faisant mine de ne pas avoir bien entendu, le Monsieur penche la tête et pivote sur lui-même. « Beeckman ! Le faquin ! Il est venu ! Où l'as-tu caché ?

— Je suis désolée, Monsieur… » Puis je me tais : à ma grande surprise, il sourit. Il ouvre la porte du bureau de M. Sergeant : « Pas là. » Il passe en quelques enjambées dans la salle à manger : « Pas là non plus… » Il a l'air de s'amuser. En repensant à la nervosité de M. Beeckman, je me demande ce qui a bien pu se passer entre eux.

« Ah ! s'exclame-t-il en descendant les marches qui mènent à la cuisine, j'aurais dû m'en douter. Beeckman ! » Il claque la porte derrière lui. Limousin et moi la contemplons, sans parler, redoutant des cris, des éclats de voix – ou que la maison s'écroule.

Lorsque le Monsieur réapparaît, il a le livre sous un bras et a passé l'autre autour des épaules de M. Beeckman, qui semble avoir rétréci. « Le vin, mon cher Beeckman, vous a embrouillé l'esprit. » M. Beeckman se dégage et déclare d'un ton solennel : « Vous avez jusqu'à lundi matin à l'aube. Vous devriez avoir largement le temps de tirer de cette œuvre ce qui vous sied. Nous commençons tous quelque part, souvenez-vous-en. Certains ont même la courtoisie de le reconnaître. » Il s'incline et sort sans tirer la porte, qui bâille telle une bouche ouverte ; personne ne fait un mouvement pour la repousser.

Le Monsieur éclate de rire. « Il n'a rien perdu de son charme depuis notre dernière rencontre. *Nous commençons tous quelque part...* Tu entends, Limousin ? Et nombreux sont ceux qui restent où ils ont commencé ! »

Il monte l'escalier, suivi deux marches plus bas par un Limousin toujours aussi nerveux. En refermant, je me demande ce qui peut inciter un homme à venir de si loin avec une si maigre récompense en perspective.

C'est une nuit sans lune et il fait si sombre qu'on croirait la maison remplie de suie jusqu'au grenier. Je suis réveillée par un vacarme : des bruits de pas, suivis du fracas d'un pot qui se brise en mille morceaux. « *Merde !* » Je reconnais sa voix. Je lâche le sabot que j'avais attrapé et descends de mon lit. La seule lumière vient d'une chandelle presque entièrement consumée. Je distingue à peine sa silhouette ; il est accroupi au fond de la cuisine et tâtonne sur le sol.

« Monsieur ? » Il se relève en tenant des tessons de poterie. Ses jambes sont nues et il s'est enveloppé dans un drap qu'il a resserré à la taille avec une lanière de cuir qui pourrait être une des ceintures de M. Sergeant.

« Il me faut une chandelle, une seule, c'est tout. Sinon, je ne peux pas lire. Elles ne sont pas à l'endroit habituel. » Du pied, il pousse des débris sous la table. « Tu les as changées de place ? »

Je vais chercher un balai. « Prenez garde, vous allez vous couper. »

Il ne fait rien pour se couvrir, ni s'éloigner, pendant que je balaie autour de lui. Je descends un grand pot du manteau de la cheminée.

« À la réflexion, quatre ou cinq... Six, cela suffira. » Je les compte. Six, c'est beaucoup plus qu'une seule. « Voilà. » En les lui donnant, je revois l'assiette d'étain recouverte de bouts de chandelles portant ses empreintes : elles ne lui servent pas seulement à lire. Il en allume une à la flamme de celle qui éclaire la pièce et l'enfonce dans la cire molle pour la faire tenir. « Ce soir, j'ai fait une découverte qu'on ne peut observer que dans le noir. »

Une découverte ? Le mot fait des étincelles.

Il pose le bougeoir sur la table et tourne autour en me montrant la flamme : « Tu vois, là ? » Son doigt en est si proche que j'ai peur qu'il se brûle. Je me baisse, sans trop savoir ce qu'il veut que je regarde.

114

Je fixe la flamme et l'aperçois, lui, de l'autre côté, la bouche ouverte tellement il est concentré.

« Le jaune est plus vif au centre ; la flamme est entourée de deux couronnes distinctes ; bleue, et rouge. *C'est beau*, n'est-ce pas ? »

Couronne – je le murmure tout bas pour être sûre de m'en souvenir, afin que la nuit ne l'efface pas de mon esprit comme elle le fait de mes rêves. Je continue à scruter jusqu'à ce que mes yeux me piquent, sans parvenir à distinguer les couleurs qu'il m'indique ; je ne vois que lui et la flamme bleutée, entre nous, qui tremblote. Puis je me rends compte qu'elle n'est effectivement pas entièrement bleue : elle est plus claire au centre, au-dessus du point où la mèche rougeoie. J'aime la façon dont la lueur des bougies réduit l'espace, crée une petite pièce à l'intérieur d'une grande. La flamme vacille. Un souffle pourrait l'éteindre.

« Ce n'est en rien comparable au halo coloré qui entoure les astres. C'est même le contraire, en réalité. »

Comment sait-il cela à propos de la lumière des étoiles – alors qu'il n'est pas capable de se déplacer la nuit dans une cuisine ?

« Il y a beaucoup à apprendre des chandelles. » Il en tire une du paquet et tape sur la table avec. « Elle est solide. Que se passe-t-il si je l'allume ?

— Elle éclaire la pièce. » Ma réponse me paraît niaise.

« En effet ! »

Tous ceux qui l'ont fait une fois dans leur vie le savent ! Il paraît satisfait. Me croit-il si sotte ? Il

se frotte le menton en attendant que je continue.
« Quoi d'autre ?

— Elle fond un peu. » Cela m'énerve de prononcer une telle banalité.

« *Oui !* »

Il opine du chef doucement ; il me semble qu'il essaie de me soutirer une réponse précise. Jusque-là, j'ai énoncé deux évidences. Il passe la main au-dessus de la flamme, la retire.

« Elle devient chaude !

— Oui. *Et…* »

Je ne sais que dire. On est en pleine nuit et mon cerveau est rempli de papillons qui se brûlent les ailes.

« La cire est solide – il tapote à nouveau la chandelle –, mais elle peut fondre, ainsi que tu l'as dit. Lorsqu'elle fond, sa couleur, son odeur – il la renifle –, toutes ces *propriétés* se modifient aussi. Les propriétés sont différentes et pourtant… »

Je me creuse la cervelle, cherche ce qui est banal et simple, fais revenir la lumière et la chaleur dans la bougie avant qu'elle soit allumée. C'est alors que je comprends, aussi clairement que la flamme luit devant moi : « C'est toujours une chandelle !

— C'est toujours de la *cire…* et c'est important. » Il se penche en avant, laisse l'idée cheminer dans mon cerveau.

« Oui. » Je ne suis pas sûre d'avoir émis une parole sensée. Il me dévisage toujours. Je baisse la tête.

« Assez parlé. Il est tard, tu as besoin de dormir et il faut que je lise si je veux rendre son ouvrage à Beeckman à temps. »

Il reprend son bougeoir et s'en va, emportant à la fois sa découverte et la lumière, et je dois retourner au lit dans le noir. Une fois que j'y suis, je pense aux innombrables bougies que j'ai vues se consumer. Il y a ainsi autour de nous toutes sortes de choses à découvrir dans les lieux les plus ordinaires – jusque dans les bougies et les flammes. J'ouvre les paupières. Peut-être même dans l'*obscurité*! Cette idée m'amuse.

Je bâille, car je suis malgré tout fatiguée. En m'endormant, je vois encore la chandelle brûler. Je suis tellement pressée de tout raconter à Betje.

Le lendemain matin, le Monsieur ne se montre pas; en fin d'après-midi, il est encore dans sa chambre et n'a pas touché au déjeuner que j'ai déposé sur un plateau près de sa porte. Quand Limousin frappe, il lui crie de redescendre.

« Il prétend qu'il n'a pas fermé l'œil. J'ai cru entendre marcher cette nuit. »

Limousin se renfrogne. Sans instructions pour la journée, il tourne en rond, va dans la cour, revient dans la cuisine, n'est pas sitôt assis qu'il saute à nouveau sur ses pieds, tisonne le feu et fait voler de la cendre partout. Pour finir, il s'avachit sur la table pendant que je hache des oignons pour la soupe, attrape une cuiller, la fait briller sur sa manche et examine son reflet. « Je t'ai déjà dit que je connaissais les principes des mathématiques? »

Sans lui répondre, je coupe un oignon en deux puis en quartiers.

« Monsieur m'enseigne sa *méthode*. » Avec un sourire satisfait, il se renverse sur sa chaise et croise les mains derrière la tête. Je m'essuie sur un torchon. « Racontez-moi, Limousin. À moins que vous ayez déjà oublié ? Ce n'est pas grave, si c'est le cas. »

Son sourire s'évanouit. « Bien sûr que non, je n'ai pas oublié ! »

Il prend un bol qui contient des œufs, fait de la place sur la table et en dispose quatre en carré. Il place une louche en diagonale pour le diviser en deux, se recule pour admirer son œuvre.

« Ce sont des triangles ; ils sont non seulement semblables, ils sont aussi égaux.

— Ah… » Devant la forme qu'il vient de tracer, je ne pourrais pas être plus déçue. J'ai déjà vu des dessins dans la chambre du Monsieur – des lignes traversant des cercles, des traits représentés par des lettres, des triangles inscrits dans des carrés, tout cela clairement annoté. « Ça ne se réduit pas à ça, tout de même ? »

Il se gratte le front. Si ça ne se limite pas à la confection d'une omelette, il l'ignore. Je fais couler une poignée de farine en une ligne fine qui coupe chaque triangle en deux, et une nouvelle fois en deux. « Vous voyez, le motif se répète.

— Si tu continues, tu vas rater ta soupe. »

Il souffle sur la farine pour la disperser et bouscule un œuf qui s'écrase par terre. Je lui dirais bien de nettoyer, mais cela reviendrait aux oreilles de

M. Sergeant, qui préférera se passer de servante qu'en avoir une qui répond, collectionne les plumes et transforme le jus de betterave en encre. Il a déjà renvoyé Gerarda.

Limousin transporte la correspondance du Monsieur, et a certainement vu ses documents lorsqu'il va dans sa chambre. Je me demande ce qu'il comprend de son travail. Pas grand-chose, si j'en juge par ce qu'il vient de me montrer.

« Je connais le Monsieur depuis qu'il est jeune. Je sais tout de ses colères, de ses humeurs, de ses *petites manies*… À cet égard, c'est un homme comme les autres. Pourtant, il est différent, *exceptionnel*. J'ai voyagé partout avec lui. » Je sens venir un de ses récits de guerre, ou alors l'étrange histoire de ce songe qu'a fait un jour le Monsieur et qui s'apparente plus, à mon avis, à un accès de fièvre. Quand je lui ai suggéré cette hypothèse, Limousin a frappé du poing sur la table et s'est mis en colère. « Un moment décisif ! Ni plus ni moins qu'une révélation ! »

Je m'approche de la cheminée pour jeter les oignons et les légumes dans le bouillon. En lui tournant le dos, je ne suis pas obligée de lui répondre et il peut discourir sans être interrompu. Cela ne le gênerait pas de parler à un arbre s'il pensait qu'il l'écoute. Je pourrais en être un ; un arbre plonge ses racines dans le sol ; en revanche, le vent qui secoue ses branches, les oiseaux qui nichent parmi ses feuilles viennent de loin. Je sais que je n'irai jamais en France, ni dans aucun des pays dont il me

119

parle ; en revanche, j'ai des yeux et des oreilles – j'ai vu les cartes et lu les frontispices de M. Sergeant. Petit à petit, je peux faire venir ces lieux jusqu'à moi.

Je ne dois ni l'interrompre ni émettre une opinion parce que, alors, il se ferme telle une huître et se met à tambouriner sur une casserole. Je l'écoute – une fois de plus – me parler de la Pologne. Parfois, les arbres doivent subir une journée de mauvais temps.

Lorsque la soupe est prête, je la verse dans un bol. « Je la monte. »

Il se lève de table : « Non, je m'en charge.

— Très bien, Limousin. » S'il a envie de grimper deux étages avec la soupe en équilibre sur un plateau, grand bien lui fasse.

*
* *

Je ne sais pas ce que contient cet ouvrage, mais tout ne se passe pas au mieux : le Monsieur se cloître pendant deux jours dans sa chambre et refuse de voir M. Beeckman quand celui-ci vient le reprendre. C'est Limousin qui le lui rend en son nom et en lui présentant ses excuses. Non, Monsieur Descartes ne peut le recevoir et ne souhaite pas en discuter – il n'a qu'à lui écrire s'il a quelque chose à ajouter. Beeckman repart avec le livre sous le bras en faisant grise mine. Depuis le trottoir, il crie en direction de la fenêtre du Monsieur : « Certains appellent cela du plagiat !

— Cela fait des années qu'il vous a dépassé, et vous le savez fort bien!, lui lance Limousin sur le même ton.

— Puisque c'est ainsi, je lui écrirai.

— Lui écrire? *Allez au diable!* »

Sur ce, Limousin claque la porte et passe devant moi sans me voir. Je n'ai jamais assisté à une scène pareille; même les filles de M. Veldman ne se comportent pas de cette manière.

Lorsque Limousin monte son repas au Monsieur, il se casse le nez une fois de plus. Je crois entendre le bruit d'une chandelle qu'on jette et la porte de la chambre du Monsieur se fermer brutalement. Ensuite, plus rien. J'ai connu des orages moins forts.

Je le croise dans l'escalier alors que je monte son vase de nuit. Il ressemble à quelqu'un qui n'a pas dormi depuis une semaine; une de ses manches est relevée, l'autre baissée, sa chemise pend sur son ventre et il est pieds nus. Il dégringole les marches si précipitamment que je pense qu'il ne m'a pas vue et je me colle contre le mur. Lorsqu'il arrive à ma hauteur, il s'arrête.

« Où est cet imbécile de Limousin? Dans la maison?

— *Non*, Monsieur. »

Il n'en revient pas. « *Non, Monsieur? Non?* »

Mon cœur fait des bonds. « *Non*, Monsieur. »

J'avale ma salive. Sa chemise glisse sur son épaule. Il essaie de reprendre son souffle et continue en français : « *Tu en es sûre ?* »

Je fais oui de la tête. Il me regarde, puis le pot. « *C'est mon pissoir ?* »

Je le lui tends. Je me sens un peu idiote. Il le saisit, fait demi-tour et remonte les marches quatre à quatre en me lançant : « *Merci !* » par-dessus son épaule, avant d'ajouter un commentaire à propos de Limousin. Je connais ces termes-là aussi, du moins certains d'entre eux.

Betje me demande : « Où étais-tu passée ? »

Je réponds : « Oh », en levant les bras et en les laissant retomber.

Elle, imitant mon geste : « *Oh ?* Ça veut dire quoi, ça ? Je t'ai attendue aujourd'hui, et je t'avais déjà attendue hier.

— Tu sais, *parfois*, on a besoin de moi pour d'autres choses.

— Je vois.

— Oui. » Je voulais lui parler de M. Beeckman et lui raconter les histoires de chandelles. Maintenant, je ne suis plus d'humeur.

« Tu viens au marché demain ?

— Oui. »

Elle a l'air abattue, tout d'un coup. Je lui donne un petit coup de coude pour lui montrer que je regrette. Cela ne la déride pas ; ce n'est pas une fille très souple.

« À demain, donc, Betje.

— Oui, à demain. »

Nous nous séparons toujours de cette façon. D'habitude, cela nous fait rire, pour le plaisir de rire. Cette fois, les mots résonnent comme si nous étions fatiguées l'une de l'autre, et de les prononcer.

Invitations

M. Sergeant s'est mis en tête de donner une réception. Depuis l'arrivée du Monsieur, il veut se montrer avec lui et, jusqu'à présent, celui-ci s'est esquivé en avançant de bonnes raisons de ne pas être libre.

« J'ai mis au point une nouvelle stratégie, Helena : je vais le mettre devant le *fait accompli*. » Il me tend un paquet d'invitations qu'il a préparées. « Il ne pourra s'y opposer. »

Je les trie pour me représenter les trajets que je vais effectuer. Je respire un grand coup : le dîner de M. Sergeant me fait sillonner la moitié de la ville.

« Une minute ! »

Je me retourne au son de sa voix. La cape de travers, le Monsieur dévale l'escalier tout en boutonnant son gant, au risque de perdre l'équilibre et de faire une chute.

« J'ai besoin de marcher. Je vais t'accompagner. »

Je serre entre mes mains les plis à déposer – j'en ai tellement.

« Que portes-tu ? »

Je vois qu'il est d'humeur bavarde. « Des invitations pour une soirée, Monsieur. » Maintenant qu'il les a vues, cela ne sert à rien que je les cache.

Il sourit. « Ah ! Je vois ! *Une réception*. On fait des projets en catimini ?

— Oui, Monsieur. » Je rougis, en notant que le ruban de sa cape est à moitié dénoué. Cela m'étonne qu'il sorte ainsi. En relevant les yeux, je croise les siens ; ils sont malicieux.

« Bien. *Allons-y*. Je te suis. » Il tend le bras pour que je le précède. Une fois que nous avons dépassé l'ombre de l'église, nous nous arrêtons pour contempler la vue : Prinsengracht miroite dans la brise tiède ; les barges dansent sur l'eau en tirant sur leurs amarres, qui prennent du mou, se tendent, frottent les unes contre les autres ; les femmes se promènent en robes de lin claires, avec des manchettes et des coiffes coupées dans un tissu aussi vaporeux que de la brume. Je retire mon châle ; j'ai soudain trop chaud.

Les hirondelles frôlent la surface du canal, tournoient, replongent en piqué avant de s'élever dans le ciel. J'en observe une jusqu'à ce qu'elle disparaisse ; j'aimerais tellement, moi aussi, évoluer librement dans l'immensité bleutée…

« Ah ! Le soleil, après tout ce temps enfermé… »

Oh, moi aussi, j'ai l'habitude des journées qui s'écoulent sans qu'on les voie passer. J'étire les bras pour profiter de la chaleur. Pourquoi se presser ? Lorsque j'aurai déposé les invitations, je n'en aurai pas terminé : il y a toujours, *toujours* du travail qui m'attend, quelle que soit la vitesse à laquelle je marche ou l'heure à laquelle je rentre.

Je l'entends soupirer. « Nous devrions peut-être y aller ? » Pourtant, nous ne bougeons ni l'un ni l'autre. « Là ! As-tu vu ? »

Il me montre une hirondelle qui plonge et la suit du regard alors qu'elle s'échappe le long du canal. Les boutons de nacre de son jabot accrochent la lumière. Je sais qu'il y a des boutons parce que je lave ses cols ; en dessous, il y en a trois autres, dissimulés, qui ferment sa chemise. Cela me procure une étrange sensation de le savoir. Plus bas, ses manches sont froncées aux coudes et nouées aux poignets : j'ai repassé les plis pas plus tard qu'hier. Au moment où je relève les yeux, il détourne les siens rapidement. Est-ce l'éclat du soleil ? Je crois remarquer que ses joues sont plus colorées.

Il fait passer son poids d'un pied sur l'autre, et sa hanche effleure la mienne. Je m'efforce de rester aussi immobile que possible, mais là où le contact a eu lieu, ma peau me démange furieusement.

« Les hirondelles volent bas ce soir. » Il attend ma réponse.

« Elles se nourrissent, Monsieur. »

— Oui, bien sûr. » Il regarde en l'air comme si j'avais répondu à côté de la question. « Tu as vu qu'elles sont descendues ? »

Évidemment, ce n'est pas la peine de me le dire ! Puis je comprends : *il ignore pourquoi elles descendent.*

« C'est bien cela, Monsieur. »

Il a l'air intrigué : « C'est bien cela ? »

Nous sommes aussi surpris l'un que l'autre. Pour moi, tout le monde sait cela sur les hirondelles. « Il va pleuvoir, Monsieur. Le vent fait descendre les moucherons plus près du sol, les hirondelles les suivent, et après, il pleut. » Je laisse retomber mon bras quand je m'aperçois que j'agite les doigts pour imiter la pluie.

Il lève la main pour sentir le vent. « *Un, deux, trois. Je l'apprends. C'est fascinant.*

— Monsieur ?

— *Fascinant. Fascinerend.* »

Il retire ses gants, croise les doigts, les décroise, ferme les poings, les relâche.

Le vent qui s'est levé creuse à la surface de l'eau de petites ridules. Je n'ai pas encore déposé une seule des invitations de M. Sergeant.

« Monsieur…

— *Bien.* Allons-y. Nous verrons quel temps amènent ces hirondelles. »

Nous avançons d'un même pas.

Fascinant, fascinerend ; *fascinant, fascinerend.* Cela me plaît que ces mots soient à la fois différents et proches – frères et sœurs d'une même famille. En atteignant Leliegracht, il est un peu essoufflé et je ralentis le pas. Ce Monsieur passe trop de temps dans sa chambre.

« Tu es bien silencieuse… Si tu n'y prends garde, tu finiras comme moi, avec tes réflexions pour uniques compagnes…

— Non, Monsieur… Oui. » Je ne sais pas si j'ai dit le contraire de ce que je voulais, et surtout, je n'en reviens pas qu'il ait pensé à moi.

Sauf quand je suis avec Betje, je n'ai, moi aussi, que mes réflexions pour m'accompagner. C'est alors que je me souviens – *Betje ! Oh, non !* Je la fais attendre une nouvelle fois. Mais là, il n'y a rien que je puisse faire.

Je lui montre où traverser pour rejoindre le canal des Seigneurs. Nous coupons par une ruelle qui mène à Langestraat et ressortons au soleil. Deux maisons plus bas, je m'arrête devant une porte sur laquelle est inscrit le nom de Lemmens, le libraire. La première invitation a été livrée.

« Tu te débrouilles bien pour t'orienter. » Il est impressionné.

Je me retourne en faisant voler ma jupe. « Oui. C'est vrai.

— Es-tu native d'Amsterdam ?

— De Leyde, Monsieur.

— Leyde ? » Cela semble le réjouir. « Je connais bien cette ville. » Il observe la porte de Lemmens et me sourit. « Tu as vu ce que tu viens de faire ? Je ne peux plus m'en extirper maintenant. »

Extirper ? Qu'est-ce que cela peut signifier ? Puis je comprends, grâce aux mots qui l'accompagnent.

Je lui réponds : « Non ! » Je me sens soulevée de terre. « Je crois que vous ne pouvez pas ! »

Il tend le bras à nouveau pour que je passe devant lui. Je n'ai pas besoin de plus ; je me force à ne pas sautiller. Je l'entraîne vers Brouwersgracht, que nous longeons pour rejoindre le Jordaan.

« Lis-moi les noms pour que je voie si je les prononce correctement. »

J'annonce : « Noorderkerk » lorsque nous passons devant mon église.

Il répète : « Noorderkerk. »

Il le dit bien. J'aime la façon dont il roule les « r ». J'aimerais que les miens sonnent de la même manière.

« Anjeliersstraat.

— Anjeliersstraat.

— Tuinstraat.

— Tuinstraat. Suis-je un bon élève ?

— Le hollandais n'est pas facile, Monsieur. »

Il fait une petite courbette. J'ai l'impression qu'il se retient de rire. « Je prends cela pour un compliment. » Je rougis.

Il frôle ma joue, sans la toucher. « *Et dessous ?* Qu'y a-t-il ? D'où vient cette roseur ? Tant d'émotions : la gêne, la timidité, le bonheur. » Il s'interrompt un instant. « Le plaisir. » Je rougis de plus belle. Quand je relève la tête, il sourit. Ses yeux également, d'une certaine façon. Moi qui le croyais si sérieux. Peut-être, lui aussi, cache-t-il quelque chose. Sommes-nous, en un sens, semblables ?

Je murmure : « Egelantiersstraat. »

Il répète : « Eg-el-ant-iers-straat », en baissant aussi la voix.

Je suis encore préoccupée par l'altercation de l'autre jour. « Je suis très ennuyée à propos de M. Beeckman, Monsieur.

— *Pourquoi ?* Tu n'es pas responsable de sa conduite. Il était désagréable et il l'est encore.

— J'aurais dû lui dire de déposer le livre.

— Le livre ? C'est le moins important de tout. Ce qu'il faudrait probablement, c'est qu'il consomme un peu moins de vin.

— Il avait bu un pichet entier.

— On doit parfois supporter *les idiots* pour obtenir ce que l'on veut. »

Idiot ? C'est identique en hollandais et en français. Il devait se douter que je comprendrais.

Nous arrivons au marché aux fleurs. Le trottoir est jonché de pétales, qui le constellent de taches colorées. C'est si joli que je fais de petits pas de droite et de gauche pour ne pas les piétiner. Certains marchands replient leurs étals ; d'autres bradent leurs derniers bouquets pour quelques *stuivers*. L'un d'eux plaque une rose jaune sur la poitrine du Monsieur ; il la repousse d'un geste. Un homme nous bouscule pour courir après son chapeau, que le vent fraîchissant vient de soulever.

« Bloemgracht. »

Il ne répond pas.

« Bloemgracht, Monsieur. »

Il regarde autour de lui. « Sais-tu ce qui m'attire dans cette ville, Helena ? »

Helena ? Mon nom. Il a dit mon nom. Je ne l'ai jamais entendu prononcer de cette façon : *He-lena.* Sur le coup, je ne suis pas sûre qu'il parle bien de moi.

« Monsieur ?

— Les gens sont indifférents. »

Oh ! Je ne m'attendais pas à cela. En voyant l'expression de mon visage, il se met à rire.

« Tu ne m'as pas compris. Ce que je fais, *qui je suis*, n'a aucune importance pour ce fleuriste ou ce marchand ambulant. Je suis anonyme, perdu dans la foule – en sécurité dans mon lit quand je dors. »

Il s'approche d'un vendeur occupé à entasser les fleurs qui lui restent sur une petite charrette et lui tape sur l'épaule. Celui-ci, surpris, se retourne brusquement, et je me dis que le Monsieur a de la chance de ne pas se retrouver par terre.

« Excusez-moi. Savez-vous qui je suis ? »

L'homme recule d'un pas et le dévisage. « Et *vous*, savez-vous qui vous êtes ?

— Ah ! Excellente réponse ! Oui, je le sais. »

Le fleuriste se remet au travail en bougonnant.

« Si je vous disais que la Terre bouge ? Qu'elle n'est pas le centre de l'univers ? Que diriez-vous ? »

Le ton qu'il emploie – provocateur, c'est évident – m'inquiète. L'homme examine le Monsieur, puis moi, des pieds à la tête.

« Sérieusement ?

— Oui. »

Il réfléchit un instant, se penche pour renifler l'haleine du Monsieur. « Je vous dirais de ne pas boire autant au déjeuner.

— C'est tout ? »

Il hausse les épaules. « C'est tout. »

Persuadé d'avoir apporté la preuve de ce qu'il avançait, le Monsieur me prend par le bras et me fait rebrousser chemin – les objections que j'aurais pu avoir, en paroles ou en pensées, s'effacent du même coup.

« Avec les mots, Helena, c'est différent. Ils me clouent à la page. »

131

Il me scrute, comme pour décider ce qu'il va dire ou s'il doit le dire. Je voudrais qu'il lise dans mes yeux : *Continuez à parler, s'il vous plaît. N'arrêtez pas.* Puis, sans prévenir, il bouge les bras dans tous les sens ; on croirait que ses idées courent devant lui et l'enfièvrent. « Qu'est-ce qu'un livre ? Les élucubrations de mon cerveau. *Des mots*, écrits à la plume avant d'être imprimés. Des pages, assemblées et reliées ; diffusées par M. Sergeant et ses confrères. Lorsqu'il paraît, un livre est une chose *incroyable*, Helena, incroyable – il a de la *force*, des *conséquences*. Il peut remettre en cause d'anciens dogmes, désarçonner les prêtres les plus convaincus, mettre à bas des systèmes de pensée. *Vlan !* Il peut, il *doit* surprendre. »

Je n'ai jamais entendu parler d'un ouvrage comparable à celui, invisible, qu'il brandit devant moi. M. Sergeant ne vend rien de tel. Il laisse retomber ses bras, épuisé tout à coup. Je revois les feuilles éparpillées sur son bureau. « Vous êtes en train d'en écrire un, Monsieur ? »

Son rire sonne creux. « Je l'étais. Quatre ans de travail. Pourtant, je ne peux publier, pas maintenant. L'an dernier, je le redoutais ; aujourd'hui, j'en suis certain. »

De quoi parle-t-il ? C'est affreux que son travail ne débouche sur rien. Une horrible pensée me vient à l'esprit. *C'est ma faute.*

« Est-ce à cause de M. Beeckman ? Je suis vraiment désolée, Monsieur.

— Cela n'a rien à voir avec lui. »

Si ce n'est pas lui, ce doit être alors le livre qu'il a apporté – pourquoi l'ai-je fait entrer ? Je fouille dans ma mémoire ce que M. Beeckman a dit. Cela me revient ; je me rappelle à la fois qui est l'auteur et à quel moment j'ai entendu ce nom pour la première fois : M. Veldman en a parlé à M. Sergeant bien long-temps avant la venue de Monsieur et de Limousin. Je m'écrie : « Galilée ! » un peu fort, tellement je m'étonne de le connaître.

« Galilée ? Que sais-tu de lui ? »

Je bredouille. Je ne sais rien de Galilée ; je répète au Monsieur les propos de M. Veldman.

« M. Veldman s'intéresse à Galilée ?

— Il aurait aimé connaître votre avis sur lui.

— Je n'en doute pas. Quoi d'autre ? »

Je me tais. J'en ai déjà trop dit.

« *Hmm ?*

— Il se demandait si vous alliez publier, Monsieur.

— A-t-il avancé une opinion à ce sujet ? »

Je fais signe que non. Je ne veux pas le lui dire.

« Eh bien, il avait raison ! Supporter les épreuves qu'endure Galilée ? Non merci.

— Monsieur ?

— Il a été arrêté, et tous les exemplaires de son livre doivent être brûlés. Je ne peux aligner mes théories sur les siennes. Les défendre face à l'autorité de l'Église ? Ce fleuriste là-bas s'en moque peut-être, mais si j'avance un seul mot que l'Église désapprouve… » Il se tait, songeur.

133

J'ai du mal à le suivre. Je pense aux verres remplis d'eau dans sa chambre, aux chandelles consumées, à ses documents. Je ne vois pas comment on peut vouloir lui nuire parce qu'il s'intéresse à la *cire*. Et les dessins que j'ai vus sur sa table, les lignes et les cercles, quel mal peut-il y avoir là-dedans? Que renferme le texte de Galilée qui justifie que l'auteur soit appré-hendé et le livre brûlé? Je comprends maintenant pourquoi Beeckman était si nerveux – et c'est moi qui l'ai laissé entrer!

Je vois bien que l'univers du Monsieur n'a rien de commun avec le mien; il s'étend bien au-delà d'Amsterdam et de la Hollande, et peut l'atteindre jusqu'ici, dans la rue, alors que les fleuristes rem-ballent leurs affaires et poussent leurs détritus dans le canal.

Il hausse les épaules. « Je vais devoir le brûler.

— Oh, non, Monsieur! »

Je ne sais pas ce que signifient ses travaux. Si l'Église les désapprouve, alors dans quoi s'est-il engagé? Les mises en garde de M. Veldman à M. Sergeant, des mois plus tôt, paraissent soudain moins incongrues.

« Ou couper les passages offensants, estropier l'œuvre pour satisfaire les *faucons*. Je ne suis pas prêt à cela.

— Pourquoi ne pas le garder un temps, le mettre de côté, Monsieur?

— Où proposes-tu que je le conserve?

— Dans une boîte. » Quel autre endroit pourrait convenir?

« Une boîte ?

— Oui.

— Cacher le soleil dans une boîte ? Ce n'est pas possible !

— Si, si vous fermez le couvercle. »

Il n'a rien à répondre à cela, et il n'y a rien que je puisse ajouter.

Nous atteignons la maison de M. Veldman – la dernière invitation. Si j'en juge par les cris que l'on entend depuis la rue, une querelle est en cours. Je glisse le pli sous la porte et redescends les marches sans attendre.

Sur le chemin du retour, il se met à pleuvoir – une petite averse, rien de plus – puis le soleil réapparaît, aussi éclatant qu'auparavant. Les hirondelles se sont éloignées de l'eau. En arrivant chez M. Sergeant, je lui dis : « Vous voyez, il ne pleut plus et elles sont remontées dans le ciel. »

Nous nous arrêtons sur le pas de la porte. Derrière nous, il y a la promenade que nous venons d'effectuer, et, devant, la fin de la journée et le travail encore à faire. Là où je suis, je peux voir ma vie de tous les côtés à la fois. Un pas de plus, et je serai à l'intérieur, à nouveau seule. Pourtant, aujourd'hui, quelque chose a changé : aussi longtemps que je m'en souviendrai, je garderai avec moi toutes ses paroles.

Il jette un dernier regard en direction du canal. Apparemment, lui non plus n'a pas envie de rentrer.

« Cette sortie m'a fait du bien. J'en avais besoin. J'ai appris aujourd'hui – à propos des hirondelles et des *boîtes*. Merci, Helena. »

J'observe sa bouche pendant qu'il me parle. Il a prononcé mon nom une nouvelle fois.

Il se tourne vers moi et me sourit. Au fond de moi, je lui souris de tout mon être.

Corbeaux

Je me réveille. Il fait encore nuit. Je tire les couvertures sous mon menton, puis j'ai trop chaud et je pousse mon oreiller au bord du lit, qui est plus frais. Je change de position, sors un bras, les pieds. Je regarde une bande de clair de lune s'effacer peu à peu sur le sol alors qu'une aube grise apparaît à la fenêtre. Inutile de rester couchée : je n'ai plus sommeil. Je repousse les draps, lance les jambes hors du lit et me lève. Je recouvre de petit bois les braises de la veille qui rougeoient encore dans l'âtre, ce qui fait s'élever des volutes de fumée et une gerbe d'étincelles. À part le crépitement des brindilles, il n'y a pas un bruit. Ces messieurs vont encore dormir pendant des heures.

Je croise les bras. Je ressens la même appréhension que le jour de mon arrivée à Amsterdam. Je touche mon front : il n'est pas brûlant, je n'ai pas de fièvre. La lumière est trop faible pour que je puisse lire ; je pose ma Bible sur mes genoux pour me réconforter et je ferme les paupières. Soudain, je le vois, devant moi – *le Monsieur*. Je me souviens qu'à l'instant où il a relevé les yeux, juste avant de sourire, son visage sérieux s'est adouci et... *et quoi ?*

137

Je me redresse : *Arrête, Helena. Les gens sourient, c'est normal.* Quand ils sont contents, parfois même quand ils ne le sont pas. En quoi le Monsieur serait-il différent ? Il a bien souri à cet affreux M. Beeckman qui, à l'évidence, l'insupportait. Le Monsieur m'a adressé un sourire, et je me comporte comme si j'avais trouvé un florin dans la rue. Je me relève. À peine suis-je debout que j'ai envie de m'asseoir. Il ne quitte pas mes pensées.

Je sors pieds nus chercher de la tourbe et l'entasse sur mon bras. De cette façon, je peux en porter douze morceaux à la fois, ce qui me permettra de faire tenir le feu jusqu'après le petit déjeuner. Aujourd'hui, je vais avoir besoin de beaucoup plus : c'est ce soir qu'a lieu la réception de M. Sergeant. Je les empile près de la cheminée et y retourne. J'ai beau m'obliger à les compter à voix haute, et même très haute, je ne parviens pas à chasser de mon esprit ce que le Monsieur a dit : *Les livres ont de la force. Ils ont des conséquences.* Certains ouvrages sont brûlés et leurs auteurs emprisonnés, ou pire. Je suis stupéfaite qu'on puisse lui vouloir du mal.

Ce n'est pas un *dîner*, c'est un *banquet*, et il a fallu embaucher de l'aide pour sa préparation. L'aide en question se présente sous la forme d'une femme bien en chair accompagnée de sa fille, aussi pâle et menue qu'un cierge de procession, qui débarquent avec leurs marmites, leurs ustensiles et une charrette remplie de viandes, de fruits et de légumes. Tout le soulagement que j'éprouvais s'envole dans la cheminée avec la vapeur du chaudron où chauffe le bouillon : la cuisinière m'assigne la tâche d'éplucher et de couper les pommes, les carottes, les panais, les navets, les oignons et l'ail, et de mettre le tout à tremper dans des seaux d'eau. Quand j'en ai terminé, mes doigts sont rouges et crevassés ; même en les suçant, je ne parviens pas à les réchauffer. À la fin de la journée, malgré les récriminations de la bonne femme, qui a passé son temps à faire de grands gestes avec sa louche, les plats sont prêts.

En voyant l'état de mes mains, la mauvaise humeur de la grosse dame en sueur et l'air maussade de sa fille, j'ai du mal à croire que notre piètre attelage ait produit tout ce qui est aligné sur la table : porc farci aux pruneaux ; langue de bœuf hachée et sauce aux pommes vertes ; poulet aux épices ; huîtres sur un plat d'étain ; grenades cramoisies et pêches rosées dans une coupe en porcelaine. Il y a aussi des carottes et des panais dorés au beurre, ainsi que des fruits secs et du gingembre confit pour la fin du repas. On pourrait dire que tous les ingrédients transportés par les bateaux qui sont à quai sur l'Yssel ont été réunis – le monde entier dans une assiette.

La cuisinière et sa fille rassemblent leurs affaires et s'en vont. Je suis contente d'avoir à nouveau la cuisine pour moi, même si cela signifie que je serai seule à servir et que j'aurai tout à nettoyer et à ranger une fois que ce sera fini.

J'entends les invités entrer dans le vestibule, où flotte une odeur de tabac, de cuir humide et de crottin de cheval. Le rire de M. Sergeant résonne plus fort que les autres, comme un étendard hissé au pignon de la maison.

Après la salade, le repas se poursuit avec les viandes et les légumes. Je fais le service, je débarrasse, je remplis les verres de vin au fur et à mesure.

« Monsieur ? » Je lui présente les fruits, mais il est en pleine conversation. Il saisit une grenade et la pose par mégarde à côté de la table. Je vais vers M. Veldman, qui prend son temps pour choisir une pêche, mord dedans et suce le jus qui coule sur son poignet.

« Les livres sont notre commerce. Ce qui compte pour nous, ce sont les textes », affirme-t-il en réponse à une question que vient de lui poser son voisin, qui ressemble à un corbeau. M. Corbeau m'écarte d'un geste sans s'intéresser aux fruits ; il s'agrippe à la table tel un oiseau à sa branche et réplique d'une voix mordante : « Sans notre argent pour remplir leurs poches, la moitié de vos clients seraient incapables de s'offrir des livres.

— Sans mes cartes pour les guider, les capitaines n'auraient pas la moindre valeur à déposer chez vous.

— Qu'est-ce qui a précédé l'autre : les cartes ou l'argent ? » M. Sergeant se penche en avant et son sourire s'élargit à mesure que le visage des deux hommes s'assombrit. « Ni l'un ni l'autre, gentils-hommes, ni l'un ni l'autre ! La poésie était là avant. Quelle splendide vérité ! »

Un ecclésiastique, qui a passé la plus grande partie du repas à rédiger des notes et à les relire, lève une main en toussotant. Il se gratte la gorge et attend que la conversation s'éteigne pour prendre la parole.

« Dites-moi, Monsieur Descartes, suis-je fondé à comprendre, ainsi que vous l'avancez, que tout doit être remis en question ?

— En effet. »

Il relève la tête pour s'assurer qu'il a bien entendu.

« *Tout ?*

— Oui. »

Un murmure parcourt la table. Quelqu'un lance en plaisantant : « C'est à la portée de n'importe quel imbécile de poser des questions !

— C'est vrai, répond le Monsieur. Néanmoins, ceux qui sont disposés à apprendre, à tout remettre en cause, sont les meilleurs juges : ils ne présupposent rien.

— Votre œuvre est destinée aux imbéciles ? reprend le joyeux drille.

— Non. J'écris afin que les gens qui n'ont pas fait d'études puissent eux aussi comprendre ma méthode, faire évoluer leur savoir progressivement, étape après étape, en commençant par les éléments les plus simples.

— Ah ! Votre fameuse *méthode* ! La méthode du *doute*. » M. Veldman remplit son verre, prend une gorgée de vin dans sa bouche et la fait passer d'une joue à l'autre. « Si l'on met tout en doute, que peut-on croire ?

— La vérité – celle que l'on peut prouver. Dieu dirige nos esprits vers elle. La connaissance ne suffit pas ; sans compréhension, elle n'est rien. Le doute

141

nous libère de nos doutes et nous entraîne plus loin que vous ne l'imaginez. À partir de ce doute universel, point fixe et inamovible, il est possible d'aboutir à la connaissance de Dieu, de soi-même, de tout ce qui existe sur Terre. »

M. Veldman tambourine sur la table. Ce qu'il vient d'entendre, ou ce qu'il a envie de dire, le rend impatient. « Voilà des revendications bien *modestes*, Monsieur Descartes. »

Quelqu'un pouffe. M. Veldman hausse les sourcils et sourit. « Tout le monde peut-il apprendre à partir de votre *admirable* méthode ? »

Le Monsieur replie sa serviette et la pose. « Oui. Tout le monde. Certainement.

— *Sans exception ?*

— Oui.

— Même les femmes ?

— Oui, même les femmes. »

Une explosion de rires secoue l'assistance. Quelqu'un fait tomber son verre ; en coulant sur la nappe, le vin dessine une balafre.

« Quoi, même cette servante ? » M. Veldman me tire brusquement par la manche et me retient d'une poigne ferme. « Viens par ici, Helena, dis-nous ce que tu sais. Tu es experte en matière de cartes, si je ne me trompe. »

Nouveaux éclats de rire. Leurs visages hilares se confondent, à l'exception de ceux du Monsieur et de M. Sergeant, qui s'inquiètent de la tournure que prend la discussion. Certains se donnent des claques sur les cuisses, d'autres frappent la table. Je suis morte de honte. Cette pièce m'oppresse, elle sent le vin, la fumée, les fruits trop mûrs. Elle a l'odeur de ces hommes, et tout ce qui va avec.

« M. Veldman, je vous en prie », s'écrie M. Sergeant en tentant de surmonter le brouhaha.

Le Monsieur hausse la voix : « Oui, même une servante. »

M. Veldman me relâche en ricanant. « Ah, les femmes… Dites-moi, Monsieur, comment trouvez-vous les nôtres ? Soutiennent-elles la comparaison ? Diriez-vous qu'à votre goût, elles sont braves, humbles et honnêtes, ou que notre climat nordique les rend froides et insensibles ?

— *Pour qui vous prenez-vous ?* » Le Monsieur repousse sa chaise et se lève de table.

M. Sergeant se redresse, tente de calmer la querelle : « Allons, messieurs, il y a en ce bas monde tant de questions sans réponse – notamment celles qui ont trait à la gent féminine. » Les rires fusent ; le soulagement se lit sur son visage. « Maintenant, *messieurs*, faites-moi le plaisir de vous joindre à moi pour remercier notre honorable invité, Monsieur Descartes. »

Il lève les mains et applaudit. Tous les convives font de même. Le Monsieur s'incline. Je sors de la pièce avant la fin des vivats.

La soirée est terminée. On n'a plus besoin de moi, et c'est tant mieux. J'entends les invités partir les uns après les autres par petits groupes, puis M. Sergeant et le Monsieur monter l'escalier et regagner leurs chambres. Je dois encore récurer les casseroles avant de me coucher. Le feu n'est plus qu'un amas de braises. J'étouffe un bâillement, tire sur la ficelle d'un sac de paille, en détache une poignée et m'attaque à une marmite.

« Ah ! Tu es donc là ! »

Je sursaute ; la silhouette d'un homme se dessine dans l'embrasure de la porte qui donne sur la cour. *M. Corbeau.* Il s'avance vers une chaise et s'assied à califourchon. Les boutons d'argent de sa cape miroitent à la lueur des bougies – on dirait une rangée de pupilles qui m'épient.

« Avez-vous oublié quelque chose, monsieur ? » Ma gorge est aussi sèche que la paille que je tiens.

Il se cure les ongles, les inspecte. « Rappelle-moi ton nom, servante. »

Je continue à frotter en me concentrant sur ma tâche.

« Laisse-moi deviner : Maria, Catharina ? *Hagar ?* Ah, ça me revient : *Helena.* Ta mère devait être bien ambitieuse pour te donner un prénom pareil. C'est quand même dommage de le galvauder dans cet endroit. Je t'ai remarquée, Helena. J'aimerais t'examiner de plus près. »

Ses yeux sont durs, écrasants. Je me recroqueville sur moi-même.

« Si je devais embaucher une servante, ce n'est pas toi que je choisirais. »

Il rapproche sa chaise pour pouvoir me relever le menton. Je me détourne. « Allons, allons… » Il tire

144

ma jupe d'un coup sec et me fait perdre l'équilibre. « Ce ne sont pas des façons de traiter un invité. » Il prend mon visage entre ses mains et applique un baiser baveux sur ma joue. Sa bouche est aussi gluante qu'une limace.

« Non ! » Je me dégage plus ou moins, mais il se penche en avant, fait tomber sa chaise, m'attrape les bras et me pousse jusqu'au mur. Il plaque un bras sur ma poitrine et me fait vaciller sous son poids. Il cherche à tâtons le bouton de sa culotte, me saisit la main, la pose sur un renflement et appuie dessus pour la maintenir en place. « Allez, prends-la, sacrebleu. »

« *Qu'est-ce que vous faites ?* »

Au tour de M. Corbeau de sursauter. Pendant qu'il se cramponne à sa culotte, je m'écarte en titubant.

« Helena ? » Le Monsieur vient vers moi, le front ridé par l'inquiétude ; je m'enfonce dans l'ombre. Qu'a-t-il vu ? Que va-t-il croire ?

« Ah, c'est *Helena* ! Vous êtes venu ici avant moi, c'est ça ? », ricane M. Corbeau.

Le Monsieur fait volte-face : « Je vous prie de surveiller vos paroles !

— Allez au diable, Descartes ! Nous ne sommes pas en France. »

Je tire sur ma manche, qui est déchirée, je frotte et refrotte mes doigts pour effacer le souvenir de cet homme.

« *Scélérat !* »

Le Monsieur esquive le coup que M. Corbeau essaie de lui asséner. Je les supplie, terrorisée : « *Je*

145

vous en prie ! M. Sergeant va vous entendre. » S'il voit cela, c'est moi qui serai mise dehors.

Le Monsieur ouvre en grand la porte de la cour. « Rentrez chez vous, *vermine.* »

M. Corbeau remet sa chemise en place. « Ah, c'est moi, la vermine ? Regardez-vous, tous les deux : la servante qui sait tout et le Français qui doute. Le monde a décidément perdu la boule. » Sur ce, il ramasse sa cape, bouscule le Monsieur et disparaît.

Le Monsieur récupère mon châle qui est tombé et me le tend. Je vais pour le prendre, mais il le déploie sur mes épaules et ne s'éloigne de moi qu'après un moment.

« Vous ne direz rien, n'est-ce pas, Monsieur ? S'il vous plaît, dites-moi que vous ne direz rien. »

Il me fait un signe de tête : « Non, rien » et repart dans sa chambre. C'est seulement après que je m'interroge : la porte de la cuisine était fermée ; de son étage, il ne pouvait entendre ce qui se passait. Pourquoi était-il descendu ?

*

* *

C'est mon ombre plus que moi-même qui travaille ; je pourrais avoir été remplacée par mon fantôme. Pour qu'on ne me voie pas, je me déplace quand tout le monde est occupé : je fais le ménage de la chambre de M. Sergeant lorsqu'il est dans son bureau ; dès que Limousin et le Monsieur sortent, je vais récupérer leur linge sale pour le laver. Je prépare

146

des repas que je peux déposer sur la table et je débarrasse après que la dernière chaise a été remise en place.

Je déteste mes mains. Je les frotte sans cesse, elles ne me paraissent jamais assez propres. Je revois le Monsieur. *Est-ce qu'un homme doux peut aussi être cruel? Tous les hommes ne sont-ils pas un mélange de bien et de mal? Mais le péché d'Ève est à l'origine de tous les malheurs. Les femmes ne sont-elles pas les plus méchantes?*

Arrive le dimanche. À l'église, je me place dans la lumière. Elle passe au-dessus de moi comme si je n'étais pas là.

Lorsque je revois Betje, elle veut tout savoir à propos de la soirée. Je lui raconte que je n'ai jamais vu autant de nourriture – à eux seuls, les fruits ont coûté probablement plus que mes gages d'une année. Elle rit pendant que nous essayons de calculer ma valeur en grenades. Pourtant, elle voit bien que ça ne va pas : j'ai les larmes aux yeux alors que je n'ai mentionné ni M. Corbeau ni la méchanceté de M. Veldman.

« Qu'est-ce qui s'est passé, Helena? »

Je me tiens le menton pour l'empêcher de trembler. Elle répète : « Helena, Helena », et ne réussit qu'à me faire pleurer. Quand je finis par lui expliquer, elle dit simplement : « Tu l'as échappé belle. »

Échappé? Je pense à Gerarda et je frissonne.

« Il va en parler à M. Sergeant? »

147

— Non. »

Non. Cela nous fait taire. Betje me prend la main.
« Il a l'air très… »

Je finis la phrase à sa place : « Gentil ? »

« J'allais dire : *galant.* »

Où a-t-elle déniché un mot pareil ? Nous nous
mettons à rire, et je pleure encore un peu.

Je ne lui dis pas que le Monsieur m'a prise dans ses
bras. Je ne lui dis pas non plus que j'ai entendu battre
son cœur.

Mots

Je n'irai plus chez M. Veldman. M. Sergeant l'a décidé. D'après ce que je comprends, ce n'est pas tant la façon dont il s'est comporté avec moi qui l'a offensé que son *refus de cesser* quand il l'en a prié. « Je n'apprécie pas d'être contraint de m'égosiller ainsi. J'en ai la voix tout éraillée, tu entends ? » M. Sergeant toussote plusieurs fois en se tapotant la poitrine.

Le jeudi, je vais prévenir Betje pour qu'elle ne m'attende pas.

« Comment va-t-il se passer de son eau-de-vie ?

— Le Monsieur lui a trouvé un autre fournisseur.

— Le Monsieur, *le Monsieur*. » Elle me fait un clin d'œil.

« Betje ! » Ses insinuations me choquent. Elle me donne un coup de coude. « T'es toute rouge !

— C'est faux ! »

Elle sautille devant moi, continue à reculons. « Mais si !

— Mais non ! » Je cours pour la rattraper. Elle s'échappe en riant aux éclats.

M. Sergeant annonce qu'il a l'intention de s'absenter quinze jours : il voyagera en compagnie de Limousin jusqu'à Leyde, où Limousin s'occupera des affaires du Monsieur et où lui-même doit rencontrer des éditeurs. Il poursuivra ensuite vers Utrecht pendant que Limousin restera à Leyde.

Leyde? Mon cœur s'emballe. Ma ville est petit à petit devenue moins présente à mon esprit. Lorsque M. Slootmaekers est passé empocher ses honoraires, il n'avait aucune nouvelle à m'apporter. « *S'il y a un problème, tu le sauras bien assez tôt!* » Je pense à tout ce que je pourrais raconter à ma mère ; j'aurais tant à lui dire – et tout autant à garder pour moi. Au moins, j'aimerais qu'elle sache que je me porte bien et être rassurée sur son sort.

« *Pardon*, Limousin? Limousin? » Je lui tape sur l'épaule. Il écarte ma main. « Quoi?

— Pouvez-vous dire à ma mère que je vais bien? Et me rapporter ce qu'elle vous répondra? »

Il se renfrogne.

« S'il vous plaît, Limousin. »

Je n'aime pas avoir à lui demander un service. Il ne donne jamais rien sans exiger une contrepartie – si ce n'est à la fin de la journée, en tout cas à la fin de la semaine. Il a une espèce de balance dans la tête et tient les comptes en permanence.

« Tu l'as écrit? »

Je n'ai pas de quoi le faire, il le sait très bien.

« Elle ne sait pas lire toute seule.

— Alors non, je ne vais pas pouvoir.

— Elle vit sur le canal Hoy Gracht, à l'angle de Lange Nieustraet.

— Les missions que me confie le Monsieur ne me laissent pas le temps de me distraire. Je peux déposer un billet. En revanche, tenir une conversation – surtout avec une étrangère, dans une langue qui n'est pas la mienne –, c'est long et compliqué.

— S'il vous plaît, si vous pouvez. Hoy Gracht. » Je lui répète l'adresse en espérant qu'il s'en souviendra.

« Limousin ? » Le Monsieur descend l'escalier quatre à quatre et lui confie un paquet de lettres, qu'il glisse dans sa besace. Si seulement je pouvais y ajouter mon message ! Leurs mots voyagent si aisément alors que les miens sont collés sur ma langue. Le Monsieur lui donne une accolade. « *Bon voyage. Portez-vous bien, et à bientôt !* »

Puis, le temps que les chevaux fassent demi-tour, Limousin et M. Sergeant sont partis. Je rentre dans la cuisine. Mon humeur est sombre et j'ai le cœur gros. Je casse une assiette et me coupe en la ramassant ; la pompe à eau est encore plus dure que d'habitude ; j'ai les pieds trempés et le bas de ma jupe est taché ; je dois aller vider les vases de nuit. Voilà ma vie : du sang, de la crotte, de la boue, et pas moyen d'y échapper. J'entrechoque les casseroles de cuivre sous la hotte de la cheminée. Aujourd'hui, il y a de l'orage dans l'air, même si le ciel est aussi pur que par une matinée d'été.

À l'heure du repas, je dresse la table dans la salle à manger et pose le couteau et la cuiller du Monsieur à la place où M. Sergeant s'installe d'habitude. Je lui sers de la soupe et une assiette de boulettes à la crème et au persil accompagnées de champignons.

« Tout cela sent délicieusement bon ! Et toi, Helena, tu ne manges pas ? » Il me montre le siège à côté du sien.

« Je le ferai plus tard, Monsieur.

— Non, j'insiste ! Apporte une assiette. » Son bras ne retombe pas. Je fais non de la tête.

« M. Sergeant a des principes.

— Ah ! Les principes *anglais* de M. Sergeant ! Y a-t-il une autre maison hollandaise où l'on se comporte ainsi ? Je n'ai pas envie de dîner seul. Allez, Helena, ton assiette. La Terre ne s'arrêtera pas de tourner pour autant. Et si cela se produit, je ne dirai rien à M. Sergeant. »

Oh ! Est-ce qu'il dit cela pour me contrarier ? *La Terre ne bouge pas !*

Son bras est toujours tendu. Il m'observe, patiemment, pendant que je pèse le pour et le contre. Je ne peux pas interroger M. Sergeant, il n'est pas là. Il ne m'a jamais dit : *Helena, tu ne peux pas t'asseoir à cette table* ; en revanche, il ne m'a pas non plus invitée à le faire. Qui a fixé la règle ? Lui ou moi ?

Je finis par aller chercher mon assiette et m'assieds une place plus loin de lui que celle qu'il m'a indiquée. Je vais manger en vitesse et m'en aller. Je me perche tout au bord de la chaise, les pieds bien à plat sur le sol pour ne pas tomber s'il se dérobe. Je jette un regard

152

vers lui, vers le tableau sur le mur : rien n'a bougé. Il est au même endroit qu'au début du repas. Chaque fois que je vérifie, je vois le Monsieur, qui finit par me dire : « Tu plisses le front. » Je reviens à mon assiette, coupe une boulette et la recueille avec ma cuiller.

« Moins vite, tu vas avoir le hoquet. »

Et voilà qu'il me dit comment je dois manger ! Je bouge un peu sur ma chaise, détends mes jambes, fais tomber ce qu'il y a dans ma cuiller pour prendre un peu de sauce.

« Ah ! » Il s'extasie sur une lamelle de champignon et la savoure comme s'il s'agissait d'un mets délicat. Avec un morceau de pain, il ramasse la sauce, les champignons et sa dernière boulette, avale tout d'un coup et se lèche les doigts. Je n'ai jamais vu un pensionnaire se comporter ainsi. Il se recule sur sa chaise et repousse son assiette qui reluit. « Tu vois, je ne suis pas aussi tatillon que M. Sergeant.

— Monsieur ? »

Avec son couteau, il fait mine de couper un objet de plus en plus petit jusqu'à ce qu'il obtienne une minuscule portion, qu'il tend à bout de bras ; on dirait qu'il vient de repêcher le dernier hareng au fond d'un baril.

« *Kieskeurig !*

— *Exactement !*

— *Ta-til-lon !* » Un mot plein d'épines. Ce qu'il dit de M. Sergeant est vrai : il aime que les choses soient *exactement ainsi qu'elles doivent être.*

Le repas est terminé ; nous avons tout mangé. Assis, sans rien à nous dire, nous contemplons nos

153

assiettes vides. Il faudrait que je débarrasse. Je *vais* débarrasser. *Allez, débarrasse.* Il attend certainement que je le fasse. Je me lève pour prendre son assiette.

« Je t'en prie, nous ne sommes pas pressés. »

Je me rassieds.

« Je…

— Tu t'es remise, Helena ? »

Remise ? Je mets un moment à comprendre qu'il parle de M. *Corbeau.*

Je murmure : « Oui, Monsieur.

— Bien. C'est bien. »

Il me fixe un long moment. J'espère qu'il ne repense pas à cette nuit-là. Il prépare peut-être sa prochaine phrase. En français d'abord, en hollandais ensuite ?

« J'ai entendu dire que tu sais écrire. Est-ce vrai ? »

Seigneur ! Qui a pu lui dire cela ? « Non. Non, je ne sais pas.

— Ah bon ? Ce n'est pas ce que M. Sergeant m'a raconté lorsque je l'ai interrogé sur les plumes que j'ai vues dans son bureau. »

Oh ! Après la scène qu'il m'a faite, M. Sergeant les a trouvées trop belles pour les jeter et les a empilées dans un verre ; du coup, l'anecdote lui reste en tête. D'après ce que je sais, elle le divertit tellement qu'il en a parlé dans tout Amsterdam, alors que je faisais mon possible pour l'oublier. Et il l'a répétée au Monsieur.

« Je ne sais pas vraiment.

— *Pas vraiment ?* On sait ou on ne sait pas. »

Je revois les feuilles éparpillées sur sa table, son écriture appliquée ; des phrases importantes que l'on doit cacheter avec de la cire.

« Seulement de cette façon. » Avec mon doigt, je dessine des lettres sur ma paume. Est-ce de l'écriture ? Ce sont plutôt des mots pour rien, invisibles. Les livres de M. Sergeant sont-ils imprimés avec de l'encre invisible ? Non. Je referme ma main.

Il renverse la salière et étale le sel entre nous. Du bout du doigt, il trace *Helena*, l'efface d'un geste et m'invite à l'imiter : « À toi ! » Je suis contente que M. Sergeant ne soit pas là pour le voir. « Montre-moi. » Je trace *Dekart*. Je ne sais pas comment s'épelle *Monsieur*. Il sourit. « Tu vois que tu sais. » Je fais un petit tas avec le sel. « Ce n'est pas pareil.

— Ah bon ?

— Je n'ai pas de papier… rien pour écrire. » Je suis soudain furieuse que M. Sergeant m'ait confisqué mes plumes.

« Où as-tu appris ? À l'école ?

— On n'enseigne pas ça aux filles.

— Comment, alors ?

— Toute seule, Monsieur.

— Ton mérite n'en est que plus grand. »

Je repousse ma chaise et me lève pour regrouper les assiettes et les bols. Personne ne m'a jamais parlé ainsi. « Il faut que je fasse ce que j'ai à faire. » Je ne veux pas paraître brusque, mais il me semble, tout d'un coup, que j'ai en moi un oiseau qui cherche à s'envoler.

Dans la cuisine, j'empile tout dans un seau et vais m'asseoir sur mon lit. Sur l'étagère, il y a ma Bible, la broche et le dessin de la tige de rose dans le verre, qu'il m'a donné, avec quelque chose en plus – un sentiment que je ne saurais expliquer. J'imagine ce que ce serait d'écrire sans cesse, de remplir mes journées de mots. Cela paraît si incroyable de passer son temps ainsi, de ne pas avoir à tirer de l'eau, à préparer le feu, les repas, à nettoyer, balayer, récurer.

Je sursaute en voyant le Monsieur entrer dans la cuisine avec du papier, de l'encre et des plumes. Il pose tout sur la table : « Tiens !

— Monsieur ?

— Viens ici. »

Je m'assieds devant une feuille blanche. Il me tend une plume. « *Prends-la !* » Je la pose entre mes doigts ; elle est si légère.

« Tu vas apprendre. Écris. »

Je trempe la plume dans l'encrier pour recueillir une perle de liquide noir, aussi brillant que l'œil d'un oiseau, et j'écris mon nom. Si le résultat est moins hideux qu'avant, ce n'est pas encore ce que je veux, ce que cela pourrait être si je m'entraînais. Le bec accroche. Je m'effondre sur la page. « Je n'y arrive pas… » Il tape sur la table et me fait sursauter. « Je ne veux pas entendre ça ! Écris ! »

Je ferme les yeux. Comment faisais-je avant ? Je me représente chaque lettre et sa forme dans mon esprit. Il faut que la plume soit mon doigt, le papier ma main. Je les rouvre et recommence. « C'est mieux. »

Il n'est pas encore satisfait. « Tu peux t'améliorer. Tu ne sais pas lire que les noms de rues ?

— Non, Monsieur. »

Il va jusqu'à mon lit, attrape la Bible sur l'étagère, l'ouvre au hasard et tapote une page de son doigt. « Je veux une bonne copie de cela demain matin.

— Toute la page ?

— Tous les mots. » Il me montre l'encre et les plumes. « Elles sont à toi. Tu me diras s'il t'en faut plus. *Compris ?* » Je hoche la tête, trop surprise pour dire quoi que ce soit.

J'y passe une partie de la nuit. Le lendemain matin, le résultat lui plaît davantage. Il me donne un autre exercice, et encore un autre – en se félicitant chaque fois de mon évolution. Je veux lui montrer que j'en suis capable ; cela fait naître en moi une sensation qui grandit de jour en jour.

Je m'inquiète du papier que j'utilise, de son prix. Il me répond : « C'est mon travail. Cela ne te coûtera rien. Je veux savoir si tu peux le faire, si tu es *à même d'apprendre*. C'est tout. »

Je repose la plume. Je n'avais pas envisagé qu'il… m'étudierait.

« À voir ce que tu as réussi jusqu'à présent, c'est remarquable.

— Il n'y a rien de remarquable en moi, Monsieur. » Je lui réponds sur un ton plus sec que je ne le souhaitais, mais je n'ai pas envie d'être observée. Je repousse ma chaise et quitte la table. Il me laisse debout, sans me prier de me rasseoir. « Je t'apporte tout cela pour que tu puisses écrire... et tu te mets en *colère* après *moi*? »

Je m'agrippe à la table pour ne pas dire ce que je ne devrais pas. Je me rassieds et reprends la plume en pensant : *Vous verrez.* En fait, je me rends compte que je suis aussi têtue que Betje! « C'est bien, continue. »

Il me demande de calculer des nombres de tête et paraît surpris que j'y parvienne – alors que ce n'est pas très différent de ce que je fais tous les jours au marché. Il parle de grandeurs connues et inconnues, de données certaines – le fait qu'un carré ait quatre côtés, par exemple.

« Le monde n'est pas fait que de carrés! »

Ses yeux brillent. « En effet. »

Ce qui bouge, il appelle cela des *variables*, des *inconnues*. Il déplie devant moi une feuille couverte de son écriture régulière.

« Limousin a eu du mal avec cela. Voyons si tu comprends mieux. Calculons ce que tu coûtes à M. Sergeant. À combien se montent tes gages? »

Je baisse le front.

« N'importe quel nombre fera l'affaire. Disons six florins. »

Des florins? Ses chiffres me plaisent : grâce à lui, je dirige la maisonnée.

« C'est une quantité connue, que nous désignerons par a. Elle équivaut à six florins. Combien cela coûte-t-il à M. Sergeant de te nourrir et de te loger, à ton avis? Nous appellerons cette somme x. »

Il faut que je réfléchisse. C'est plus onéreux en hiver qu'en été, car il faut de la tourbe pour chauffer, la viande est plus chère, et je vais avoir besoin d'une nouvelle étole de laine. J'essaie de compter. C'est difficile : je ne veux pas lui paraître stupide.

« Cela coûte moins en été, Monsieur.

« *Exactement !* Le coût est donc variable en fonction de la période de l'année. »

J'ai compris. « Différent en été et en hiver.

— Oui. *x* représente une *variable*. »

Il déroule une autre feuille recouverte de dessins – des cercles coupés par des lignes, des points marqués d'une lettre.

« Ce qui est intéressant, c'est lorsqu'on l'applique aux droites et aux figures, à la *géométrie*. On emploie *a, b, c* pour les grandeurs connues ; *x, y, z* pour les inconnues. »

Il fait de grands gestes au-dessus de la feuille, dessine des formes tout en m'expliquant. Je n'y comprends pas grand-chose, mais je vois à quel point ces chiffres et ces lettres l'inspirent.

Il vient dans la cuisine chaque fois qu'il lui en prend l'envie, les bras encombrés de documents. Jamais le matin, parfois tard le soir. Je dois tout arrêter, l'écouter attentivement, écrire. Je ne peux demander son consentement à M. Sergeant : il est toujours à Utrecht.

Il positionne la plume entre mes doigts. « Centre-la bien, de cette façon. *Oui, ainsi.* » Il est déterminé. « Voilà. » Il la fait pivoter à nouveau. Au bout d'une semaine, il déclare : « Tu as fait des progrès. » Je grimace. « Tu n'es pas de cet avis ? » Il se tape sur les cuisses. « Quel regard ! Tu n'as rien à dire ? Parle, Helena ! Tu n'as pas besoin de permission. J'aime t'entendre. »

Je pose la plume. J'aimerais lui répondre, mais les mots se sont enfuis. *Que suis-je en train de faire ? Apprendre ? C'est tout ?* Non, Monsieur, ce n'est pas tout. Il veut que je parle, je vais parler.

« Je veux apprendre, comme mon frère, comme les hommes.

— J'ai pourtant connu bien des hommes stupides ! Et pire que l'homme stupide : celui qui se croit intelligent et n'a appris que des fadaises. Ce qui est enseigné – ce qu'on m'a enseigné – est pour une grande part inutile.

— Je n'ai pas envie d'être un homme stupide !

— Tu ne le seras jamais ! »

Mes joues rougissent quand je comprends ce que j'ai dit. Je me sens plus bête que jamais. Il inspire et expire lentement. « Moi, je le suis peut-être. Je ne me place au-dessus de personne. Je n'ai jamais considéré que mon esprit était autre qu'ordinaire. Nous devons nous montrer plus ouverts à la surprise – *à l'émerveillement* –, moi y compris. C'est un apprentissage pour moi et pour toi. Voyons ce qui est possible pendant les jours qui viennent et ce que je pourrais apprendre de toi. »

Lui, *apprendre de moi* ? Seulement si on renversait tout sens dessus dessous ! Sinon, je suis la servante qui prépare ses repas et lui le Monsieur qui a besoin

160

de paix pour travailler. Pourtant, cette frontière qui nous sépare, je la vois qui s'efface rapidement. Il n'y a plus qu'une semaine avant le retour de M. Sergeant. Le Monsieur doit savoir aussi bien que moi que tout cela – *cet apprentissage* – devra cesser.

« M. Sergeant... » Me confier serait aller trop loin.

« M. Sergeant est trop occupé pour qu'on le dérange, ne crois-tu pas ? »

C'est donc ça. Tout ceci est à nous et à personne d'autre, et demeurera entre nous. Je centre la plume. Il me complimente : « *Très bien.*

— *Merci.* »

Pouvais-je imaginer, avant de le dire, que cela le ferait sourire ? Et que son sourire remplirait mon cœur de joie ?

Flocons

Amené par une tempête venue de l'est, l'hiver est précoce cette année. Un matin, au réveil, je découvre que la neige est tombée. En allant chercher du petit bois, je dois taper sur les brindilles collées par le gel pour en dégager une poignée. Je devrai m'en contenter car si je reste dehors, je vais être prise par la glace sur le tas de bois. Le feu met un temps fou à partir, le froid s'insinue dans tous les recoins. Je me mets à la fenêtre ; malgré l'heure matinale, les enfants sont déjà en pleine bataille de boules de neige. J'ai beau croiser les bras et me retourner, leurs rires me font revenir au carreau. Ils sont si heureux, et j'aimerais tellement être parmi eux. Non, il ne faut pas, ce n'est pas raisonnable – je viens à peine de me réchauffer. Ah, et puis tant pis ! J'enfile mes galoches, m'enroule dans mon châle et accroche ma broche. Je ne sortirai pas longtemps ; je veux juste jeter un coup d'œil. Si je ne lance aucune boule, on ne pourra pas me reprocher de m'amuser.

J'ouvre la porte en grand. Westermarkt est couvert de neige : tout scintille – les vitres, les balustrades, les pavés et jusqu'à notre marteau de cuivre. Mon souffle forme des nuages de buée qui étincelleraient aussi si je pouvais les attraper. Je fais un pas et la neige colle à mes chevilles. J'avance lentement pour ne pas tomber, aussi prudente qu'un enfant qui apprend à marcher. Je tends le bras ; des flocons se posent sur ma paume.

« Ils me font penser à des fleurs, des fougères ou des plumes. Ils possèdent chacun plusieurs branches. » Je n'ai pas entendu le Monsieur venir. Je baisse la main ; il la relève. « Tu vois ? » Je la rapproche. En effet, je vois des branches, de minuscules branches de glace. « Quatre, cinq… » Il la soulève et cligne pour mieux voir, mais il est trop près et son souffle les fait fondre.

Il tombe maintenant de gros flocons soyeux.

« Ne bouge pas. C'est mieux. Quatre, cinq, six. Six rayons disposés en hexagones réguliers. »

Hexagone – quel mot étrange ! Si on pouvait le manger, il aurait un goût de cerise.

Devant nous, les enfants s'élancent sur des pistes verglacées ; une boule de neige passe à quelques centimètres de moi. Nous sommes les seuls à ne pas bouger. Soudain, le froid traverse mon châle et gagne mes épaules ; je frissonne. Il contemple toujours la neige et paraît s'intéresser plus à ces cristaux qu'à quoi que ce soit d'autre. J'ai mal au bras à force de le tendre ; pourtant, quelque chose dans son attention et les flocons qui tourbillonnent autour de nous me pousse à ne pas bouger.

« J'ai fini ! » Il m'a fait sursauter. Il se dirige vers la maison à pas glissés. « Viens ! Tu vas geler si tu attends plus longtemps. » Je m'accroupis, ramasse de la neige, vise et lance. Au lieu de l'atteindre, ce qui était mon intention, la boule s'effrite entre ses pieds. « Ah! » Il me voit me frotter les mains d'un air coupable. En riant, il tasse une grosse poignée de neige et ajuste son tir. Elle m'atteint l'épaule. « Oh! » Je me mets aussitôt à en préparer une nouvelle, en éclatant de rire. Sur le court trajet jusqu'à la porte, j'ai ri plus que depuis mon arrivée à Amsterdam.

Une fois à l'intérieur, il se débarrasse de ses bottes en laissant des traces de neige fondue et se précipite dans l'escalier en criant par-dessus son épaule : « Apporte une chaufferette! » Je l'entends escalader la deuxième volée de marches et claquer la porte de sa chambre. Je m'agenouille pour nettoyer les taches, pose ses bottes près du feu afin qu'elles sèchent, récupère des braises, en remplis le tiroir de la chaufferette et referme le couvercle. Je sens encore l'endroit où la boule de neige m'a touchée. Devant sa porte, le rire remonte à mes lèvres. Je le réprime, respire un grand coup et frappe.

« *Entre!* »

Il tire une chaise vers la table, m'invite à m'asseoir et place la chaufferette sous mes pieds. Puis il prend une feuille, pose son encrier à côté et se met à dessiner des flocons à six branches avec de petites hachures en forme de plumes. Il travaille en silence ; quand il a réalisé une vingtaine de croquis, il me les montre. La neige que j'ai vue tomber du ciel est désormais fixée sur le papier avec de l'encre. Cela me donne des fourmillements.

« C'est beau ! »

Il me regarde sans ciller : « Oui, c'est beau. »

Je compare ce que je vois avec ce que je crois savoir.
« Ils sont tous différents. » Je ne m'y attendais pas.

« En effet.

— Chaque flocon est unique ?

— C'est probable. »

Je pense à la neige dehors, qui tombe depuis
toujours. « Comment pouvez-vous en être certain ? »

Il sourit et hausse les épaules sans répondre.

« Je veux dire qu'il n'y en a peut-être pas deux
semblables, mais comment le savoir ? On ne peut pas
les examiner tous.

— *Tout à fait !* »

Je ne suis pas sûre de comprendre. « On ne sait
pas tout, c'est cela ? Il n'y a pas deux personnes iden-
tiques et cela ne nous paraît pas étrange. Pourtant,
il y a les jumeaux… Y a-t-il des flocons de neige
jumeaux ? »

Tout est confus. Je ne sais plus où je voulais
en venir. Voilà peut-être pourquoi il écrit tout le
temps.

« C'est une question intéressante – peut-être la
plus intéressante de toutes. Au bout du compte,
comprendre sans qu'il y ait plus de doute possible.
Bien des choses sont tout simplement encore imparfaitement comprises. »

Je frissonne.

« Ça ne va pas ? Tu as froid. C'est ma faute. »

Il prend mes mains dans les siennes, les soulève et
souffle dessus doucement.

« C'est mieux ? »

Je sens sa respiration sur mes doigts, la chaleur de sa peau. Je hoche la tête. Il continue à souffler. « Tu as chaud ?

— *Oui, Monsieur.*

— Bien, bien. »

Il repose mes mains sur la table. Ensuite – pas tout de suite –, il retire les siennes.

Betje m'annonce : « Au fait, je t'ai vue, avec *ton Monsieur.*

— Ce n'est pas le mien ! Tu ne dois pas dire ça !

— Debout dans la neige.

— Il m'a demandé de l'aider.

— *Demandé de l'aider ?* À rester planté dans la neige pendant *des heures* ?

— Pas des heures. »

Elle clame sur un ton triomphal : « Vous y étiez quand je suis partie acheter des œufs et vous y étiez encore quand je suis revenue ! » Une chance qu'elle ne m'ait pas vue en train de lancer des boules de neige…

Je déteste cette façon qu'elle a de fourrer son nez dans mes affaires. Je lui montre le papier et les plumes que nous venons d'utiliser – nos premiers travaux d'écriture depuis un bon moment. J'ai dessiné ce dont je me souviens des flocons de neige et j'ai inscrit *hexagone* à côté. Manifestement, cela ne l'intéresse pas.

166

« Tu te rends compte que sans sa générosité, tu n'aurais rien pour écrire ?

— *Générosité ?* Écoutez-moi ça ! Tu voudrais toujours que je te sois reconnaissante. » Elle repousse les feuilles.

Ma gorge se noue de colère. « C'est faux !

— Tu n'as qu'à tout garder pour toi. Tout.

— Si c'est ce que tu veux ! » Je rassemble le matériel. J'ai l'impression qu'elle veut aller jusque-là, et pas plus loin. Ce n'est pas très gentil de ma part, mais c'est comme ça. Cela lui manquera, elle changera d'avis, j'en suis convaincue. De toute façon, il fait trop froid pour écrire.

À mon retour, le Monsieur est assis à la table de la cuisine. Il se lève et me salue. Il a fait du feu, la pièce est nimbée d'une lueur orangée et il règne une douce chaleur. Il hausse les sourcils en voyant ce que je porte. Je pose les plumes, l'encre et le papier sur la table, m'assieds en face de lui et attends ses réprimandes. Il saisit une feuille et l'examine.

« Tu as une élève ? Elle apprend bien, j'espère. »

Mes sombres pensées à propos de Betje s'effacent. Je revois son sourire, son visage qui s'éclaire lorsque les mots deviennent des phrases, des paragraphes, des pages. Moi aussi, j'ai ressenti cela.

« Oui, c'est une bonne élève.

— Où lui fais-tu la leçon ? Pas ici, il me semble. »

Il n'y a pas trace de mécontentement dans sa voix. Il veut simplement savoir. Et à ce moment-là, la frontière qui nous sépare s'évanouit. Je lui parle de Noorderkerk et de Lindengracht. Ce que

167

M. Sergeant lui a raconté à propos des plumes roses n'est qu'une partie de l'histoire : je lui explique comment j'ai fabriqué de l'encre et fait cuire de la pâte ; il rit si fort en se balançant sur sa chaise que je redoute qu'il tombe par terre. Je lui dis aussi où nous allons en hiver – un débarras adossé à la maison où travaille Betje. *Personne n'y va jamais*, m'a-t-elle dit en brandissant la clé. Les risques que je prends pour elle. Ceux qu'elle prend pour moi.

« C'est gentil, ce que tu fais pour elle.

— C'est ni plus ni moins ce que vous faites pour moi, Monsieur. »

Nous nous regardons. Les mots sont superflus.

Je vais vers le feu, cherchant la chaleur sur mon visage. Il me rejoint, me prend la main et nous restons ainsi, tous les deux ; nous pourrions être devant notre cheminée, dans notre cuisine, chez nous. À cet instant-là, c'est ce que nous sommes.

Je me tourne vers lui et nous nous embrassons.

Par la porte ouverte de sa chambre, je vois une flamme trembloter. Il est réveillé. Je frappe sur le chambranle.

« *Oui ?* »

Il est assis à sa table. Il s'est déshabillé pour se coucher ; ses jambes sont nues, sa chemise pend sur ses cuisses.

« Je vous ai apporté une chaufferette, Monsieur. J'ai vu que vous travailliez… Il fait froid ce soir. »

La pièce est silencieuse. La flamme s'étire. « Je ne travaillais pas, Helena. »

Je me mets à genoux pour glisser la chaufferette. En me relevant, je m'aperçois qu'il a une plaie à la cheville. Il grimace quand je la touche.

« Ce n'est rien, *rien*, dit-il en se reculant.

— J'ai du baume, Monsieur. »

Avant qu'il puisse répondre, je me relève, descends à la cuisine et reviens avec un bol rempli d'eau, une serviette et le pot de baume. « Voilà. » Je m'installe par terre devant lui et pose son pied sur mes cuisses. Je tamponne la plaie pour nettoyer le sang séché, essuie la coupure avec la serviette et applique la crème. Il se détend. Sans lui demander, je prends l'autre pied et le mets sur mes genoux.

« Helena. »

Je le lave et le sèche.

« Helena, regarde-moi. »

Son pied se raidit quand je masse l'endroit où sa peau est la plus fine. C'est ordinaire en apparence, un pied ; autant qu'une main. Mon pouce s'insère parfaitement dans le creux de sa cheville, la cambrure de ma paume est la même que celle de son cou-de-pied, mes doigts sont aussi longs que ses tendons et correspondent aux espaces entre ses orteils. Main et pied faits pour s'accorder.

« Helena, regarde-moi. »

Il se met debout et se baisse pour m'aider à me relever. Je recule de deux pas.

« Enlève tes pantoufles. »

Je les retire et les pousse sur le côté.

169

« Ton châle. »

Je le fais glisser de mes épaules, le tiens à bout de bras et le laisse tomber. Je fixe sa bouche, ses épaules.

« Approche-toi. » Je fais un petit pas sur le sol froid. « Plus près. » Un autre pas.

Il tend le bras. Ses doigts effleurent ma joue de tout petits cercles. Je ferme les paupières.

Il murmure : « Helena, ouvre les yeux. »

Il relève mon menton avec le pouce, caresse mon front. Comment un geste aussi doux peut-il plonger si loin en moi ?

« Ouvre les yeux. » Il encadre mon visage de ses mains et pose un baiser à la base de mes cheveux, puis sur mes joues, mes paupières. « Ouvre les yeux. »

Je ne devrais pas être là. J'entends mon souffle, le sien. Je chiffonne mon corsage. « Monsieur… » J'ose à peine prononcer son nom ; j'ai peur de ce que cela pourrait provoquer s'il l'entendait. Il dénoue le ruban, qui s'échappe de mes doigts. Il embrasse mon cou et l'épaule qu'il vient de dénuder. Ses doigts tremblent en tirant sur le second ruban. Mon corsage s'étale sur le plancher. Il m'attire sur le lit et s'allonge sur moi, ses jambes entre les miennes. Il se cambre et gémit. Ses mains courent partout sur mon corps, sa bouche sur ma bouche, mon cou, mes oreilles.

« Ouvre les yeux. »

Il soulève une de mes jambes, écarte l'autre, pousse pour entrer en moi. À mesure qu'il s'enfonce, une douleur brûlante me traverse. Je m'agrippe à lui, le souffle coupé. Alors, j'ouvre les yeux : ses cheveux sur mes épaules, son regard qui me scrute. Il embrasse mes larmes, passe sa chemise par-dessus sa tête. Plus rien ne nous sépare. Il se met à bouger en murmurant en français des mots que je ne connais pas, plaque ses paumes contre les miennes, les serre. Ma bouche se pose sur son épaule et j'oublie comment et pourquoi ; tout ce qui compte, c'est le baiser que je veux lui donner. Les yeux fermés, il souffle : « Helena, Helena, Helena. »

Peu à peu, ses mouvements cessent et il pèse de tout son poids sur moi. Ses cheveux, auxquels le clair de lune donne des reflets argentés, s'étalent sur ma poitrine. J'écoute sa respiration calme ; son souffle est tiède sur mon bras.

La chandelle vacille, avec, au centre, la lumière la plus vive. Sur le mur passent les ombres des rêves et des souvenirs. Le voile noir du sommeil se dépose sur moi. Le Monsieur se blottit au creux de mon épaule. Au loin, j'entends un cri sourd, ma propre voix peut-être, à l'instant où mes lèvres se referment sur les siennes.

Au matin, je descends à la cuisine sans me soucier que mes pieds soient nus. Une lumière grise éclaire le sol. Je verse de l'eau du pichet et je fais ma toilette.

« Helena… »

Il vient derrière moi, me prend par les épaules, m'enlace ; sa chaleur se diffuse dans mon dos.

« Helena. Je dois savoir. As-tu des menstruations, saignes-tu déjà ?

— Non, Monsieur. L'année prochaine peut-être, m'a dit ma mère.

— Quel âge as-tu ?

— Dix-sept ans. Dix-huit. »

Il enfouit son visage dans mes cheveux. « Reviens te coucher.

— Je dois aller tirer de l'eau.

— Pour qui ? Tu en as besoin ? Pas moi.

— Il faut préparer le petit déjeuner…

— Je n'ai pas faim. Nous mangerons plus tard. » Il m'embrasse dans le cou.

« Rentrer la tourbe.

— Le lit est tiède.

— Il faut que le feu reste allumé, Monsieur. » Je me dégage de ses bras.

Il enveloppe mes mains dans les siennes. « Non, ce n'est pas nécessaire. Pas pour moi. Ni aujourd'hui, ni demain. Il n'y a personne d'autre que nous. Avec moi, tu n'as pas à être une servante. »

Je viens contre lui, le serre dans mes bras aussi fort qu'il m'a serrée et l'embrasse encore et encore.

Toute cette semaine-là, la maison de M. Sergeant est la nôtre. Nous rions, nous jetons les draps à terre. Le soleil d'octobre remplit la chambre du Monsieur comme si toutes les journées de mai étaient réunies en notre honneur. Il m'accompagne à Noorderkerk, m'attend devant l'église pendant que je prie. La lumière tombe aussi droite qu'une épée, mais elle ne peut rien contre la légèreté qui danse en moi.

Le jour du retour de M. Sergeant, le Monsieur m'aide à m'habiller, boutonne mon corsage, noue les rubans de mes manches. Il enfile mes bas en posant des baisers entre mes chevilles et mes genoux. À mon tour, je lui passe ses vêtements, et lorsque tous les boutons sont fermés, je m'appuie contre sa poitrine pour écouter son cœur pendant qu'il caresse mes cheveux. Ses battements résonnent dans mon oreille et m'entourent ; je rapetisse, je suis enfermée dedans. Ce qui est petit est devenu grand, ce qui est grand est devenu petit. Tout est sens dessus dessous.

Il prend mon visage.

Qu'ai-je fait ?

Le temps manque : j'entends le coche ralentir et le hennissement des chevaux que l'on met au pas ; un claquement de porte suivi d'un rire que je reconnais ; celui de M. Sergeant.

Il me dit à voix basse : « Nous n'avons fait de mal à personne, Helena. Il faut aimer la vie sans craindre la mort. »

Il m'embrasse le front. Je suis intimidée et je brûle à l'intérieur. Je me retiens à lui pour conserver cette sensation en moi. Nous nous séparons. Je rentre sous ma coiffe les mèches qui se sont échappées. Le Monsieur tousse pour s'éclaircir la voix. « Je viendrai te voir plus tard. » En une seconde, son esprit s'éloigne. Il ouvre la porte et sort. Je défroisse ma jupe, j'attends un peu, et je le suis. Il s'exclame : « M. Sergeant ! Quelles nouvelles m'apportez-vous d'Utrecht ? »

Je descends à la cuisine et m'adosse à la porte. De l'autre côté du battant, son rire. Le Monsieur et sa servante. Qui peut dire, en nous voyant, à quel point nous avons changé, à quel point tout a basculé ?

À mon retour du marché, Antje m'attend avec une lettre. Je sais tout de suite de qui elle est. Je n'ai pas vu Betje depuis plus d'une semaine et une nouvelle servante, qui ne répond pas à mes salutations, étend la lessive avec Antje.

Je l'emporte à la cuisine et la lis debout.

Chère Helena
Je pars à Alkmaar. Je connais la route. J'ai fini de lire la lettre de l'orphelinat et je sais où ma mère vivait
Je suis malheureuse ici, Amsterdam n'est pas pour moi
Et je veux savoir si elle est vivante et si elle veut bien de moi S'il te plaît, ne dis pas où je suis partie Ne pleure pas trop même si Thomas est loin aussi
Pardon pour mon écriture mais elle est bien comme ça
Sois heureuse pour moi mon amie Merci pour ce que tu as fait pour moi Tu seras dans mes prières
J'écris sur le papier des Hoek avec leur encre ils me doivent bien ça pour ce qu'ils ont fait
Betje

Je murmure : « Betje, Betje, Betje. » Je relève ma manche : son nom s'est effacé depuis longtemps. Je me pince jusqu'à ce qu'apparaisse une marque rouge. Je me pince plus fort, là où ma peau est la plus blanche, là où cela fait le plus mal.

Martinets

« Moi, je suis tout gris. Toi, tu es un chardonneret, *Madonna del cardellino.* »

Il vient dans mon lit, m'entraîne dans sa chambre, me rejoint dehors. Même si j'en ai honte, je l'emmène dans des ruelles, ou dans le jardin, la nuit. Il murmure : « *Helena* », et je ne me lasse pas de l'entendre. Je le croise chaque jour, mais si nous ne sommes pas seuls, je ne dois rien changer à mon comportement. Nous savons ce qu'il y a entre nous. Ses doigts frôlent les miens lorsque je remplis son verre, je l'effleure en desservant son assiette.

La plupart du temps, même sans le voir, je le sens tout près. Quand je range les capes et les bottes dans le vestibule, il me semble qu'il est encore là, qu'il a laissé son ombre pour me tenir compagnie. Lorsqu'il arrive, je m'agenouille pour l'aider à les enfiler, tirant de chaque côté de son mollet jusqu'à ce que son pied se place correctement. Après son départ, l'espace dans lequel il était quelques minutes plus tôt conserve sa forme, le garde présent près de moi.

Je sais quels sons, dans la maison, proviennent de lui. L'entendre rire m'est douloureux. Ses pas résonnent au-dessus de la cuisine et je m'arrête de travailler. Et lui, le fait-il aussi ? Regarde-t-il vers le bas au moment où je regarde vers le haut ?

Pourtant, en moi, tout n'est pas entièrement lisse. Si le bonheur m'envahit et me donne le vertige, la tristesse est présente aussi : Thomas et Betje sont partis et je me retrouve presque toujours seule. Je ne suis plus moi-même. Je ne sais plus qui je suis. Un mélange de l'ancienne et de la nouvelle Helena. Certains jours, je ressens une angoisse terrible et j'ai peur que le sol se soulève avant de s'affaisser, que les fenêtres perdent leurs vitres. Pourtant, le plancher reste plat et les carreaux en place.

Un matin, je me réveille avec du sang entre les jambes. Je suis le conseil que ma mère m'avait donné : je bois de la valériane macérée dans du lait et les saignements cessent au bout de deux jours. Je m'attendais à ce qu'ils soient plus abondants, plus douloureux. Il n'y a presque rien. Ils ne reviennent pas et je ne m'en préoccupe plus.

Le Monsieur effleure mon front avec son pouce. « *Mio cardellino*. Le chardonneret de Raphaël est un symbole… la tache rouge, la marque de la souffrance du Christ. » Je ne suis pas certaine que cela me plaise. Je touche l'endroit qu'il a caressé et je plisse le front.

« Tu n'aimes pas la comparaison ? La madone de Raphaël n'a pas besoin de trône. C'est une madone des champs, très belle. »

En l'écoutant, je me dis que Raphaël a peint une femme qui a réellement existé. J'aimerais savoir qui elle était. Il m'embrasse où il m'a caressée. « Représenter la vie comme en un tableau afin que chacun en puisse juger. »

Il écrit avec acharnement, noircit page après page ; les mots ont enfin trouvé le moyen de s'échapper de lui. De nouveaux documents apparaissent sur son bureau, à côté des lettres de Mersenne. Limousin m'a parlé de ce dernier une seule fois, en se signant, pour dire qu'il remerciait Dieu qu'il soit en France et son Monsieur en Hollande, sinon, il serait tous les jours à notre porte. Pourtant, à en juger par le nombre de lettres qui portent son sceau, la distance n'a pas réussi à le dissuader. Je pense à tout cela et aux papiers que le Monsieur a voulu brûler. « Est-ce ce sur quoi vous travailliez avant, Monsieur ?

— Non, le monde n'est pas prêt pour cela. » Il pointe du doigt la page devant lui et une liasse aux feuillets froissés. « Un texte nouveau, un autre plus ancien. Je veux les associer pour composer une histoire, une histoire de l'esprit. »

Une histoire de l'esprit ? Nous avons tous des idées ; mais je crois qu'il a autre chose en tête, pas simplement une histoire de *son* esprit. Il veut que ses pensées voyagent loin de lui pour savoir ce qu'elles raconteront à leur retour.

Il se frotte les paupières, saisit une feuille et dit en français : « *Toutefois il se peut faire que je me trompe…*

— Je ne comprends pas. »

Il traduit, et poursuit : « ... et ce n'est peut-être qu'un peu de cuivre et de verre que je prends pour de l'or et des diamants.

— Vous écrivez en français ?

— Oui. Je veux qu'il soit lisible par tout le monde. »

Tout le monde ? Cela me rend audacieuse. « Apprenez-moi le français pour que je puisse le lire moi aussi. »

Il m'attire à lui. « Qui est cette servante qui veut savoir le français ? » J'aime qu'il me fasse sentir que tout est possible.

Je retourne dans ses bras. « Apprenez-moi. S'il vous plaît. »

M. Sergeant s'inquiète. « Je ne le vois plus depuis quelque temps. Est-ce qu'il écrit ? J'aimerais discuter avec lui, mais il est toujours dans sa chambre, ou sorti. Ou endormi. »

Limousin se plaint aussi. « Je ferais aussi bien de rentrer en France. Il n'a plus jamais besoin de moi, m'envoie faire des courses sans intérêt. On dirait qu'il veut se débarrasser de moi. Tu le vois plus souvent.

— C'est sa chambre que je vois.

— Il a l'air *préoccupé*. Il ne te paraît pas différent ?

— Pas du tout. » Je me sens rougir en voyant ses sourcils se soulever. « Je ne fais pas attention à lui. »

Mais Limousin a raison : c'est bien moi qui le vois le plus. Quand je rentre dans sa chambre au lever du jour, il vient derrière moi, pressant, silencieux, attrape mes seins, soulève ma jupe, pose sa bouche sur la mienne pour qu'on ne nous entende pas crier, lui ou moi – je ne sais lequel des deux. L'envie qu'il a de moi me submerge. Est-ce ce que l'on ressent lorsqu'on se noie ? Nous nous renversons sur le lit, ses paupières sont lourdes, mais pas de sommeil, et là, au milieu de ses documents, il s'enfonce en moi, si profondément ; nous sommes soudés au point que nous ne pourrons peut-être jamais nous séparer. Il me fait monter sur lui et aller et venir jusqu'à ce que tout s'interrompe, même ma respiration. À ce moment-là, nous ne sommes qu'un.

Lorsqu'il a fini, j'aimerais le garder dans mes bras. Il se remet à son *Discours*, qu'il associe à des travaux antérieurs – *Dioptrique, Météores, Géométrie*. Un jour, je vois sur son bureau des flocons de neige dessinés ; puis je suis attirée par un passage à propos des hirondelles : *C'est ce vent qui est cause que lorsque les hirondelles volent fort bas elles nous avertissent de la pluie car il fait descendre certains moucherons dont elles vivent, qui ont coutume de prendre de l'essor et de s'égailler au haut de l'air quand il fait beau.*

Même si je ne l'ai pas formulé exactement ainsi, j'y reconnais notre discusion. Il a coloré ces mots avec les bleus et les rouges de Raphaël. Je découvre que son travail découle de ses journées, du temps que nous passons ensemble, de ce que je lui dis. Il réfléchit avant de transformer ses pensées en mots et de les coucher sur le papier. Je songe avec inquiétude à ce que nous faisons tous les deux, à son corps sur le mien. Pourvu qu'il n'écrive pas là-dessus.

Parfois, il est à son bureau et ses yeux se posent sur moi l'espace d'un instant ; ce n'est pas à moi qu'il pense, ni moi qu'il voit. En apparence, il n'a pas changé. Il ne me demande jamais de sortir, mais il a son travail et j'ai le mien. J'aimerais le retenir ; comment m'y prendre ? Qui suis-je pour vouloir cela ? Je voudrais lui parler ; qu'ai-je à lui dire ? Je fais en sorte de ne pas le déranger. Je travaille autour de lui en retirant mes pantoufles.

Mais s'il ne remarque pas que je m'en vais, je ne sais plus dans quel monde je suis désormais : un monde qu'il a organisé pour son plaisir – à l'encontre des règles et de celles que je suivais jusqu'alors ? Serais-je surprise si je me réveillais un jour pour découvrir que, finalement, la Terre tourne et que Dieu a disparu ?

La journée, je ne peux pas le toucher, mais je connais une ruelle qui se rétrécit au point que, si l'on écarte les bras, on peut atteindre les murs de chaque côté ; au-dessus de nous, le ciel se réduit à un trait bleu ; à nos pieds, la lumière s'estompe jusqu'à disparaître. Avant, ce passage m'effrayait ; aujourd'hui, pendant trente-deux pas, à l'insu de tous, je tends la main vers la sienne, je m'arrête, je l'embrasse, sa bouche s'ouvre à la mienne.

À l'extrémité de la ruelle, nous découvrons une vieille église. Le loquet de la porte latérale est relevé – elle n'est donc ni ouverte, ni vraiment fermée. Un musicien joue de l'orgue à l'intérieur alors que ce n'est pas dimanche ; il ne le fait pas pour Dieu. Nous ne sommes pas seuls : des gens sont déjà assis qui, tous, fuient le regard des autres. Quelques bougies ont été allumées, et leur lueur donne à l'assistance une pâleur irréelle. Je distingue les épaules qui s'inclinent, à l'image des miennes, au moment où les notes résonnent dans la nef. Je connais cette musique ; je ne l'ai pas entendue depuis très longtemps. Elle ravive un lointain souvenir de Leyde – assise à côté de mon père dans l'église avant que la messe commence.

Elle vient d'en haut, résonne de plus en plus fort dans mes pieds, vibre dans mon corps, mes poumons, remonte jusqu'au sommet de mon crâne. Le Monsieur ressent-il cela aussi ? Il me demande qui a composé ce morceau. Je lui fais signe que je l'ignore. Je ne le sais pas et ne veux pas le savoir. Il m'évoque un homme penché sur son bureau et une servante qui balaie derrière lui.

Le Monsieur ne sera pas satisfait tant qu'il n'aura pas la réponse ; il pose sa question autour de nous, ce qui provoque haussements d'épaules et gestes d'ignorance jusqu'à ce qu'un murmure nous parvienne : *Ricercar*, de Sweelinck. Seulement alors, il se penche en avant, croise les mains sous son menton. Je l'observe pendant qu'il écoute et, ici, à la différence de chez M. Sergeant, je n'ai pas peur qu'on me voie.

Dans le clair-obscur, noyée dans la musique, je peux le contempler autant que je veux. L'air s'interrompt et les dernières notes s'évanouissent sous la voûte. Le silence se referme sur nous et nous restons assis, pétrifiés.

Dès que nous sortons, je l'embrasse. « Hé là ! » Un homme difforme se retourne vers le Monsieur, qui me cache à sa vue, m'attire à lui, plaque sa bouche sur la mienne et me donne un long baiser. Dans ma tête, j'entends encore la musique s'élever jusqu'au finale, et j'ai sa main dans la mienne.

Les martinets se déploient en nuées sombres et se laissent porter par le vent. Toute la ville s'anime alors que tombent les dernières feuilles. En novembre, le ciel se vide, et je me sens malade. J'ai beau reprendre de la valériane, cela ne passe pas. Je n'ai pas de fièvre, j'ai juste l'impression d'être lestée de pierres et une seule envie : dormir.

« Tu resplendis, Helena, me dit M. Sergeant. Un peu trop rose, peut-être. Rien à voir avec la bette-rave, j'espère… »

La betterave, j'en suis certaine, n'y est pour rien. Pourtant, je suis perplexe : même si je suis barbouil-lée, une fois que la fatigue est passée et que mon malaise s'est calmé, je n'ai jamais eu meilleure mine dans le miroir de la chambre de M. Sergeant.

Un matin, Limousin m'arrête dans l'escalier. « Tu vas où avec ça ? »

Je porte sur un plateau le petit déjeuner du Monsieur. Je réponds sans détourner les yeux : « C'est pour le Monsieur. » Cela n'augure rien de bon ; il cherche à savoir quelque chose qu'il pressent.

« On ne le dérange pas à cette heure-ci, tu le sais. »

Je dois réfléchir vite. « Il veut un petit déjeuner, maintenant. »

Limousin me dévisage ; il attend que j'en dise plus. La maison est si silencieuse et mon cœur bat si fort que j'ai peur qu'il l'entende. Je crois qu'il s'imagine que la réponse à ses questions réside dans ces silences, comme s'il avait déjà tenu cette conversation dans son esprit et avait eu le dessus. Il ne changera pas d'avis. Je dois bien choisir mes mots. Si ce ne sont pas les bons, je devrai vivre avec. Le visage impassible, je réponds : « Prenez-le. »

Je ne sais ce qu'il attendait de moi. Peut-être un signe de défaite, qu'il perçoit, car il s'empare du plateau : « Oui. Nous ne voudrions pas être *embarrassés* au cas où le Monsieur ne serait pas encore habillé, n'est-ce pas ?

— Non, Limousin. » Je redescends l'escalier.

Il revient presque aussitôt, sans le plateau. Il s'assied, se penche en arrière sur sa chaise et se balance sur ses pieds tout en m'observant. En sa présence, mes mains ne m'obéissent pas : je fais tomber un couteau, qui manque mon pied de peu, je donne un coup de coude dans un bougeoir.

« Il n'y a pas qu'une personne distraite ici, à ce que je vois. »

Je remue le feu. La tourbe humide émet des crachotements de vieux chat. Il se balance toujours. Je meurs d'envie de le faire cesser.

« Monsieur était au lit. Je lui ai déposé son petit déjeuner. J'ai proposé de le lui apporter tous les matins dorénavant. »

L'air de rien, je lui réponds : « Oui » sur un ton aussi neutre que possible, décroche une casserole d'eau et la porte sur la table.

Il se cure les ongles un à un pour mettre en valeur ce qu'il s'apprête à dire. « Ce n'est pas ce qu'il souhaite : il veut que ce soit toi qui le lui apportes.

— Vous n'avez qu'à vous en charger.

— Tu n'entends pas ce que je dis. C'est toi qu'il veut, pas moi. »

J'essaie de tourner cela en plaisanterie, mais ça ne le fait pas sourire. Il se lève, frotte son habit et part en claquant la porte assez fort pour faire sauter le loquet et pour que je comprenne bien ce qu'il pense de tout cela.

Une semaine plus tard, au moment où je sors de la chambre du Monsieur, je tombe sur lui, à la porte de la sienne, juste en face. « Voilà un petit déjeuner qui a traîné. Tu attends toujours qu'il ait fini avant de remporter le plateau ? »

Depuis combien de temps est-il ici ? A-t-il écouté à la porte ? Je déglutis. « J'ai fait le ménage pendant qu'il mangeait. »

Il ouvre la bouche en grand ; on dirait qu'il veut mordre. « *Tu as fait le ménage pendant qu'il mangeait ?* Voilà qui est très curieux : le balai et le seau sont encore où tu les as mis. » Il me montre le mur du doigt.

« J'ai nettoyé les vitres. »

Sur le plateau, il n'y a pas de chiffon, seulement les reliefs d'un repas que le Monsieur a avalé en vitesse.

« Tu es toute rouge, Helena, ça ne va pas ?

— Tout va bien.

— Tu as changé, tu as pris du poids.

— Ça suffit ! » Je refuse d'écouter ses insultes, valet ou pas valet.

Il lance dans mon dos : « Je ne suis pas si bête. *Pas si bête !* » Ses paroles me piquent les talons telles des guêpes.

Lignes

J'apprends sur lui des choses qu'il me raconte. « Ma mère est morte à ma naissance. Mon père étant souvent absent, c'est ma grand-mère qui s'est occupée de moi. Ensuite, on m'a envoyé à l'école. Limousin t'a sans doute fait part de la suite. » Avec son doigt, il dessine un cercle sur mon ventre.

« La France vous manque, Monsieur ?

— *Non*. Elle a disparu de ma vie. Je fais en sorte de ne pas m'en préoccuper. À quoi me sert de regretter ce que je ne peux avoir, ce vers quoi je ne peux retourner facilement ? J'y serais un étranger. L'exil est probablement la seule façon d'être chez moi – ou en tout cas aussi près que mon père le supporte. En revanche, ma sœur me manque, je l'admets. »

La chandelle coule. C'est la première fois que j'entends parler d'une sœur. Je me doutais qu'il n'était pas seul au monde, mais c'est étrange de l'imaginer avec une famille.

« Pourquoi crois-tu que je mène cette existence ? Allant de chambre en chambre ? » Je perçois de la lassitude dans sa voix. Il n'attend pas de moi une réponse. « Je peux vivre sans me soumettre aux exigences d'autrui. »

186

Il n'y a rien là que je ne sache déjà, et c'est peu. Pourtant, chaque détail me permet de plonger un peu plus profondément en lui. Petit à petit, je le découvre. Les principes de vie qu'il suit — qui l'ont amené jusqu'ici — le feront partir un jour. Je sais qu'il ne pense pas à moi. Pourquoi le ferait-il ? Je revois mon petit lit, dans la cuisine ; au début, j'envisageais d'y rester pendant des années. J'ai envie de rentrer en moi-même, tel un escargot qui a reçu un coup sur sa coquille.

« De plus, tout a été vendu, à part le titre : sieur du Perron. Que vaut-il ? Ah ! Vanités ! Pourtant, mon frère est tout ce que je ne suis pas.

— Monsieur ? »

Il touche son épaule. « Mon père… Sa déception réside ici. »

Comment croire que son père n'approuve pas ce qu'il fait ?

« Parlez-moi de votre pays, Monsieur. »

Il se prend les tempes. « Une cage. C'est une cage. La France dont je me souviens, *celle que j'aime*, date de mon enfance — de ses instants les plus heureux —, les champs de blé qui, en été, descendaient jusqu'à la rivière. Ce simple souvenir ravive l'odeur des raisins qui chauffaient dans la cuve.

— Vous y retournerez ?

— Pour des raisins chauds ? »

Je ne sais quoi dire. Sa réponse m'a vexée. Mes yeux me piquent. Pourtant, au moment où je m'apprête à sortir, il me retient : « Ne pars pas. »

« Se sentir seul, ce n'est pas pareil qu'être seul. On peut choisir d'être seul, le rechercher, le désirer même. L'affirmer... Le sentiment de solitude, c'est un poids, ici. » Il appuie à l'endroit où ses côtes se rejoignent. « C'est une *suffocation*. »

Je pose ma main sur la sienne et il me laisse la soulever.

Parfois, avec lui, j'ai l'impression qu'on m'a demandé de vider la mer et que pour cela, on ne m'a donné qu'une tasse.

Vient le jour où il est surpris de me voir. Je pénètre dans sa chambre à un moment où il ne m'attend pas et il s'arrête d'écrire.

« Oui ? »

Ce seul mot, et la dureté de son ton, me font comprendre que j'ai eu tort de venir. Sans relever la tête, il me demande : « Qu'y a-t-il, Helena ? Je travaille.

— Monsieur...

— *Oui ?* »

Il soupire, tapote sur le bureau avec sa plume.

« M. Sergeant... »

Le tapotement cesse. Il fronce les sourcils.

« S'il...

— Quoi ? S'il quoi ? »

Il pose sa plume.

« Il ne sait rien, si c'est ce qui t'inquiète.

— Je...

— Que veux-tu savoir, Helena ? Pourquoi es-tu ici ? »

Je rougis. Mes joues sont brûlantes. « Êtes-vous...

— Suis-je quoi ? Marié ? *Non*. Y a-t-il une autre femme ? *Non*. Y en a-t-il eu une autre ? *Oui*. »

Le silence devient lourd, plus épais qu'au plus noir de la nuit.

« C'est pour cela que tu es venue ? Pour poser des questions idiotes ?

— Non ! »

Il joue avec sa plume, penché sur sa feuille. « Y a-t-il autre chose que tu souhaites savoir ? »

Je secoue la tête.

« Bien. »

Il m'a remise à ma place. Je fixe mes pieds, qui dépassent de l'ourlet de ma robe. À nouveau cette frontière, entre nous. Avant, j'étais sûre de moi – *maligne* –, je pouvais me repérer dans Amsterdam quand je faisais les courses pour M. Sergeant. Cette maison a été la mienne bien avant qu'elle ne soit la sienne, et maintenant, à quoi suis-je réduite ?

Je joins les mains. *Pardon ?* N'est-ce pas ce que je suis censée dire ? *Une révérence ?* N'est-ce pas ce que je suis censée faire ? Pourquoi ne puis-je venir dans sa chambre l'interroger alors qu'il a eu tant de moi ?

J'ai dû le foudroyer du regard, assez en tout cas pour qu'il ouvre la bouche pour parler, mais j'ai déjà tourné les talons, si vite que l'air vibre sur ma joue.

Si je n'y prends garde, il va m'étudier, dresser la liste de mes différents éléments, m'épingler à une feuille, m'ouvrir pour examiner l'intérieur, écrire dans la marge *imparfaitement comprise*, tirer un trait dessus et fermer le livre.

*
* *

189

En février, Limousin a compris, sans avoir à demander, sans que rien ne soit dit. Il m'a surveillée, et ce qu'il n'a pas vu, son instinct le lui a dit. Il vient me trouver dans la buanderie.

« Je sais ce que tu mijotes.

— Vous savez quoi ? »

Il me saisit le poignet. « Je ne suis pas fou.

— Limousin, s'il vous plaît.

— Tu as été avec lui, pas vrai ?

— Non !

— Ne mens pas. Toutes ces grasses matinées… Tu crois que je n'entends rien ? Que je ne *sens* rien ? » Il se penche vers moi, renifle et grimace. « Tu as été avec lui, c'est ça ? » Il me tire le bras. « C'est ça ? »

Je hoche la tête et tente de reculer. Cela lui est égal de me faire mal.

« Depuis quand ? » Il serre plus fort en me secouant de plus belle. « Allez, parle !

— Quatre mois. »

Il fait un pas en arrière, comme s'il avait reçu une gifle. « Non ! Pas lui ! Il ne ferait pas ça.

— Je vais repartir à Leyde.

— C'est ça, pour que tout le monde sache que l'enfant est de Descartes !

— L'enfant ? » Je porte les mains à mon visage, à mon ventre. « *L'enfant ?*

— Qu'est-ce qui pouvait arriver d'autre ? Tu t'es vue ?, lance-t-il d'un ton méprisant en tirant sur ma jupe. Tu enfles. »

J'en ai le souffle coupé.

« Tu veux sa perte, c'est ça ?

— Non ! »

Il lâche mon bras. « Il faut lui en parler. »

La panique m'envahit. « Non, je vous en prie.

— Tu penses que tu vas pouvoir le cacher ? Que ça va *disparaître*, comme ça, d'un claquement de doigts ? »

Je baisse les yeux, pétrifiée.

« Il faut s'en débarrasser.

— Non !

— Quoi alors, la maison de redressement, le Spin-huis ?

— Non !

— Tu t'imaginais qu'il allait t'épouser ? »

Je reste muette.

« *Madame* Descartes ? C'est à ça que tu rêvais ? Toi, une petite servante de rien du tout ? Deux ans à Amsterdam et tu crois savoir comment marche le monde… Tu n'es rien de plus qu'une *distraction*. Je vais aller le lui dire. Il doit savoir.

— Non ! Je vous en supplie. » Je m'accroche à lui. Il se dégage brusquement.

« Il va falloir prendre des dispositions qui lui conviennent. Compris ? »

Il sort sans attendre ma réponse.

DEVENTER, 1635

Croquis

Dans cette cité bâtie au fond d'une cuvette, tout est gris, tout est gelé, tout est mort. Je me retourne vers la route que nous venons de parcourir. La neige a déjà recouvert nos traces : une piste blanche, qui coupe à travers des champs immaculés jusqu'à un horizon blafard. Au-delà, Amsterdam a disparu de notre vue.

Le ralentissement de notre allure réveille Limousin, qui se met à la fenêtre pour savoir où nous sommes. Sur la rivière gelée, un épais brouillard stagne en surface. Nous pénétrons dans Deventer par un pont et le cocher met les chevaux au pas. Tous les volets sont clos. Nous traversons une place déserte, longeons une église. Les rues sont de plus en plus étroites. Il fait bien trop froid pour que les gens se mettent à leurs fenêtres. Si quelqu'un nous a vus arriver, il s'est contenté de jeter un rapide coup d'œil en se réjouissant de ne pas être dehors par ce temps.

Limousin se penche pour mieux voir et s'écrie : « Enfin ! Nous y sommes. » Le coche s'arrête devant une maison dont seuls les contrevents du dernier étage sont ouverts ; tous les autres sont fermés pour la protéger des frimas.

Limousin frappe à la porte. Ce bruit me ramène tout droit devant chez M. Sergeant avec M. Slootmaekers. En me redressant pour lutter contre les frissons qui gagnent mes épaules, je suis parcourue par une étrange sensation de doigts courant sous ma peau. Elle disparaît presque aussitôt. J'effleure mon ventre pour sentir le pouls qui bat à côté du mien.

La femme qui nous ouvre est Mme Anholts ; elle va m'héberger, selon les dispositions qu'avait annoncées Limousin. Elle est veuve, comme ma mère, mais me paraît plus vieille ; de sa coiffe s'échappent des cheveux gris. Sa bouche est pincée ; je ne sais si c'est dû à son âge ou à sa réprobation. Elle s'écrie : « Clément ! » et serre Limousin dans ses bras. Il ne m'avait pas dit qu'ils se connaissaient.

« Mme Anholts – quel plaisir ! » Il lui baise la main, fait un pas de côté. « La voici.

— Ah ! C'est donc Helena. »

Je garde mes mains sous ma cape et la tête baissée.

Limousin lance mon bagage en bas du coche et suit Mme Anholts à l'intérieur. Après un corridor sombre, nous débouchons dans une cuisine éclairée par des bougies. Un feu brûle dans la cheminée. Limousin se place devant pour se chauffer le dos. « Vous avez fait une belle flambée ; il n'y en a pas de meilleure dans le pays. »

Je cherche autour de moi un signe du Monsieur – ses gants ou sa cape ; rien de ce que je vois ne lui appartient.

« Il n'est pas ici, si vous vous posez la question. Il est reparti depuis une semaine. » Elle verse un verre de vin à Limousin et lui sert un bol de soupe, puis m'accompagne vers une chaise et pose un autre bol de soupe devant moi. « Asseyez-vous et mangez.

— Je n'ai pas faim, merci.

— Vous m'avez l'air transie. Mettez-vous à l'aise. » Elle me tapote la main.

Maintenant que je la vois mieux, elle me paraît plus douce, sa bouche moins crispée ; il a peut-être suffi qu'elle rentre chez elle pour se dégeler. Je bois la soupe à petites gorgées ; j'ai trop froid pour remarquer autre chose que le fait qu'elle est chaude. Malgré le feu, je frissonne.

Mme Anholts et Limousin se mettent à discuter d'amis communs et de la vie chez M. Sergeant. Je suis l'étrangère ; je pourrais aussi bien ne pas être présente. La conversation revient sans cesse à moi ; on dirait que Limousin m'a attachée à une ficelle sur laquelle il tire de temps à autre pour s'assurer que je suis toujours au bout. Est-ce parce que nous sommes loin d'Amsterdam, ou que le Monsieur est absent ? Toujours est-il que la distance lui délie la langue. Apparemment, il se moque de ce que je peux entendre.

« J'ai dit que nous devions nous en débarrasser. Monsieur n'a pas voulu.

— Clément ! C'est aussi bien. » Il ricane. « Cela aurait été un acte horrible, vous le savez. »

Il fait une grimace, mais ne poursuit pas sur ce sujet. La tourbe s'écroule dans un craquement et soulève une gerbe d'étincelles dans la cheminée. Je ne sais de quoi ils ont déjà parlé, ce qu'ils se diront dans mon dos. Mme Anholts hoche la tête vers moi, comme pour m'indiquer qu'elle me comprend.

Limousin se tapote l'oreille et s'incline vers elle. « Vous avez décidé de ce que vous direz ? »

Mme Anholts se tourne vers moi. « Helena, d'Amsterdam… »

Je l'interromps : « Non. Je suis de Leyde. »

Je n'apprécie pas du tout ce qui est en train de se passer : ils se sont emparés de ce qu'il y a eu entre le Monsieur et moi, ont écarté les rideaux et ouvert les volets en grand.

Elle reprend en choisissant ses mots : « Ma petite-nièce de *Leyde*, dont le mari s'est tué en faisant une chute et en laissant la pauvre fille enceinte de leur premier enfant. *Nous devons veiller sur les nôtres avant de venir en aide aux autres.* Cela vous convient, Clément ? »

Il acquiesce. « Et aucune mention du Monsieur ?

— Bien sûr que non !

— Bien. Parce que s'il est nommé…

— Je sais, je sais. Si l'on m'interroge, vous êtes-vous mis d'accord sur un nom ?

— Reyner Joachim. Son nom, en hollandais. »

Elle le corrige : « Jochems. Reyner Jochems. »

— Reyner Jochems. » D'un signe, j'indique que j'ai compris. *Reyner Jochems.* Deux mots. C'est tout ce qu'il me reste.

Il reporte son attention sur Mme Anholts. « Vous ne devez plus le déranger avec ça.

— Clément ! Personne ne saura. Pourtant… » Elle lance à nouveau un regard dans ma direction.

« *Pourtant ?* »

À son ton impatient, je sens que ces questions l'agacent.

« Lorsque l'enfant sera là, que se passera-t-il ? »

Il ne plisse même pas les yeux ; cette pensée, apparemment, le fatigue. « Il n'aurait jamais dû choisir cette option. Je lui ai dit… »

Je ne devrais pas être témoin de tout cela. Il m'observe pour voir ma réaction ; je ne pipe pas. Désormais, cela se passera ainsi : on parlera de moi et je cacherai mes sentiments.

Que voit-il en moi ? Une pauvre servante mal fagotée ? Sans doute se considère-t-il mieux loti. C'est possible. Toujours est-il que je porte l'enfant du Monsieur, qui souhaite le garder – je le sais. Limousin ne sera jamais qu'un valet pour lui. Je n'ai pas besoin de le lui dire, je suis sûre qu'il s'en rend compte tout seul. Limousin – intermédiaire – *valet* : trois termes pour la même réalité.

Une fois que la table a été desservie, Mme Anholts me tend un seau. « Ici, vous serez votre propre servante. Tant que vous le pourrez, vous le viderez chaque matin dans la fosse à l'arrière et vous ferez le ménage de votre chambre. Vous changerez vos draps un mardi sur deux et vous les laverez. Vous prendrez vos repas dans la cuisine avec moi. J'y pourvoirai autant que l'allocation du Monsieur et les rigueurs de l'hiver me le permettront. S'il plaît à Dieu. » Elle réfléchit un instant, probablement pour vérifier qu'elle n'a rien oublié.

Nous montons au dernier étage. Elle ouvre la porte d'une minuscule chambre, froide, qui ne contient que le strict nécessaire : un lit étroit, une armoire coincée sous les poutres, un broc et une cuvette pour la toilette. Sous la fenêtre, il y a une petite table, avec une boîte posée dessus. Je fais un petit cercle en grattant la glace sur le carreau : les toits pentus sont réunis comme en prière autour de l'église devant laquelle nous sommes passés tout à l'heure.

« Quelle est cette église ?

— Grote Lebuinuskerk. Vous ne pourrez vous y rendre dans votre état. »

C'est un choc de l'entendre énoncé si brutalement. Je n'ai jamais manqué l'office. Elle me presse l'épaule avec douceur. Ses yeux sont gris, couleur de cendre, ses joues constellées de taches de rousseur très pâles, couleur de cendre elles aussi.

« Il vaut mieux que vous n'y alliez pas pour le moment. Vous aurez tout le temps après. »

L'étrange sensation revient. J'appuie sur mon estomac.

« Il bouge ? »

Je fais signe que oui.

« Cela date d'octobre, c'est bien cela ? »

Il a dû le lui dire. Elle sait probablement tout, tous les détails. « Oui.

— Bientôt, vous ne pourrez plus le cacher.

— Il – *elle* sera là quand ?

— *Elle ?* Lorsqu'elle sera prête. » Elle compte sur ses doigts jusqu'à neuf. « Si c'était octobre, ce sera donc en été. Juillet. Prions que ce ne soit pas plus tôt.

— Le Monsieur sera revenu à ce moment-là… »
À chaque mot que je prononce, ma voix baisse d'un
cran. Elle répond d'un ton neutre : « Eh bien… Vous
habiterez ici et nous aurons le temps de faire connaissance. »

Elle va jusqu'à la table et me tend la boîte. « Il m'a
dit de vous donner cela. »

Je me détourne pour l'ouvrir. Elle contient une
liasse de feuilles, une bouteille d'encre et plusieurs
plumes taillées. Sur le dessus, une lettre entourée
d'un ruban cacheté. En tremblant, je brise la cire et
dénoue le ruban.

Deventer, 24 février 1635

H—,

*Je ne peux demeurer ici plus longtemps. Je suis parti
devant pour mettre au point ces dispositions ; demain, je
fais route pour Utrecht, où je logerai un certain temps.*

*Mme A— s'occupera de toi et fera en sorte de te
donner ce dont tu as besoin.*

*Je te laisse du papier, de l'encre et des plumes. Si
tu le souhaites, tu peux m'adresser du courrier à la
bibliothèque de l'Athenaeum, au nom du Professeur
H—R—, Utrecht, avec mes initiales. Il me parviendra.
J'ai séjourné avec lui il y a tout juste une année et l'on
peut lui confier toute correspondance. Écris-moi pour
me dire comment tu te portes et les changements que tu
constates – cela m'intéresse.*

Utrecht n'est pas très éloignée – une visite, possible.

Ton humble serviteur,

R—D—

P.S. : L— pourra m'apporter ta première lettre si tu réponds par retour du courrier.

C'est une lettre, certes. Pas celle que j'espérais. Des *changements* ? Veut-il prendre des notes sur mon état ? Les questions se pressent dans mon esprit : si L— est Limousin et moi H—, qui est le Professeur H R—?

« Mme Anholts, j'aimerais me reposer. »

Une fois qu'elle est partie, je la relis. Elle ne m'apporte aucun réconfort, n'exprime rien de ses sentiments pour moi ; il pourrait aussi bien l'avoir adressée à une vieille tante, une cousine éloignée – ou même, je le comprends soudain avec un serrement de cœur, à *une servante*. Il m'abandonne au milieu d'un gué où toutes les pierres sont instables. Il n'annonce pas avec certitude une visite, tout en souhaitant que je lui écrive. À mesure que l'espoir monte en moi, le doute le fait retomber lourdement.

Je compte vingt feuilles. Je m'assieds à la table et frotte mes doigts pour les réchauffer. Ils sont froids, et mes pensées encore plus. Je commence : *Cher Monsieur* ; je barre par des hachures. *Monsieur…* Je rature cela aussi. J'ouvre sa lettre. Il l'a signée *R—D—* Pour la première fois, je prononce son prénom : « René. » Il sonne étrangement. *René*. Je ne l'ai jamais appelé ainsi. Cela ne me semblait pas correct.

Je recommence :

Monsieur,
Merci.
Suis-ici jusqu'à l'été ? Et après ?

202

Je déchire la feuille. Je ferme les paupières et respire un grand coup.

Les changements en moi ? Sans vous, je ne suis que la moitié de moi-même.

Non ! Je roule la feuille en boule en me tachant les doigts. À ce rythme, les vingt qu'il m'a données ne dureront pas plus d'une journée. Je fixe ma plume, la fenêtre. Une dentelle de cristaux de glace est déployée sur les carreaux : des plumes prises par le gel. Ne m'a-t-il pas dit : *Sois plus ouverte à la surprise ?* Je plonge la plume dans l'encrier et la passe sur le rebord pour en faire couler l'excédent. Je vais de la vitre au papier et commence un croquis. Je sais mieux dessiner qu'écrire ; je ne m'y attendais pas. Que verra-t-il en me lisant ? Une simple esquisse ? Ou, par-delà, moi en train de dessiner ? Saura-t-il que j'ai cherché à le voir depuis cette soupente, par le cercle que j'ai tracé ?

Je retire son nom ; il n'est pas nécessaire. Quand j'ai terminé, je plonge à nouveau ma plume dans l'encrier :

Je suis sûre que c'est une fille.
Helena Jans

Je n'ai pas peur de signer. Je contemple le dessin bien net, l'écriture irrégulière. Je plie la lettre rapidement avant de changer d'avis et la porte en bas.

Le vin et le feu ont réchauffé Limousin ; cela s'entend à sa voix avant même que je pénètre dans la cuisine. Il est en train de raconter à Mme Anholts la période où il était soldat en Pologne. C'est un épisode qu'il narre à qui veut l'entendre. Si elle y a déjà eu droit, cela ne la gêne pas. Elle rit fort, d'un rire aussi éclatant que le reflet des flammes sur le cuivre. Elle passe près de lui, il essaie de l'attirer. À voir le plaisir qu'ils ont à être ensemble, je suis dévorée par une envie féroce. Au moindre contact entre eux, j'en ressens l'ombre – l'absence, le manque.

Je tends le pli à Limousin. « Pour le Monsieur. » Je n'ai pas d'autre choix que de lui faire confiance. Il le glisse dans sa sacoche sans s'y attarder. « Je l'emporterai à Utrecht demain matin. » Je redoutais qu'il proteste ou fasse une remarque désobligeante à propos *d'une lettre d'une servante à son maître*. Au lieu de cela, il vide le pichet de vin dans son verre et attrape Mme Anholts par la taille ; il n'en a que pour elle.

« Épousez-moi ! » Il a les yeux mi-clos, la tête rejetée en arrière, la petite bosse sur son cou bien visible. Elle repousse son épaule, repose sa main sur ses cuisses et lui répond dans un éclat de son rire cuivré : « Qu'en dirait votre épouse française ?

— Je vous assure que je n'en ai pas ! Je ferai de vous ma femme hollandaise, ma favorite. *Vous êtes la plus belle de toutes.*

— Pour aller avec celle que vous avez en Pologne et celle que vous avez en Italie ? » Elle retire son verre de la table. « Je crois que vous avez suffisamment bu.

— Vous êtes bien cruelle, Mme Anholts. » Il lui prend la main et l'embrasse, tout en reprenant son verre de l'autre. « Et resservez-moi un peu de votre vin. Après ce que j'ai enduré ces derniers jours, c'est le moins que l'on me doive ! »

Plus tard, après que je suis remontée dans ma chambre, je perçois son pas dans l'escalier, le bruit assourdi du loquet de la chambre de Mme Anholts, mais je ne l'entends pas le congédier. Je pense à mon dessin dans sa sacoche, à la glace qui fond, à l'encre qui coule. Je me tourne vers le mur, me blottis sous les couvertures en cherchant le peu de chaleur qu'il y a dans ce lit.

J'ai pris sa lettre avec moi. Je ferme les paupières pour le faire apparaître dans le noir. Pourtant, l'homme qui se présente ne peut pas me réchauffer; il ne pèse rien et ne respire pas.

Liste

Le mois de mars arrive, et toujours aucun signe de lui, aucune réponse au courrier que je lui ai envoyé. Les journées s'étirent en longueur. J'écris des messages que je n'envoie pas, j'en regroupe plusieurs sur la même feuille – des nœuds à une ficelle qui s'allonge pour marquer le passage du temps.

Il fait encore froid. Je sors marcher seule, enveloppée dans la brume de ma respiration. Je ne mets pas longtemps à dessiner le plan de Deventer sur ma paume : on pourrait faire rentrer la ville dix fois, vingt fois, dans Amsterdam. Je ne vais pas n'importe où car il y a des soldats partout. Je ne sais d'où ils viennent, où ils seront affectés. Certains n'ont pas fini de grandir : leurs manchettes tombent sur leurs doigts, leurs bottes montent jusqu'aux genoux. Ne m'a-t-on pas envoyée moi aussi au fin fond du pays – plus loin que je ne suis jamais allée ? Ai-je l'air aussi désorientée qu'eux ? Sont-ils aussi ignorants de ce qui les attend que moi des projets du Monsieur ?

Pourquoi ici ? Pourquoi m'avoir fait venir ici ?

Les semaines s'écoulent ; toujours pas un mot. Qu'ai-je fait pour qu'il m'abandonne ainsi ? Je finis par m'inquiéter : est-il malade, a-t-il eu un accident, l'a-t-on jeté en prison ? Limousin aurait probablement apporté ce genre de nouvelles, et il est aussi invisible que son maître. Je me dis : *Il réfléchit*, puis : *Il oublie*, puis : *Pourquoi m'avoir donné du papier ? Pourquoi m'avoir demandé d'écrire ?*

Betje me manque. Si elle était là, elle me donnerait son avis. Je regrette nos promenades, nos conversations. Parfois, j'arpente tout Deventer sans adresser la parole à quiconque, et je dois attendre jusqu'au déjeuner avant d'ouvrir la bouche.

Je n'écris plus de lettres – cela gâche le précieux papier. À la place, je dresse une liste, que j'intitule :

Que veux-tu, Helena ?

Que la naissance se passe bien
et qu'elle soit en bonne santé
Qu'elle reçoive un nom devant Dieu
Gagner ma vie pour nous deux
Lui donner un foyer pour ne pas être obligée
de l'abandonner
Qu'elle ne soit pas une servante comme moi
Qu'elle ne soit pas une servante illettrée comme Betje
Retourner à Leyde
Qu'il la connaisse

Quand j'ai terminé, je la montre à Mme Anholts, qui la lit à voix basse, hochant la tête ou fronçant les sourcils au fur et à mesure. Elle me tranquilise : je ne dois pas m'inquiéter à propos de la naissance, elle m'aidera le moment venu. « Le Monsieur assure votre subsistance, Helena. Ils ne sont pas nombreux dans son cas. » Elle me demande quel métier je pourrais exercer avec un nourrisson, ce que je sais faire.

Je lui réponds : « J'y songe », comme si j'avais un panier d'œufs et que je pouvais choisir celui que je voulais.

« Vous y songez ? » C'est apparemment la chose la plus absurde qu'elle ait jamais entendue.

« J'étais une bonne servante, Mme Anholts.

— Comment pourriez-vous le redevenir ? Vous croyez que M. Sergeant se portera garant de vous ? » Devant mon silence, elle poursuit : « Il faut tenir compte de tout cela, Helena. »

Elle passe au point suivant. « *Lui donner un foyer…* Il est ici, votre foyer. Je prends soin de vous.

— Oui, Mme Anholts. » Je contemple mes mains.

Elle sent mon inquiétude : « Je ne vous mettrai pas à la porte. » Elle poursuit sa lecture. « Oh, non, Helena, vous ne pouvez pas imaginer cela ! Le bébé du Monsieur, *abandonné* ? Il ne l'acceptera *jamais*. Ni que son enfant devienne un jour domestique. » Elle s'évente avec ma feuille en se tapotant la poitrine. Je veux bien la croire, mais comment peut-elle être aussi sûre de ce qu'il pense ?

« Betje ? Qui est-ce ? Je n'en ai jamais entendu parler. Leyde ? C'est là que vit votre famille ?

— Ma mère.

— Personne d'autre ? »

Je fais non de la tête.

« *Qu'il la connaisse.* » Elle reste un moment silencieuse. « Je suis sûre qu'il la verra en temps voulu. »

208

Elle me rend la liste avec un sourire gentil. « J'aurais dû en rédiger une, moi aussi, quand j'ai perdu M. Anholts et que je me suis retrouvée seule avec mes deux petits. J'ai reçu l'*assistance*. » Ce mot, manifestement, lui laisse un mauvais goût dans la bouche. « La charité ne va pas toujours sans un prix à payer ou des faveurs à rendre. Devenir mère change tout – vous vous en rendrez compte bien assez vite.

— Pourquoi nous apportez-vous votre aide, Mme Anholts ?

— Eh bien, répond-elle un peu surprise par ma question, parce que le Monsieur m'a sollicitée et que je crois pouvoir lui être utile. Et parce que je comprends. Ma sœur, Hendrika... » Elle fait une pause. « Hendrika était un peu plus âgée que vous lorsqu'elle est tombée enceinte du fils d'un fermier. Il lui avait promis qu'il l'épouserait mais ne l'a pas fait et l'a battue en prétendant que l'enfant n'était pas de lui. Mon père ne voulait pas d'elle dans la maison – la honte était trop grande. Aucune *disposition* n'a été prise dans son cas. Ma mère l'a supplié de ne pas la mettre dehors. Un matin, Hendrika est descendue à la rivière et n'est pas revenue.

— Oh, Mme Anholts !

— C'était il y a bien longtemps, Helena ; ce sont des choses qui arrivent et qu'on ne peut oublier. Le Monsieur veille sur vous alors que nombreux sont ceux qui ne s'en soucieraient pas. Je ferai de mon mieux.

— S'est-il inquiété de moi quand il était là ?

— Arrêtez de penser à lui ! Il a les *moyens*. Il a un *valet*. Il est *français*. » Est-ce donc le principal obstacle ? Elle montre mon ventre. « Il a pris des dispositions.

— Que se passera-t-il une fois que le bébé sera là ? Est-ce qu'il viendra ?

— Cela ne sert à rien de nous poser toutes ces questions. Une promenade vous fera du bien, Helena. »

La promenade est sa réponse pour tout. C'est aussi sa façon de clore la discussion.

« Emmitouflez-vous et couvrez-vous bien. Vous vous sentirez mieux après.

— Oui, Mme Anholts. »

Il me faut un moment pour me rendre compte qu'elle n'a pas commenté tous les points de ma liste : elle n'a rien dit à propos du nom du bébé.

En refaisant à l'envers le trajet du coche, je reconnais le chemin de la rivière et la route qui part vers l'ouest et Amsterdam. En marchant, je réfléchis à ce que m'a dit Mme Anholts. Ma situation est si différente de la sienne et de celle de ma mère : elles sont veuves, moi pas : le Monsieur est vivant. Elles ont été mariées, moi pas. Toutes les familles ne peuvent pas être composées d'un père, d'une mère et de leurs enfants ; si l'une d'elles rencontre le malheur, Dieu pourvoit à ses besoins. Mais me dissimuler de cette façon ?

On m'a dit de n'en parler à personne pour ne pas entacher le nom du Monsieur. Le taire à ma mère, c'est un mensonge et un péché. Comment le lui faire savoir ? Si le sort de Thomas lui est venu aux oreilles, comment supportera-t-elle la honte que je lui apporte aussi ? Ne vaut-il pas mieux disparaître ? Me cacher ? Je pense à Betje et à sa force de caractère. J'ai la famille dont elle a tant rêvé et pourtant, je l'évite. Même si je tire autant que possible ma capuche, Dieu me voit. Où que je regarde, il n'y a que des ombres.

Il se met à pleuvoir et le ciel étend sur moi un grand drap sombre. Une fois à la rivière, je vois que sur l'autre rive la glace commence à se briser ; de grands blocs gris basculent dans l'eau et entament leur lent voyage vers l'aval. Même s'il gèle la terre à pierre fendre, l'hiver ne peut empêcher la venue du printemps.

Il n'a pas écrit.

Elle bouge de plus en plus. *Fille. Bébé. Chérie.* Je frotte ma peau en faisant de petits cercles là où son coude, son pied ou sa main font des bosses. *Ma petite fille chérie.* Avec mon doigt, j'écris sur mon ventre le nom que j'ai choisi pour elle.

Je me sers de son papier. Je m'assieds dans la cuisine et je dessine. Des pots, des casseroles, des pommes dans une jatte, les assiettes sur le manteau de la cheminée. En me voyant faire, Mme Anholts commente : « Vous aimez les cercles. » Puis, après avoir observé plus attentivement : « Vous avez l'œil, Helena. »

La nuit, entre les coups de pied qu'elle me donne et ma liste que je ressasse, j'ai du mal à dormir. *Vais-je me débrouiller?* Dessous, tel un cauchemar qui se tapit derrière un rêve, il y a ma peur de ne pouvoir lui fournir le nécessaire, d'être un jour contrainte d'effectuer la même démarche que la mère de Betje. Je roule la liste en boule et la jette dans un coin de la chambre, puis vais la rechercher, l'aplatis et la glisse sous mon oreiller pour dormir.

Je somnole. Il remonte à la surface, tendre, cajoleur. Je le repousse. Je le repousse encore et encore. Il se fait doux à mon oreille. Il ne veut pas s'en aller.

Il ne veut pas s'en aller.

« Mme Anholts? Vous a-t-il dit quand il reviendrait?

— Non, il ne m'a rien dit. » Avec ses dents, elle coupe le fil de sa broderie et la tapote d'un air satisfait.

Cire

Toujours aucune nouvelle de lui. En avril s'épa-
nouissent des fleurs de toutes les couleurs. Les plaques
de glace qui étaient encore collées sur le sol se transforment en flaques sous le soleil bas. Je dis que je suis
fatiguée et je passe mes journées dans ma chambre.
J'ai besoin de réfléchir.

Je ressors ma liste. Les phrases sont toujours là et
je n'ai pas les réponses à toutes mes questions.

Que la naissance se passe bien et qu'elle soit en bonne santé
Qu'elle reçoive un nom devant Dieu
Gagner ma vie pour nous deux
Lui donner un foyer pour ne pas être obligée
de l'abandonner
Qu'elle ne soit pas une servante comme moi
Qu'elle ne soit pas une servante illettrée comme Betje
Retourner à Leyde
Qu'il la connaisse

Je tire mon baluchon et renverse sur mon lit ce que
je possède : ma Bible, la broche que m'a donnée ma
mère, le carré de mousseline, le dessin de la tige de
rose. J'ai aussi apporté un petit rouleau de feuilles où

est inscrit ce que j'ai appris avec le Monsieur pendant le séjour de M. Sergeant à Utrecht, et les pages que j'ai recopiées de la Bible. Des mots, des mots, des mots. Des chiffres. L'algèbre. Cela m'avait paru un langage différent ; maintenant, dans tout cela, j'entrevois des motifs. L'énigme semble s'être résolue d'elle-même.

J'ai encore l'ardoise que M. Sergeant m'a donnée. Je me le représente, seul à sa table de cuisine, en train de se couper du fromage. Même si j'espère que M. Slootmaekers lui a procuré une nouvelle servante, je ne peux m'empêcher de souhaiter qu'elle soit maladroite, qu'elle renverse son thé, ne sache pas obtenir de l'encre de betterave, le déçoive un peu.

J'ouvre la lettre de Betje, pose les doigts sur ses mots. Pendant un long moment, je reste devant la fenêtre à écouter les pigeons voleter sur le toit. Que m'a-t-il dit, déjà ? « *Il faut aimer la vie sans craindre la mort.* » On voit bien qu'il ne vit pas coincé dans ce grenier avec des pigeons pour seule compagnie.

Je laisse tout sur place, je passe mon châle sur mes épaules et l'accroche avec la broche. Mme Anholts est surprise de m'entendre descendre l'escalier en faisant claquer mes sabots : « Je croyais que tu ne te sentais pas bien ? »

Je passe devant elle sans m'arrêter. « Merci, je vais beaucoup mieux.

— Helena… ? »

Sans répondre, je referme la porte derrière moi en faisant rebondir le heurtoir.

C'est si étrange de marcher sans but précis – je n'ai rien à acheter, à porter ou à aller chercher. Je n'ai ni panier ni broc. Je vois des servantes revenir du marché à pas pressés, aussi chargées que des mules. Mes mains à moi sont vides. Je peux aller où je veux, faire des haltes en chemin, prendre mon temps sans me dire : *Il faut que je rentre.*

Je passe par Lange Bisschopstraat, qu'habituellement j'évite : Mme Anholts m'a appris que c'est dans cette rue que le Monsieur logeait l'année dernière. Il arpentait ce quartier, voyait les mêmes choses que moi. À quoi bon l'imaginer à sa fenêtre? Que ferait-il? Sortirait-il pour me saluer? Reculerait-il en m'apercevant?

Je dépasse sa maison sans m'y attarder. J'ai remarqué qu'au bout de la rue, il y a une librairie. *Cette fois, je vais entrer.* Elle ne ressemble pas à celle de M. Sergeant, ni à celle de M. Veldman, ni à aucune de celles que je connais. Elle est petite et sombre; un parfum de cire d'abeille me chatouille le nez. J'ai l'impression que rien n'a changé depuis des lustres; tout est recouvert d'une fine couche de poussière.

Une voix surgit de l'ombre : « Puis-je vous être d'une aide quelconque? », et un homme apparaît au fond de la pièce. Il est probablement là depuis longtemps et m'a vue entrer.

« Je regarde simplement, monsieur.

— Souhaitez-vous un ouvrage particulier? » Il m'inspecte, note les détails, les additionne pour estimer la taille de ma bourse.

Des ouvrages non reliés sont empilés sur un bureau. « Ce sont des thèses. » Si chacune a un frontispice différent, elles sont moins impressionnantes que celles de M. Sergeant. L'une est ornée d'un dessin de lièvre, dont la tête évoque plus celle d'un mouton. *Je pourrais faire mieux.*

« Avez-vous un abécédaire ? »

Il se penche comme pour remplir son oreille de ce que je viens de dire. Sa moustache frémit, il lève une main, pivote lentement sur lui-même. « Ainsi que vous pouvez le constater, je possède un très grand nombre de livres. Malheureusement, je ne suis pas en mesure de compter parmi eux un abécédaire. J'en suis navré. » Il se tait un instant. « Autre chose pourrait vous intéresser ?

— Tous les enfants doivent apprendre, pourtant.

— Voilà qui est la stricte vérité. Et ils trouvent en Dieu la sagesse, la vérité et la grâce.

— C'est bien dommage que vous n'en proposiez pas. »

Nous nous observons. Il est immobile, les yeux grands ouverts ; on dirait qu'il veut s'empêcher de froncer les sourcils. C'est alors que je comprends.

Qu'est-ce que la pensée ? Qu'est-ce que l'espoir ? C'est l'ombre, la cire d'abeille et la poussière. Les premières lettres que j'ai apprises.

Je le remercie et sors.

Le jour même, je commence mon abécédaire. Il n'y a plus que cinq feuilles dans la boîte et je regrette d'en avoir gaspillé autant. Il faut que je lui adresse un courrier pour qu'il m'en fasse parvenir. Je décide de l'apporter à la bibliothèque de l'Athenaeum ; s'ils ne le prennent pas, j'irai à Utrecht à pied.

Je cale un oreiller dans mon dos et pose une feuille à côté de moi. Je dessine un ongle, ma paume, mes doigts formant un C. Je tends ma robe sur mon ventre pour représenter son arrondi. Chaque croquis expose la lente modification de mon corps. *Voyez, Monsieur, voici mon état, voici les changements que je constate.* Ensuite, je place un petit miroir contre l'oreiller pour étudier mon front quand je me concentre. Je déboutonne mon corsage, prends mon sein dans une main et le reproduis en quelques lignes. Je me souviens de la forme de son épaule. Elle n'était pas qu'une idée : je peux encore la *sentir*. Lorsque la feuille est couverte d'esquisses, j'écris :

Je n'ai plus de papier.
La rivière a dégelé. La route est dégagée.
Helena Jans

Je la plie, la cachette et descends la porter à Mme Anholts. Elle est en train d'astiquer ses cuivres, les joues rouges, les manches relevées jusqu'aux coudes ; la table est encombrée de casseroles. Elle a retiré sa coiffe et des mèches grises encadrent son visage ; elle a encore les hautes pommettes qui ont fait sa beauté quand elle était jeune.

« Mme Anholts ? »

En voyant la lettre, elle fait un geste de refus.
« Cela ne vous mènera nulle part. Et ne me demandez pas d'argent pour la poster, je n'en ai pas.

— Mais…

— Vous héberger est une chose. Financer votre
correspondance en est une autre. L'allocation que
je perçois ne le prévoit pas. De plus, où l'enverriez-
vous ? A-t-il seulement donné une adresse ? Pas à
moi, en tout cas, je vous l'assure.

— Il a dit de l'apporter à la bibliothèque de
l'Athenaeum.

— Elle est dans la rue Klooster. Il n'y a rien pour
vous là-bas. Monsieur Descartes y a travaillé l'an
dernier pendant son séjour avec le Professeur Reneri.
Clément logeait ici. Il passait son temps à porter des
livres et des documents et… »

Je la coupe avant qu'elle se remémore tous les
détails. « Le Professeur Reneri ?

— Oui, c'est un grand ami du Monsieur. C'est
lui qui l'a fait venir à Deventer la première fois et…

— Son prénom ?

— Eh bien… Il me semble que c'est Henri. Ceci
dit, je ne l'ai jamais appelé par son prénom. »

Henri Reneri ? *HR.* Le H—R— que le Monsieur
a mentionné dans sa lettre. J'attrape mon châle et me
précipite à la porte.

Elle me crie : « Il est à Utrecht avec Monsieur
Descartes ! »

Sans me retourner, je lui réponds : « Je sais ! »

Je ne peux pas attendre une minute de plus et je cours dans la rue. Je connais le chemin. Chaque pas qui me rapproche de la rue Klooster fait battre mon cœur plus vite. Pour la première fois depuis que je suis ici, je le sens proche. Le fil s'est enroulé ; la distance qui nous sépare s'est raccourcie.

Bibliothèque

Je n'ai aucun mal à trouver la bibliothèque : sans le savoir, je suis passée devant en allant à la rivière. Une fois dans la cour, je ne sais plus très bien comment m'y prendre et je me réfugie dans un coin. Je vois passer des hommes portant des livres, des rouleaux de parchemin, des liasses de feuilles ; d'autres marchant à petits pas, le dos voûté, murés dans leur silence ; certains sont vêtus d'un habit de velours bordé de fourrure et coiffés d'un tricorne à plumes ; des petits groupes chuchotent à voix basse, des jeunes gens en pleine discussion redressent les épaules : ce sont des ecclésiastiques, des enseignants, des étudiants, des lettrés.

Je recule quand l'un d'eux m'aperçoit – mais il me regarde sans me voir. J'entends parler hollandais, français et d'autres langues que je ne connais pas : le monde entier s'est donné rendez-vous ici. Pourtant, pas une femme n'en franchit le seuil, pas même une servante pour passer le balai – est-ce parce que penser ne fait pas de poussière ? Ma lettre n'est ni un parchemin, ni un livre – et je ne suis pas un homme.

Je pose la main sur mon ventre. Je n'ai qu'un mouvement à faire : avancer. Je glisse un pied devant moi. Un pas. Un autre. Encore un autre. Je n'ose lever la tête ; je me force à traverser la cour – un pas après l'autre. Arrivée devant l'entrée, la porte s'ouvre et je suis emportée au milieu d'un groupe d'hommes qui débattent à propos des polders. Elle se referme derrière moi avec un déclic.

Je pénètre dans un long couloir très éclairé. Des bibliothèques courent du sol au plafond ; devant chaque fenêtre, là où il y a le plus de lumière, des bureaux ont été installés. Je n'ai jamais vu autant de livres – ni d'hommes si silencieux. Sont-ce les ouvrages dont m'a parlé le Monsieur ? Capables de bouleverser les esprits ? Si c'est le cas, ces lecteurs ne sont pas affectés, car on entend à peine un toussotement de temps à autre.

Je vais jusqu'à une table au bout du corridor. L'homme qui est assis derrière me jette un bref regard et reporte aussitôt son attention sur les documents posés devant lui. Sa barbe blanche et sa moustache en pointe font paraître sa bouche minuscule. Il continue à écrire alors que je lui fais face, avec le bureau entre nous. Je ne suis pas venue jusqu'ici pour converser avec un meuble.

« Excusez-moi, j'ai une lettre pour le Professeur Reneri. »

D'un geste, il me fait signe de partir. Je contemple la tonsure de son crâne. Il faut que je me décide : je n'ai pas le temps de peser le pour et le contre.

« Pardonnez-moi, monsieur, qui êtes-vous ? »

Nous savons l'un et l'autre que ce n'est pas une façon de s'adresser à un homme de son rang. Il est tellement choqué que les mots sortent de sa bouche sans qu'il prenne le temps, lui non plus, de peser le pour et le contre : « Le conservateur de l'Athenaeum ! » Je parle donc à la bonne personne. Je m'incline. « Voici la lettre. » Je la lui tends pour qu'il puisse la voir. « Où dois-je la mettre ? »

Il cligne des yeux. « Le Professeur Reneri n'est pas ici. Il enseigne à l'école illustre d'Utrecht.

— Elle lui est destinée. »

Il me toise avec dédain. « Nous sommes ici dans une bibliothèque, pas dans un bureau de poste.

— On m'a dit que je pouvais la déposer ici.

— Eh bien, vous ne pouvez pas. Partez. »

Il se remet à écrire – ses mots courent sans effort sur la feuille. Il relève sa plume et hausse les sourcils. « Qui vous a dit que cet établissement assurait un service postal ? »

J'avale ma salive. Si je dis Reneri, il voudra savoir comment je le connais et je ne saurai pas quoi répondre. Je ne peux pas courir ce risque. D'après Mme Anholts, le Monsieur a travaillé là l'année dernière ; il le connaît peut-être.

« Monsieur Descartes. »

Sa bouche se ferme. Cette fois, j'ai toute son attention. « Descartes ! J'aurais dû m'en douter.

— Vous le connaissez ? »

Il a un rire désabusé. « J'ai eu le plaisir de le rencontrer, mais pas la tête de veau qu'il dépeçait à l'époque. » Ce souvenir ne semble pas lui être particulièrement agréable.

« S'il vous plaît, c'est important. »

Les rides de son front se creusent. Il pointe sa plume en direction d'une pile sur un coin de son bureau : « Ces documents vont partir à Utrecht. » Il n'a manifestement pas l'intention de la toucher. « Posez-la là ; elle parviendra au Professeur Reneri.

— Un moment. » Je saisis sa plume, la fais pivoter pour ne pas abîmer son bec et j'écris *Professeur Henri Reneri, Utrecht*, et les lettres *R—D—* en dessous.

Il commente : « Voilà un arrangement bien singulier. » Je place la lettre sur la pile en me disant : *Et qui fonctionne*. Je dois lui paraître, moi aussi, bien singulière.

Dehors, le soleil brille. J'ai résolu l'énigme du Monsieur et ma lettre est en route. Je tends les mains devant moi pour les réchauffer. Leur peau est plus douce et plus pâle. Ce ne sont plus des mains de servante : à l'image de celles du Monsieur, elles sont maintenant tachées d'encre.

Abécédaire

Une grande quantité de papier est déposée à mon nom – ainsi qu'une lettre.

Utrecht, 15 mai 1635

> *H—,*
>
> *Je te remercie pour tes croquis. J'aimerais savoir dessiner aussi bien que toi – une image bien exécutée exprime tellement plus que les mots qui seraient nécessaires pour la décrire. Je t'envie cela ; je suis si maladroit en la matière. Tu as fait bon usage du papier, je m'en réjouis. Je suis heureux de t'en envoyer plus.*
>
> *Je progresse sur mes Météores et retravaille de bout en bout mon petit traité sur la Dioptrique. Cela m'accapare entièrement, car il m'importe qu'il exprime exactement ce que je veux et je me dois d'être clair sur ce sujet. La vie devrait être beaucoup plus certaine quand j'aurai terminé. J'espère, du moins, avoir le temps…*

Suivent deux pages où il décrit sa vie à Utrecht et une polémique avec un vieil ecclésiastique dont il tait le nom. Il subit des pressions « de toutes parts » et doit trouver un éditeur ; ses illustrations sont « déplorables » ; Mersenne le *pourchasse*…

À la différence de la première qu'il m'a adressée, je ne dors pas avec cette lettre. Je la lis, la replie et la glisse entre deux pages de ma Bible avec le billet de Thomas.

Je fais de longues marches jusqu'à la rivière, je franchis le pont et je coupe à travers champs jusqu'à ce que je ne voie plus de Deventer que la silhouette lointaine de ses clochers dans la brume. Chacun de mes pas sur ce chemin poussiéreux fait s'envoler un nuage d'éphémères ; le monde se réduit à ce sentier sous mes pieds. J'avance comme si j'avais un but et je rentre fourbue chez Mme Anholts. J'essaie de ne pas lire ses lettres – sinon, j'ai l'impression d'avoir perdu ce qui me faisait tenir.

Puis je ne vais plus jusqu'aux champs. Ensuite, je ne sors plus du tout. Le foin est haut. J'ai tellement grossi. J'ignore comment se passera la délivrance. D'après ce que m'a raconté ma mère, qui le tenait de ses voisines, je sais que parfois c'est trop dur, la douleur trop intense, et que l'enfant ne peut être dégagé.

« C'est difficile, Mme Anholts ?

— La première fois, oui, autant être franche. Je serai là. »

Elle a déjà aidé des femmes en couches, et on l'appelle encore de temps à autre à l'annonce d'une naissance.

« Avez-vous décidé d'un nom pour elle ? »

Je fais signe que oui, sans en dire plus.

« Et si c'est un garçon ?

— Ce sera une fille.

— Vous ne pouvez pas savoir si l'enfant est une fille ou un garçon, Helena. Si c'est un garçon, il lui faudra un nom.

— C'est une fille, je le sais. » Je me sens bête en le disant, et en colère de me sentir bête.

Cela fait des années qu'il n'y a pas eu de nouveau-né dans la maison. Mme Anholts aménage un berceau dans un tiroir et va chercher sous son lit un petit coffre en bois qui contient des vêtements tachés de moisissures, aux plis marqués à force d'être enfermés depuis des années.

Elle grommelle un peu. Apparemment, le Monsieur ne lui a pas fait parvenir le nécessaire pour la naissance ; il n'a pas non plus prévu d'argent pour ces achats dans l'allocation qu'il lui envoie. Ce grand esprit ne pense pas à tout. Ce n'est pas la première fois.

Je travaille à mon abécédaire. Je ne veux pas que Mme Anholts le voie. Je dis que je suis fatiguée et je passe le plus clair de mon temps dans ma chambre. Je sais précisément ce que je veux : des lettres simplement ornementées et accompagnées d'un vers ; toutes les pages réunies constitueront un livre. Au fur et à mesure que les jours passent, je travaille de plus en plus loin de ma feuille. Heureusement qu'il m'a envoyé beaucoup de papier : j'en aurai besoin. J'utilise un feuillet à part pour noter mes idées. C'est seulement une fois qu'elles ont fait leur chemin jusqu'à mes doigts, si proches de la page qu'elles pourraient sauter dessus, que je commence à dessiner. Parfois, je travaille sans relâche et termine deux ou trois lettres en une journée. La plupart du temps, pourtant, je ne progresse pas et ne suis pas contente de moi.

Certains jours, je rêve que mon abécédaire sera dans les mains de chaque enfant hollandais. Et puis je comprends que cet enfant, c'est le mien – ma petite fille, en train de lire. Peut-être ne dois-je le faire qu'à son intention, par amour ? Je repense à la maison de M. Sergeant et à tout ce que les livres lui ont permis d'acquérir. Je repense à ma liste. Je dois finir le livre pour pouvoir le vendre.

Il me rejoint dans mes rêves…

Laisse-moi te regarder. Et cette petite montagne que nous avons faite.

Pose sa tête près de la mienne…

Laisse-moi regarder…

Se blottit contre moi, fait glisser le tissu que je retenais…

Laisse-moi regarder…

M'embrasse la tempe, murmure des mots doux dans mes cheveux.

Laisse-moi regarder.

Je l'attire vers moi – ce désir que je ressens est presque de la rage.

Air

La porte s'ouvre sur une grande pièce baignée de lumière. Au fond, devant une fenêtre, éclairé en contre-jour, le diacre de l'église est assis derrière un grand bureau. Une chaise à haut dossier et accoudoirs à volutes a été placée de l'autre côté, face au soleil – ce qui met à nu le visage de ceux qui se présentent à lui.

Je m'avance. Il m'invite à m'asseoir. Soudain, je le vois aussi sur ma gauche. Je tressaille avant de me rendre compte qu'il s'agit de son portrait. Son visage clair, que le fond sombre fait paraître plus pâle encore, m'observe de haut – et dans son expression, je lis la sévérité de toute une existence. Mme Anholts m'a appris qu'il a plus d'enfants qu'on peut en compter. Je les imagine tous réunis, n'osant ouvrir la bouche, ne souriant que lorsqu'il sort, et seulement pour se souvenir que sourire est possible.

Une fois que j'ai pris place, il joint le bout de ses doigts et m'étudie en silence, longuement. Ses mains sont aussi blanches que s'il les avait mises à tremper dans l'eau – et certainement froides. Ausssitôt, j'ai un mouvement de recul. Il les pose sur la table en écartant les doigts. Ses gestes sont lents ; on dirait qu'il économise chacune de ses pensées, chacun de ses mouvements.

« Oui ? » À son ton, je comprends qu'il s'attendait à ce que je prenne la parole la première.

« Je…

— Vous souhaitez adresser une requête pour un baptême, d'après ce que je sais.

— Oui.

— Vous allez devoir parler plus fort. »

La chaise sur laquelle je suis assise est basse. Je lève les yeux vers lui. « Oui. »

Il replace ses doigts en forme de toit et les tapote d'un air songeur. « Vous avez bien conscience que cette démarche est tout à fait irrégulière ? »

Je baisse le regard. Le sien glisse jusqu'à mon ventre. « Parlez-moi de l'enfant. Quand a-t-il été conçu ? »

J'essaie de ne pas bouger. Je croise mes bras pour le protéger de ses questions. « L'hiver dernier.

— Où ça ?

— À Amsterdam. »

Il élève la voix « Et le père ?

— Je… Il… »

Je n'avais pas prévu cela. Je me remémore ce que Limousin et Mme Anholts se sont accordés à dire. Je ne peux pas mentir à un diacre.

Il tapote à nouveau ses doigts. « Je vais vous aider. Pas mariée ? »

Je secoue la tête.

« Je vois. »

Il me dévisage. « Un enfant est un don de Dieu. Même ceux qui naissent, disons, à côté – *onecht kind* –, ont leur place. »

Je murmure : « Oui. C'est ce que je veux pour elle. Qu'elle ait sa place. Plus que tout. »

Il se lève et va à la fenêtre. « Un mariage est-il envisagé ?

— Non.

— Pardon ?

— Non, il ne l'est pas.

— Dites-moi : vous a-t-il abandonnée ? »

Je fais signe que non.

« Est-il irresponsable ? Déjà marié ?

— Non.

— Dément ? Prisonnier ? En attente d'une exécution ? *Mort ?*

— Non !

— Je vois. »

Il se poste un long moment à la fenêtre, semble s'en lasser et vient s'asseoir sur le bord de la table. Il se dégage de lui une odeur de romarin et de clou de girofle. Cet homme sent la mort. Il se penche vers moi.

« Ce père, Helena Jans, dites-moi : qu'est-ce qui l'en empêche ? »

Je me recule un peu. Il se penche plus près. Je sens son haleine sur moi.

« Dites-moi…

— Il ne peut pas. Je suis…

— Quoi ? Son inférieure ? »

Inférieure, subordonnée, subalterne. Je m'enfonce dans ma chaise en acquiesçant.

« Qu'en est-il de sa foi ? »

Je murmure : « Catholique.

— Ah, un *catholique.* » Il claque la langue comme s'il s'y attendait depuis le début et que nous venions de toucher à la véritable nature de mon infortune. « Ce *catholique* a-t-il un prénom ?

— Reyner. » Ce n'est ni tout à fait la vérité, ni tout à fait un mensonge.

Avant que j'aie le temps de réfléchir, il continue. « Reyner, le catholique de Deventer ?

— Non.

— D'Apeldoorn ?

— Non.

— D'Amsterdam ?

— Non.

— De Delft ? De Groningen ? D'*Amersfoort ?*

— Non, non… De France.

— De France ? Reyner, de France ? Voilà qui est bien *étrange.* »

Je rougis. Il se rassied à son bureau, inscrit le nom, relève sa plume : il veut également le nom de famille du père. Je déclare : « Jochems ». Mon cœur se serre à chaque frottement du bec.

« Donc Reyner, qui est français, préfère porter un nom hollandais, c'est bien cela ? »

J'entends l'incrédulité dans sa voix. « Oui.

— Je vois.

— Il pourvoit à ma subsistance…

— Il pourvoit à votre subsistance ? Et comment le fait-il en ce moment précis ? » Il regarde autour de lui, lève les bras, hausse les épaules. « Où est-il ?

— Loin d'ici.

— Ah… Il assure votre subsistance et il *voyage*. Je vois. Est-il instruit ?

— Oui, très.

— Vertueux ? »

— Oui.

— La débauche est donc de votre fait, c'est bien ça ? »

Je baisse la tête.

« S'il est vertueux, la débauche ne peut qu'être de votre fait. »

Je souffle : « Oui, de mon fait.

— Et vous souhaitez que l'enfant soit reconnu par le biais du baptême ?

— Il *faut* qu'elle soit baptisée.

— *Il faut ?* » Il pose sa plume. « Son Dieu catholique serait bien moins compréhensif. Si vous étiez en France… mais vous n'y seriez pas, n'est-ce pas ? »

Apparemment, cela l'amuse. Il reprend sa plume. « Parlez-moi de vous.

— Je viens de Leyde. »

Il fait un geste pour m'arrêter. « C'est là que vous devrez déposer votre requête : là où commence l'assistance. À Leyde, non ici. »

Je vois où il veut en venir. « Je ne demande pas la charité : il pourvoit à mes besoins !

— C'est ce que vous dites… Si j'avais reçu un florin chaque fois que j'ai entendu cette phrase… »

Je tente un autre biais. « Elle va naître *ici*, à Deventer. Elle dépend de cette paroisse.

« — Et vos parents ?

— Mon père est mort.

— Votre mère ?

— Elle n'est pas au courant.

— Vous lui direz ?

— Oui. »

Il tape sur la table. « Je ne tolérerai aucun mensonge !

— Non, je vous en prie. Je n'ai pas pu…

— Vous lui direz, c'est entendu ?

— Oui. »

Il paraît satisfait. « Bien. Les voies du Seigneur sont impénétrables. J'ai le devoir d'accueillir cet enfant au sein de l'Église afin qu'il puisse venir à la fontaine de Sa grâce – la grâce du Christ s'étend au-delà du péché d'Adam. *Laissez venir à moi les petits enfants et ne les en empêchez point ; car le Royaume de Dieu est pour ceux qui leur ressemblent.* Vous viendrez ici avec le nouveau-né et le pasteur de l'église Grote Lebuinuskerk le baptisera. Le Français voyageur qui assure votre subsistance sera-t-il présent ?

— Je ne sais pas. » Ma voix est sur le point de s'éteindre.

« Nous pourrons donc vérifier ainsi de quelle manière il pourvoit… »

Je me lève, m'incline et me dirige vers la sortie. Il me rappelle : « Helena Jans, le baptême n'est qu'un début, vous l'avez bien compris ? » Je m'incline à nouveau, plus bas cette fois.

Il me congédie d'un geste et se replonge dans ses écritures. Quel que soit le nombre de mes courbettes, cela ne me grandira pas à ses yeux.

Elle arrive cette nuit-là. Elle se rapproche avec ses doigts, avec ses dents. Elle me pince, me mord, rôde dans l'ombre.

Je crie : « Mme Anholts ! » quand l'eau commence à couler entre mes jambes et trempe mon lit. « Mme Anholts ! » En entrant dans ma chambre, elle comprend ce qui se passe, ressort aussitôt et revient avec des brocs et de vieux draps. Elle roule un morceau de tissu en boule et le met de côté. Elle me fait me lever, me pencher en avant et me prend dans ses bras pendant que je me balance contre elle.

« Allons, ma petite, ma petite, ma petite…

— Non, non, non ! » Je me mets à gémir ; la douleur s'enracine.

Je voudrais ma mère ; dans mon esprit obscurci où les distances s'emmêlent, Leyde paraît aussi éloignée que les Indes orientales. Le Monsieur m'a coupée d'elle. C'est sa faute. Entièrement sa faute.

Mme Anholts me frotte le dos en faisant de grands cercles. Elle me ramène vers le lit. « Écartez les jambes. » Je m'allonge en collant mes genoux l'un contre l'autre. « Le bébé ne viendra pas si vous vous tenez ainsi ! » Elle les écarte. « Voilà, c'est bien. »

Je me cambre, mais j'ai trop mal et je dois me recoller au matelas. « Sortez-le de moi ! » Cet enfant va me dévorer, me déchirer, me couper en deux, me tuer peut-être. « Helena… » Elle essaie de m'essuyer ; je la repousse brusquement. Le bébé se présente armé de couteaux, donne des coups. Je pleure, je crie : « Monsieur ! » J'aimerais tellement qu'il soit là. Ensuite, je n'ai plus de mots, même pas son nom, seulement des sons qui montent d'une partie de moi dont j'ignorais l'existence.

Elle glisse le boudin de tissu entre mes dents. « Mordez. » Je me détourne. « Mordez ! » Elle s'agenouille entre mes jambes, les écarte, me serre la main. La douleur devient fulgurante et me coupe la respiration. Je sens qu'elle est proche, je me tords, je ne vois plus rien… Et tout à coup, elle est là. « La voici. Helena, regardez ! » Mme Anholts, les larmes aux yeux, soulève un minuscule enfant à la peau blanche et le pose sur mon ventre. « Il faut évacuer ce qui reste. » Elle pince le cordon, le coupe et libère le bébé.

Une fille. Dieu du Ciel ! Une fille. Rose, fripée, toute molle. Son petit poing s'ouvre. « Ma chérie. » Je sanglote en embrassant ses joues. Ses cheveux foncés sont pleins de sang. Je la touche et elle cligne des paupières. « Ma jolie petite fille. Ma chérie, Fransintge. *Francine.* »

Francine ouvre la bouche comme si elle respirait pour nous deux, et se met à hurler.

Eau

Elle a les mêmes yeux que lui et des cheveux qui bouclent aussi sur ses oreilles. Je la dessine en train de dormir, je coupe une toute petite mèche et la glisse dans un pli. Elle sera baptisée le 28 juillet – cela laisse suffisamment de temps au Monsieur pour recevoir mon courrier et accomplir le voyage. De ma plus belle plume, je l'informe que sur le registre apparaîtra son nom hollandais et qu'une fois baptisée, Francine sera légitimement reconnue. S'il y voit une objection, il doit m'en informer par retour.

J'ai l'impression d'écrire à quelqu'un que j'ai connu il y a longtemps, de m'adresser à mon passé. Je donne la lettre à Mme Anholts pour qu'elle l'emporte. Avant de partir, elle sort un morceau de dentelle, le garde un moment dans la main en hésitant et me le tend. Je le déplie et l'étale sur le lit, en suivant du doigt le motif qui le borde. C'était un faire-part, un *kraamkloppertje*.

« Il a servi pour mes enfants.

— Qu'est-ce qu'il est beau ! »

Je l'imagine enroulé autour du marteau de la porte d'entrée pour annoncer la naissance. Je le pose sur la table, près d'une pile de vêtements de bébé, et je prends Francine dans mes bras. J'embrasse son front en lui murmurant : « Nous, nous savons que tu es ici, c'est tout ce qui compte. »

« Il y a de la soupe et du *kraamanijs* sur le plateau. Buvez-en, cela vous fera du bien. »

Si la soupe sent délicieusement bon, la liqueur d'anis est infecte – une horrible potion amère couleur de goudron.

« S'il la voyait, il ne repartirait plus.

— Oh, Helena... Que savez-vous de lui ? »

Mes épaules s'affaissent.

« Vous avez déjà de la chance qu'il subvienne à vos besoins.

— Subvenir ! Il ne s'agit pas de ça !

— Helena !

— Pourquoi ne vient-il pas, Mme Anholts ? »

Elle lève la main. « Assez parlé. Il n'y a rien de plus à dire. »

Une fois qu'elle est partie avec la lettre, je glisse un petit morceau de papier dans la poche du *kraamklopper-tje* et je l'attache autour du marteau en le nouant bien serré pour qu'il ne s'envole pas. J'espère que ma mère aurait fait la même chose et que ses doigts, que l'émotion aurait rendus malhabiles, auraient aussi tâtonné en faisant le nœud. Je relève le heurtoir doucement et le fais retomber sur le tissu qui étouffe le son.

Maintenant, tout le monde saura : une petite fille vient de voir le jour dans cette maison – frappez doucement pour ne pas la réveiller.

Aucune objection de sa part ne me parvient ; je suis à la fois soulagée et attristée par son silence.

Le jour du baptême, l'aube se lève sur les toits de Deventer sous un ciel bas chargé de brume. Puis le soleil apparaît, aussi pâle qu'un vieux florin. Je n'ai pas bien dormi ; je ne suis pas non plus restée éveillée à l'attendre. Ce n'est pas la peine. Je ne l'entendrai pas monter l'escalier. Il ne viendra pas.

Francine remue dans son berceau. « Chut ! » Je la soulève. Sa bouche cherche le lait. Je la porte jusqu'au bord du lit et lui caresse les cheveux pendant qu'elle tète – nous sommes toutes les deux encore ensommeillées. Je l'aime, je l'aime tellement. Je sens le lien invisible qui la relie à moi, à ma mère, à la mère de ma mère. Un autre fil l'unit à une famille qu'elle ne connaîtra jamais – *sa famille à lui*. Je crois qu'elle ressemble un peu à ma mère et beaucoup au Monsieur.

Quand elle a fini de téter, je lui passe sa robe de baptême. Mme Anholts l'a fait blanchir pour retirer les moisissures ; les taches noires sont devenues brunes.

Nous nous rendons à l'église en silence. Mme Anholts tripote son châle, je marche la tête haute en portant Francine contre moi. Plus nous avançons, plus les rues sont encombrées. J'ai l'impression de plonger dans un océan de cols amidonnés ; des vaguelettes ourlées de blanc déferlent vers le rivage de Grote Lebuinuskerk. Les femmes et les fillettes portent les plus jolies coiffes que j'aie jamais vues, avec de la dentelle froncée en plis minuscules sur le front qui se déploie en éventail derrière les oreilles. Où que je me tourne, d'immenses brassées de guipure ont fleuri au soleil.

Toute la ville se rend à l'office. Ceux qui ne s'en doutaient pas déjà sauront avec certitude. *Où est le père ?* Aujourd'hui, ma petite fille, que ses cheveux bruns rendent si manifestement *différente*, va les rejoindre dans leur église. Je me répète que c'est aussi la sienne et qu'il n'y a aucune raison qu'elle en soit exclue.

Il y a du remue-ménage à l'entrée ; tout le monde se bouscule pour prendre place. Mme Anholts se met sur la pointe des pieds et m'indique qu'elle ne le voit pas. Je m'enfonce dans l'ombre aussi loin que possible. J'entends l'église se remplir – bruits de pas, sabots qui s'entrechoquent ; les rares paroissiens qui ont droit à un siège s'asseoient.

J'ai mal aux bras à force de porter Francine. Autour de moi, les gens murmurent, parlent derrière leurs mains, m'épient. Nous nous installons au fond, avec les soldats et les mendiants ; certains se reposent sur des béquilles ou contre le mur, reniflent, éternuent, gémissent. Là où je suis, je ne peux voir le pasteur ; pourtant, il me semble reconnaître sa voix. Ses paroles sont indistinctes ; le son se perd avant de parvenir jusqu'à moi. Je ne sais quand une prière se termine et quand débute la suivante. Mme Anholts vacille un peu en récitant les siennes. Je n'ai jamais été aussi consciente de l'endroit où je me trouve, de qui je suis et de la raison de ma présence ici. Il n'est pas venu ; il est loin. Ma gorge me brûle, je suis oppressée.

À la fin du service, le sacristain vient vers moi : « C'est à votre tour. » Je lui emboîte le pas, Mme Anholts à mes côtés. L'église est si silencieuse que j'entends le frottement de son habit sur les pavés. Il marche avec solennité – chaque pas nous rapproche du baptême et de Dieu. De part et d'autre, les visages se retournent, les yeux nous dévisagent. Il n'est pas parmi eux.

En voyant le pasteur, je me fige : c'est le conservateur de l'Athenaeum ! Son expression se fait plus sévère quand il me reconnaît ; il aperçoit Francine et en un instant, qui ne dure pas plus qu'une seconde, il comprend. Il fait signe au bedeau de s'éloigner et se penche vers moi ; son visage est figé au point que sa bouche bouge à peine, sa voix si faible que je l'entends tout juste.

« J'espère que ceci n'a rien à voir avec Reneri, qu'il n'est pas impliqué. »

Je suis tellement surprise que cela me rend véhémente. « Non ! Absolument rien ! »

Il me fixe et j'ai peur qu'il me renvoie, mais il joint les mains et se met à prier. Il ferme les paupières et seulement alors, je me sens libérée.

Notre secours est dans le nom de l'Éternel… Toutes ces grâces nous sont conférées quand il lui plaît de nous incorporer dans son Église par le baptême… il nous assure de la rémission de nos péchés…

Je baisse les yeux. Ses souliers, coupés dans un cuir très souple, sont parfaitement cirés. L'ourlet de son habit est régulier et ses boutons recouverts d'un tissu tellement ajusté qu'ils brillent. Son col repassé est d'une blancheur immaculée. Je sais ce qu'il faut de travail pour qu'un homme de son rang soit aussi impeccable : j'ai ciré des chaussures, cousu des boutons, repassé du lin. Je cache mes pieds sous ma jupe.

C'est pourquoi Il a ordonné le signe de l'eau, pour nous figurer que, comme les ordures corporelles sont nettoyées par cet élément, Il veut laver et purifier nos âmes….

« Qui sont les témoins ? » Mme Anholts s'avance et fait une révérence.

« Qui présente l'enfant pour le baptême ? » Je réponds : « Moi.

— Et le père ? » Il regarde derrière moi. Un murmure parcourt l'assemblée. J'entends les gens remuer, l'agitation grandir.

Je lui dis : « Non. » Pourtant, il attend ; peut-être espère-t-il qu'une voix s'élève au fond. Il répète, plus fort : « Le père ? » Pas de réaction. Il reporte alors son attention vers moi et tend les bras vers Francine. « Nous allons donc procéder sans lui. »

J'embrasse ma fille sur le front et la lui passe. Il la prend maladroitement dans un bras, recueille de l'eau avec l'autre main et la lève au-dessus de sa tête. À cet instant, un rayon de soleil tombe de la fenêtre ; on dirait que Dieu écarte les nuages. Je vois, réunis, le reflet de lumière sur l'eau et la bénédiction divine.

« Helena Jans, élèverez-vous cette enfant dans la discipline et les instructions du Seigneur ?

— Oui.

— Son nom ? Comment doit-elle être baptisée ?

— Fransintge. »

L'eau goutte entre ses doigts. J'ai peur qu'il n'ait pas entendu. « Elle s'appelle *Fransintge*. »

Il fait couler l'eau sur ses cheveux. « *Repentez-vous, et que chacun de vous soit baptisé au nom de Jésus-Christ pour le pardon de vos péchés ; et vous recevrez le don du Saint-Esprit. Car la promesse est pour vous, pour vos enfants et pour tous ceux qui sont au loin... Fransintge, je te baptise au nom du Père et du Fils et du Saint-Esprit. Amen.* »

Après un bref silence, un chœur d'« Amen ! », telle une nuée d'oiseaux s'envolant au son d'un claquement de mains, résonne dans l'église.

Fransintge – Francine. Elle a un nom. Elle est baptisée. Je crois que je vais défaillir tant mon cœur bat fort.

Le bedeau apporte le registre. « Quels sont les noms ? Le père, d'abord.

— Reyner. Reyner Jochems. »

Je l'observe écrire. À cet instant, je me dis qu'il est encore possible que quelqu'un se lève pour protester. Il poursuit sans être interrompu, tapote la plume sur l'encrier. « La mère ?

— Helena Jans. »

Il met du temps à écrire *Fransintge* et je ne suis pas sûre qu'il l'orthographie correctement.

Il y a maintenant nos noms au bas de la page : le sien, le mien, celui de notre fille, côte à côte, l'encre pas encore sèche. Nous sommes semblables à toutes les autres familles consignées dans ce cahier. J'aimerais presser ma paume sur l'encre humide pour graver les mots dans ma peau. Elle porte un nom. Elle a été présentée à Dieu.

Le pasteur prend la serviette que lui tend le vicaire et se sèche les doigts un par un, lentement, pour éliminer toute trace d'eau.

« Voilà, c'est terminé, dit-il avec froideur. En cette matière, ma responsabilité est envers l'enfant. Nous savons que tout concourt au bien de ceux qui aiment Dieu. »

Je m'incline : « Oui. Pardonnez-moi, pasteur ? »

Il se tourne vers moi.

« Je ne connais pas votre nom.

— Jacobus Revius. »

Il dépose la serviette dans un bol, fait demi-tour et s'en va. Il ne veut plus rien avoir à faire avec moi, Francine ou Reyner Jochems. Reyner Jochems ? C'est à la fois lui et pas lui. Ni mensonge, ni vérité. J'ai tiré un rideau devant Dieu, ici, dans Sa maison.

L'église commence à se vider ; les travées se remplissent de bavardages, la piété se relâche aussi rapidement qu'une ceinture après un bon repas.

« Vous avez vu l'enfant ?

— Oui. Elle a des cheveux *bien sombres*…

— Vous savez d'où elle vient : elle l'a trouvée… dans la tourbe !

— Ah !

— Cela m'étonne que le pasteur ait accepté.

— *Une traînée*… »

243

Je caresse la joue de Francine avec mon pouce. Elle cligne des yeux et suce ses doigts. Chaque fois que je la vois, je le vois. *Il l'adorerait s'il la voyait.*

Je savais qu'il ne viendrait pas ; cela ne m'a pas empêchée de rêver à une journée différente. C'est stupide de ma part. J'aurais aimé qu'il la voie. Il est à Utrecht avec ses méditations, ses livres, ses chandelles. *Oui, Monsieur, je sais ce qu'il advient de la bougie après qu'elle a fondu : elle refroidit, elle durcit et devient grise.*

Moi aussi, j'ai fait des découvertes.

Une boîte a été déposée en notre absence. Mme Anholts la pousse vers moi avec un petit hochement de tête. « Allez, ouvrez-la. »

Je tire sur le cordon qui retient le couvercle. À l'intérieur, il y a des feuilles vierges et un petit paquet enveloppé dans du papier de soie. En le dépliant, je découvre une chaîne en or et un billet :

Pour ma fille Francine, le jour de son baptême.

Je le laisse tomber. Un jour, il m'a dit : *J'ai cette vie et pas une autre.* J'aurais dû mieux écouter. J'aurais dû comprendre. Il aurait dû être là. J'en ai assez de tout ce qui aurait dû être. Je n'écrirai plus. Il viendra s'il en a envie.

Rêve

Je n'ai plus que trois lettres à dessiner dans mon abécédaire quand nous apprenons que la peste a atteint Leyde. J'aimerais tellement avoir des nouvelles de ma mère. Je n'ai aucun moyen de savoir si elle est vivante, et comment elle s'en sort si elle l'est. Je fais des prières désespérées, même si je sais que je n'ai pas à m'élever contre ce qui doit advenir. Dieu seul sait qui sera épargné. Cette angoisse est là chaque matin, elle guette toute la nuit au bord de mon lit en attendant mon réveil.

Limousin se présente après plusieurs mois pour voir Francine.

« Que voulez-vous ? »

Sans s'intéresser à moi, il tâte ses bras l'un après l'autre ; se croit-il au marché en train d'inspecter du bétail ? Il essaie d'évaluer sa taille, d'abord par rapport à son bras puis, maladroitement, en comparant avec sa jambe. Il ouvre sa bouche pour voir la dent qui est en train de sortir. Elle se tortille sur ses genoux pour s'échapper : il mériterait qu'elle le morde. Il ne me dit rien du Monsieur et je ne lui demande rien. Il m'annonce en faisant l'important :

« Tu as su qu'il y a la peste à Leyde ? Ce n'est pas là que vit ta mère ? »

Je fais oui de la tête. Il le sait très bien.

« Si elle a un tant soit peu de bon sens, elle partira. Ce n'est pourtant pas ce que prêche votre Église, à ce que je sais ? »

Il a apporté un cadeau pour Francine de la part du Monsieur : une petite robe en soie d'un bleu très sombre, ornée d'un galon brodé, qui irait à une enfant deux fois plus grande qu'elle. Une preuve de plus que le Monsieur ne l'a pas encore vue. Quel genre de nouvelles Limousin lui donnera-t-il ?

« Oh ! » s'exclame Mme Anholts en la voyant. Elle frôle le tissu sans le toucher, recourbe ses doigts comme si elle craignait de se brûler. « *Elle est magnifique !* »

C'est vrai. Sur ce fond bleu des plus délicats, est-ce que ce sont de petites fleurs blanches qui sont brodées ou des étoiles dans un ciel nocturne ? Je ne vois pas comment Francine pourrait la porter ; elle conviendrait à la fille d'un commerçant, et non à elle, qui vit dans une soupente et dort dans une alcôve. Je rends la robe à Limousin. « Non, merci. » Il la repousse vers moi en soutenant mon regard : « Je ne vois pas à qui d'autre elle pourrait aller. »

Mme Anholts s'en saisit et la glisse sous son bras pour mettre fin à la dispute. « Vous remercierez le Monsieur. »

Après avoir réuni les trente feuilles qui composent mon abécédaire, j'imagine le livre qu'elles pourraient constituer, son aspect une fois relié. Au début, je pense : *Ce n'est pas assez bon, il n'en voudra pas, je vais le garder.* Je dessine le frontispice en dernier avec pour titre : *Abécédaire poétique pour l'Instruction des enfants.* Dessous, mon nom : *Helena Jans van der Strom, Deventer, 1636.*

Je range les pages dans l'ordre, les glisse entre deux planchettes pour qu'elles ne se froissent pas et j'entoure le tout d'un lien de cuir. Je me rends d'une traite jusqu'à Lange Bisschopstraat. Le libraire n'a pas bougé ; il se tient exactement au même endroit que la dernière fois – peut-être passe-t-il ses journées collé à sa bibliothèque telle une chauve-souris ?

Je fais de la place sur son bureau en poussant les thèses sur le côté et je dépose mon paquet au milieu. « J'ai apporté ceci pour vous. » Je ne le défais pas tout de suite : je veux qu'il soit intrigué, qu'il se demande ce qu'il y a à l'intérieur.

Il tend les mains pour s'en emparer puis suspend son geste : « Allez-vous l'ouvrir ou dois-je le faire ? »

Je dénoue le lien. « Un abécédaire. Pour apprendre à lire. »

Je l'ouvre à la lettre A et je tourne les pages pour qu'il puisse voir ce que j'ai dessiné pour chacune. Il se penche, retient ma main, se penche encore plus près. « Hum. » Arrivé à la fin, il me regarde.

« Intéressant. Où l'avez-vous trouvé ?

— Cela vous plaît ?

« — Oui, beaucoup. » Il se frotte le menton. « Remontrez-moi la lettre R. »

R

~ *Rêve* ~

Ils lui répondirent : Nous avons eu un songe,
et il n'y a personne pour l'expliquer.
Joseph leur dit : N'est-ce pas à Dieu
qu'appartiennent les explications ?

Genèse 40:8

Il m'observe, perplexe. « Les rêves vous intéressent ?

— Croyez-vous qu'il puisse se vendre, monsieur ?

— Il y a probablement un marché pour cela. Comment vous l'êtes-vous procuré ? »

Je referme l'abécédaire pour lui montrer la première page. À mon avis, c'est la plus belle : j'ai dessiné une frise tout autour avec les lettres en miniature. N'est-ce pas à cela que sert un frontispice : décrire l'œuvre que l'on s'apprête à lire ?

Il fronce les sourcils en tapotant mon nom du doigt. « Oh ! C'est vous ?

— Oui.

— C'est *vous* qui l'avez fait ?

— Oui. »

Il est plongé dans le livre. « C'est bien. »

Mon cœur s'emballe. « Merci.

— Pourquoi me l'avez-vous apporté ?

— Je veux le vendre. » Sa question m'étonne : pourquoi serais-je venue le voir, sinon ?

Il me répond immédiatement : « Je suis désolé, je ne peux pas vous l'acheter. Tel qu'il est, il n'a aucune valeur.

— Il ne peut pas n'avoir *aucune* valeur.

— Je vais vous faire la démonstration. » Il retourne la page de titre. « Ainsi, il pourrait se vendre. » Je ne comprends pas. Il la remet à l'endroit, avec mon nom dessus. « Là, il ne se vendra pas. »

Il retourne la page une nouvelle fois ; mon nom est caché. « Là, oui.

— Oh !

— Aucun homme n'achètera un livre écrit par une femme. Et mon négoce consiste à vendre des livres – à des hommes. Je suis désolé.

— J'ai besoin de le vendre, monsieur. »

Il met le frontispice de côté. « Alors il m'en faudra un nouveau. Anonyme. »

J'acquiesce d'un signe de tête.

« Je vous en donnerai un florin.

— Il vaut plus que cela ! » J'y ai passé tellement de temps !

« D'un auteur *inconnu* ? Ce type d'ouvrage est toujours un risque. Je dois convaincre un éditeur, ajouter le coût de gravure des plaques, d'impression, de reliure, de *diffusion*. Apportez-moi un nouveau frontispice et je verrai ce que je peux faire. »

Pour finir, nous nous mettons d'accord sur deux florins. J'en voulais quatre. Les livres de M. Sergeant se vendaient souvent beaucoup plus que cela. Il me répond : « Je ne mets pas en doute sa valeur, mais il ne faut pas confondre la valeur avec l'*utilité*. »

Je ne veux pas que l'amertume gâche ce que j'ai obtenu : de l'argent, plus que je n'en ai jamais eu. Lorsque la peste s'éloignera de Leyde, il me permettra de rentrer chez moi.

J'attends que Mme Anholts soit partie à Apeldoorn pour la journée. Je rassemble mes affaires, enfile un manteau de laine neuf à Francine et tire la porte derrière moi. Je lui ai laissé une lettre où je la remercie de sa gentillesse et lui explique que je ne peux pas rester, que je dois faire ma vie. Je ne veux pas la passer à attendre qu'il vienne alors qu'il ne vient jamais. J'ajoute que je vais à Leyde, sans donner d'adresse.

Au dernier moment, je reprends ma liste. *Qu'il la connaisse.* Avec ma plume, je trace un trait dessus et le recouvre de hachures.

LEYDE, 1636–1637

Laine

« Prends garde à ses mains ! » Francine a rampé jusqu'au rouet de ma mère et essaie de se relever. « Surveille-la, Helena ! » Francine sursaute, retombe lourdement et se met à pleurer. « Ce ne sera pas ma faute si elle perd ses doigts ! »

Je la soulève et l'embrasse sur la joue. Dès qu'elle est dans mes bras, elle se trémousse pour redescendre. Je la repose dans le coin où je travaille et j'empile de vieilles bobines : « Tiens, joue avec ça. » Elle écarte les bras, les éparpille dans tous les sens et applaudit en criant de joie ; elle a déjà oublié ses pleurs. « À ton tour, maintenant. » Je lui donne deux bobines, qu'elle fait claquer l'une sur l'autre. Je m'accroupis devant elle et lui chuchote : « Tu as besoin de tes doigts. Un jour, je t'apprendrai à écrire. »

Ma mère montre de la tête le panier de laine que j'ai cardé ce matin. « Il vaudrait mieux qu'elle sache des choses plus utiles. » Je ne relève pas et poursuis : « Je te le promets », en remettant les bobines les unes sur les autres et en posant un baiser sur son nez. Ma mère se penche sur son ouvrage. « Faut-il que je file pour nous deux ? » Le fil semble sortir de son corps,

253

une bobine qui se déroule sans fin. Dans cette ville, beaucoup d'autres femmes ont le dos définitivement voûté.

Je cale mon tabouret et pose le pied sur la pédale ; mon humeur s'assombrit aussitôt et les fibres s'emmêlent. Je suis découragée. Je ne parviens pas à filer cette laine, alors qu'elle doit glisser entre les doigts aussi doucement que possible ; sinon, elle s'enchevêtre et fait des nœuds. Un fil irrégulier ne vaut rien. Je tire dessus, souffle sur mes mains pour les réchauffer et recommence.

En plus du filage, ma mère effectue des travaux de couture – elle fait des ourlets, ravaude des draps et de grandes pièces de tissu. Nous travaillons en silence à la lueur des chandelles jusque tard dans la nuit. Je sais que ce qui s'est passé à Amsterdam la tracasse, qu'elle le rumine souvent. Chaque fois qu'elle aborde le sujet, son ton est sec et sans appel.

« Un ivrogne à la kermesse ?

— Non !

— Qui, alors ? »

Je ne réponds pas.

Un soir, après que nous avons fini de coudre, ma mère prend une lettre sur le manteau de la cheminée, me la tend et se rassied. Je reconnais immédiatement l'écriture : *Thomas*. Elle date du *16 février 1633* : il l'a envoyée avant sa traversée de retour. Elle a été décachetée. « Le fils Joostens me l'a lue si vite que j'ai eu du mal à suivre. Dis-moi ce qu'il y a dedans, Helena. » Je tire mon tabouret près du feu et incline la feuille vers la lumière. Même ainsi, j'ai du mal à lire.

Ma chère mère,

Je suis arrivé à Batavia. Quel endroit ! J'aimerais que vous puissiez le voir. Des ouvriers venus du monde entier sont en train de bâtir d'énormes remparts. J'entends parler hollandais tous les jours – on pourrait croire que la moitié de la Hollande vit ici ! Rendez-vous compte, certains s'installent même définitivement. La vie est dure, mais le travail ne manque pas – il y a des murailles à renforcer, des canaux à creuser, des maisons à construire.

Au fond, je suis un gars de la terre. La mer, j'en ai soupé, et elle ne veut plus de moi. Est-ce que Père aurait honte de m'entendre ? Ne soyez pas triste – je vais aussi bien que possible. Vous me manquez, Mère, et j'aimerais être de retour chez nous.

Que Dieu soit avec vous,
Thomas

Je pose la lettre sur mes genoux. *Déserteur.* La raison se cache entre ces lignes. Il n'a pas besoin de l'écrire pour que je comprenne. Ma mère écrase ses larmes d'un doigt. « Je n'ai pas eu de nouvelles depuis. Il paraît qu'il y a eu des fièvres terribles, là-bas.

— Oh, Mère. »

Que lui dire pour la réconforter ? Dois-je lui apprendre que son bateau a regagné Amsterdam ?

Elle voudra savoir pourquoi il n'est pas rentré. Elle est rongée par l'inquiétude et je ne sais s'il est encore en vie : ne se serait-il pas arrangé pour revenir si c'était le cas ? Au lieu de cela, je lui parle des cartes de M. Veldman, des arbres gigantesques surmontés d'énormes feuilles, des chats aussi gros que des moutons et de toutes les merveilles que Thomas a dû admirer. En m'écoutant, elle ouvre les mains et les contemple comme si elle avait perdu quelque chose sans savoir précisément quoi.

Après un long silence, elle reprend : « J'ai à te parler, Helena. J'ai décidé d'aller voir ma sœur Margriet dans le Brabant à la Saint-Martin. Je reviendrai après Pâques. » Il y a des années, Margriet a contracté une fièvre qui a paralysé son bras et sa jambe gauche ; depuis, ils ne fonctionnent pas normalement. Jusque-là, ma mère n'a jamais paru s'en préoccuper beaucoup – Margriet a de la famille qui veille sur elle. Je ne m'attendais pas à cette nouvelle. La Saint-Martin est dans plusieurs semaines.

Elle me montre des ballots empilés dans un coin. « Voilà ce qu'il faudra filer en premier. Tu pourras rester ici pendant mon absence. » Rester ? J'avale ma salive. Cette fois, c'est moi qui baisse les yeux. « Oui, Mère. » Ma voix n'est plus qu'un murmure. « À mon retour, je ne veux pas trouver ce que j'ai laissé en partant. » Je cherche son regard. « Il faut que tu fasses ta vie, Helena : un endroit où habiter, du travail pour subsister, un homme qui accepte l'enfant – ça existe ; un veuf, par exemple. En revanche, tu ne le recevras pas ici, je ne te le permets pas. » Ses phrases s'abattent sur moi. Est-ce l'opinion qu'elle a de moi ? Les larmes me brûlent les paupières. « Avant Pâques, Helena. Un nouveau départ. Je te donne le temps. » Elle me touche l'épaule en se relevant. « Dès que tu auras terminé, remets la lettre où elle était. Je vais me coucher. »

Je me détourne quand elle se déshabille. Je l'entends monter dans son lit et tirer les rideaux. Je replace la lettre sur la cheminée, range les fils dans un panier et balaie les cendres. La fatigue me pèse, mais je n'ai pas sommeil. J'ai mal à la tête ; j'ai l'impression qu'on la serre dans une lanière de cuir.

En fermant les volets – la nuit, ce soir, est d'un bleu profond et non pas noire –, je remarque dehors des gens qui lèvent les bras vers le ciel. Je reconnais des voisins enveloppés dans des couvertures ou en chemise de nuit – d'étranges répliques de leurs silhouettes de la journée ; leur visage est d'une pâleur laiteuse dans le clair de lune. Je m'enroule dans mon châle et sors. Je m'adresse au tisserand qui habite en face : pourquoi tout ce monde ? Il me répond : « Les larmes de saint Laurent. » Bien sûr ! Avec tout ce qui s'est passé, j'avais oublié. Je n'ai donc plus de place dans mon esprit pour me souvenir de cela ? Sa femme lui donne un coup de coude pour le faire taire. « Il ne faut pas les appeler ainsi. Si le pasteur t'entendait, on aurait des ennuis. Il pourrait croire qu'on est avec les *catholiques*.

— Ton pasteur a une meilleure façon de les appeler ? Hein ? Bon, alors… »

Je les abandonne à leur dispute. Je n'ai jamais vu une nuit si claire, si étoilée. Je cherche l'astre dont

Père se servait pour naviguer. Je tire un trait, ainsi qu'il me l'avait montré, à partir d'une constellation qui a la forme d'une casserole, et je la vois : *l'étoile polaire*, celle dont l'éclat est le plus vif – *qui montre le nord*. À ce moment précis, des petits points lumineux commencent à tomber : d'abord un par un, puis en pluie. Certaines personnes se couvrent, d'autres s'agenouillent et se mettent à prier, dans la rue, sans se soucier de salir leurs vêtements ou de ce qu'on dira d'eux le lendemain. Pourtant, cela ne ressemble pas à des étincelles surgissant de l'enclume d'un forgeron. Je sens le souffle de la nuit sur ma peau. À cet instant-là, il me manque ; la sensation, semblable à un éclair lumineux ou une étoile filante, disparaît tout de suite.

Je frissonne. Que vais-je devenir ? Je pense à cet homme, ce veuf qui voudra peut-être de moi, et je frissonne. C'est alors que tout s'éclaire : *Je peux gagner ma vie ici*. Je vais faire d'autres dessins – un assortiment, pas un livre entier – pour montrer de quoi je suis capable. Il y a quantité de libraires et d'éditeurs à Leyde, ainsi que des écrivains qui ont besoin d'illustrations pour leurs ouvrages. Je dessinerai ce qu'ils me commanderont ; n'importe quoi pour gagner un florin ou deux. Et avec cet argent, je pourrai me loger. J'ai toujours ma liste en tête. Je peux assurer ma subsistance.

J'ignore ce qui maintient les étoiles en place, pourquoi certaines tombent et d'autres pas. Le Monsieur le sait certainement. Je n'ai pas besoin de lui pour comprendre qu'elles brillent uniquement parce que le ciel est sombre ; il faut qu'il fasse nuit pour qu'on les voie.

*
* *

La réponse est non, et encore non. Non, non, non, non, non. Dans chaque librairie où je pénètre, de chaque éditeur que j'interroge. Certains ne veulent même pas me recevoir, d'autres se disent désolés. Leur réponse est toujours la même : « Je ne peux pas les prendre. »

« Vous vous rendez compte de ce que vous me demandez ? » me rétorque l'un d'eux en se passant le doigt sur sa gorge. Un autre me chasse dès que je lui montre une carte que j'ai dessinée ; j'ai l'impression que le simple fait de la voir constitue une malédiction et annonce sa mort. Alors, une fois de plus, je roule mes feuilles, les entoure d'un ruban et repars en hâte. Je leur parle de mon abécédaire de Deventer – ce qui ne m'aide en rien et ne fait qu'enflammer leur indignation. Je ne vois pas comment on peut y voir un brûlot et avale ma salive.

« Le problème est double, me confie celui qui accepte de m'expliquer. Il y a d'abord votre sexe, qui est – *hum* – malencontreux et indéniable. Ensuite, vous n'appartenez à aucune corporation. Nous faisons appel à des dessinateurs, des peintres, des graveurs de premier ordre – dotés des plus hautes compétences. Employer *d'autres* personnes serait une *dilution*. Une trahison. Comprenez-vous ? »

259

Il feuillette à nouveau ce que je lui ai apporté, remue les pages, soulève une esquisse de Francine, que j'ai croquée assise de dos dans une tache de lumière, tenant une bobine. Il fait la moue, la lâche sur son bureau − et ce bruit mat met fin à son estimation. « Travail d'amateur. » Il reprend le dessin de Francine. « Je vais acheter celui-ci pour ma femme ; elle aime ce genre de choses. Si vous le vendez. »

Je hoche la tête. Il fouille dans sa poche, trie dans ses pièces de monnaie et me tend le reste. Pas le moindre florin parmi elles. J'accepte ce qu'il me propose, refais mon rouleau et noue le ruban trop fort, ce qui écrase les feuilles au milieu.

Je rentre en traînant les pieds. Le vent s'est levé. Ils ne peuvent pas savoir que j'ai utilisé pour ce travail toute ma réserve. Le papier neuf que je voudrais, acheté avec de l'argent que je n'aurais jamais, vole dans mes pensées, tourbillonne comme les feuilles d'arbre prises dans la tempête. Je vois des oiseaux, emportés par une bourrasque, montant toujours plus haut − des plumes s'envolant dans le ciel. Je me souviens de ce que ma mère m'a dit : *Il faut que tu fasses ta vie.*

Tourbe

Je le vois avant qu'il m'ait aperçue. Soudain, l'atmosphère s'épaissit et j'ai du mal à respirer. Je m'aplatis contre le mur. Sans aucun doute, c'est le Monsieur, qui parle à un homme que je ne connais pas. Apparemment, Limousin n'est pas dans les parages.

On est mardi, je suis allée au marché au beurre, et il est là, de l'autre côté de la rue. Malgré la cohue, il suffirait qu'il se tourne un peu pour m'apercevoir. Je n'ose pas bouger. Je me colle à la paroi, aussi immobile que si un cheval venait de me frôler. Il serre la main de l'homme avec qui il discutait et rentre par une porte où pend un lourd marteau de cuivre. C'est peut-être la maison d'un négociant ou d'un éditeur ; elle m'évoque celles où M. Sergeant m'envoyait à Amsterdam.

Le Monsieur. À Leyde. Je me trompe peut-être. Ce n'est pas la première fois que je crois le voir, pour me rendre compte en me rapprochant qu'il ne s'agit pas de lui. L'un d'eux, se trompant sur mes intentions, en a même ri. Je rentre les épaules en respirant lentement. Je finis par me reprendre, replace mon panier au creux de mon bras, lisse ma jupe et repars en direction de 't Sant. Je suis en retard. À ce moment-là, la porte s'ouvre et le Monsieur réapparaît. Il ne peut m'éviter : je suis sous son nez.

« Helena ! » Son visage exprime le même étonnement que le mien. Je suis incapable de parler – et c'est aussi bien. « Juste Ciel, c'est toi. » Il fait un pas dans ma direction et tend les bras pour m'étreindre. Je relève mon panier pour le placer entre nous. Il se recule un peu en soufflant, interloqué. « Helena. Laisse-moi te regarder. »

Je dois lui paraître bien stupide, plantée ainsi sans dire un mot.

« Comment te portes-tu ? *Et Francine ?* » Il sourit mais il me semble le voir chanceler.

Est-ce bien lui ? Il a tellement changé : il a maigri, ses cheveux ont blanchi et sont raides de crasse. J'ai devant moi un homme qui vit seul et ne s'attendait pas à rencontrer quelqu'un de sa connaissance.

« Elle va bien, Monsieur.

— Helena… » Il me dévisage, puis me demande : « Où est-elle ?

— Francine ? Avec ma mère. Elle est trop petite pour que je l'emmène au marché. » Une conversation en apparence banale ; pourtant, sous mes paroles se glisse une autre vérité.

« Oui, oui, bien sûr. »

Il cherche autour de lui où nous pourrions aller. La rue est noire de monde et nous sommes au milieu de la foule ; il n'y a pas d'endroit plus calme.

« Mme Anholts m'a fait parvenir la lettre que tu lui as écrite ; il n'y en avait pas à mon intention. »

Je sens le ton de reproche. L'injustice de cette phrase me rend muette.

« Je savais que tu étais ici, mais tu n'as pas donné d'adresse. »

Je lui lance un regard courroucé. Il est hors de question qu'il me traite en enfant, lui qui m'a obligée à résoudre des énigmes et à aller dans une bibliothèque pour lui envoyer du courrier ! De plus, Limousin sait où ma mère vit. N'a-t-il pas songé à lui demander ?

« Francine doit avoir grandi.

— Oui, Monsieur, elle a grandi. »

Des gens passent devant nous, qui rient, bavardent ; des mères avec leurs enfants, des couples bras dessus, bras dessous.

« Qu'est-ce qui vous amène ici, Monsieur ? » Je l'interroge comme s'il n'avait pas le droit d'être là. Il fait un geste vers le bâtiment dont il vient de sortir. « Je suis en pourparlers avec un éditeur à propos du *Discours*... Tout est en retard. Je ne pouvais courir le risque de venir ici avant d'être sûr que je serais en sécurité... après la peste. »

Son livre. Bien sûr. Ce qui compte le plus.

« Je loge près d'ici, à Rapenburg, chez Gillot. »

Je hausse les épaules. Qu'est-ce que cela peut me faire de savoir où il réside ? Il porte les mêmes souliers qu'à Amsterdam, maintenant usés et en piteux état ; ses bas sont crottés. Moi qui l'ai toujours trouvé si élégant.

« Helena. »

Son expression s'est adoucie. Pourtant, je ne veux pas m'attendrir.

« Pourquoi as-tu arrêté d'écrire ? As-tu reçu ce que je t'ai adressé ? »

Ma gorge se serre. « Vous n'êtes pas venu me voir, Monsieur. Pas une seule fois.

— Je ne pouvais pas, Helena. À mon avis, il valait mieux. »

Mieux ? Mieux pour qui ?

« J'ai appris que tu étais partie par Mme Anholts. »

En l'écoutant, tout me revient. Ce que j'ai vécu, et pas lui. Le passé est le passé – il doit être maintenu sous l'eau, noyé si nécessaire. Je plaque mon panier contre moi. « Je suis en retard, Monsieur.

— Laisse-moi marcher un peu avec toi. »

Je secoue la tête. Tout ce que j'ai à faire, c'est un pas, puis un autre, pour lui montrer que je pense ce que je dis.

« Tu dois comprendre pourquoi j'ai dû… Lorsque le *Discours* sera terminé, lorsqu'il sera publié…

— Je dois m'en aller.

— Et Francine ? Puis-je la voir ?

— Non.

— *Non ?* Helena, *je t'en prie.* » Il fouille dans sa poche et me tend une poignée de pièces de monnaie, dont certaines tombent à terre. « Voilà, c'est tout ce que j'ai – je peux t'en donner plus.

— Je travaille, Monsieur.

— Helena, s'il te plaît. »

Je fais un pas, un autre, encore un autre.

« *Helena !* »

En un seul mot, à son ton, j'entends qu'il craint de m'avoir perdue. Je continue à marcher et je m'éloigne. Je voudrais lui crier : *Elle vous ressemble trait pour trait, Monsieur. Elle sait dire* bloem, melk *et* kaas. *Et Maman. Pas Papa — pourquoi le dirait-elle ? Pourquoi le dirait-elle un jour ?*

Je traverse en direction de Borstelbrugh, là où on lave les peaux de mouton dans la rivière avant de les mettre à sécher sur les murs d'enceinte. Cette laine blanchâtre qui s'égoutte évoque des drapeaux de reddition sur les briques rouges de la ville.

Je sais que ce ne sera qu'une question de temps avant que Limousin me retrouve. Je lui avais dit que ma mère vivait au bord de Hoy Gracht. Ce jour-là, c'était la seule chose dont je voulais qu'il se souvienne. Maintenant, tout ce que je peux espérer, c'est qu'il l'ait oubliée et qu'il ne fasse pas toutes les maisons de la rue jusqu'à nous. Pendant des jours, je m'attends à ce qu'on frappe à la porte. La nuit, je l'imagine, tapi dans un coin de la pièce, et je dois fermer les yeux très fort pour qu'il disparaisse.

De ce fait, quand je le vois, j'y suis plus ou moins préparée. Il ne me prend pas par surprise, ne surgit pas de l'ombre, n'apparaît pas tout à coup sur le seuil. Il s'arrange simplement pour que je tombe sur lui, que je sente sa présence. Après coup, je comprends qu'il a tout le temps été là. Je suis au marché à la tourbe, à l'angle de De Oude Vest. Il m'accoste :

« Bonjour Helena, la petite fugitive. » Il sort sa pipe, y enfonce du tabac avec son pouce, tire dessus pour l'allumer et souffle une longue volute de fumée. Il n'est pas pressé. Il n'est pas venu faire ses courses.

Il ne me tend pas la main pour me saluer ; je ne l'aurais de toute façon pas prise. Je ne peux même pas me résoudre à lui dire bonjour. Je le sens qui m'observe pendant que j'examine la tourbe, qui me suit jusqu'à ce que je déniche la moins chère ; elle est de très mauvaise qualité, humide et molle − elle ne brûlera pas bien. Il reste à côté de moi durant mon marchandage.

« C'est ça ou rien, me déclare le marchand en haussant les épaules. Il fera froid chez moi pour que vous puissiez avoir chaud. »

Je lui tends l'argent que j'ai et remplis mes seaux à moitié. Limousin fait un pas en avant et me bloque le passage. « Ça a l'air lourd. Avant que tu t'en ailles, je dois te donner cela. » Il me tend une lettre. Aucun de nous deux ne bouge. Je jette un œil vers le pli, vers lui. Sa main ne tremble pas. « Je ne voudrais pas ajouter à ton fardeau. » Je réponds : « Pas du tout », sur un ton qui signifie que cela n'a aucune importance. À l'évidence, il ne s'en ira pas tant que je ne l'aurais pas prise, et je n'ai pas de temps à perdre à ces petits jeux. Je pose les seaux à mes pieds, attrape la lettre et la glisse dans ma poche. Il s'écarte sur le côté : « Tu vois que c'est plus simple si tu te montres *raisonnable*. » Il repart, et je reste avec mes mains sales et mes seaux de tourbe à rapporter.

Le soir, après que ma mère est allée se coucher, je sors la lettre et examine la belle écriture du Monsieur. Je pourrais la jeter au feu ; à quoi bon ? Limousin en apportera une autre. Ne pas la décacheter ne changera rien à ce qu'il y a dedans. Je brise la cire.

14 août 1636

> *Ma chère Helena,*
> *Je suis désolé que notre rencontre se soit terminée ainsi. Je touche à la fin de mon travail sur le Discours. Je serai ensuite en meilleure posture. Depuis des années, je ne sais où le destin me conduit, où mes pas vont me mener. J'aspire à une vie plus paisible. Mon esprit s'éloigne des villes où j'ai résidé ces derniers temps.*
> *Je tiens à voir Francine et te prie de venir avec elle. Mon adresse est Rapenburg, maison Gillot. Préviens-moi par un mot afin que je t'attende. Je souhaite parler de certains sujets.*
> *Ton très humble et affectionné serviteur,*
> *René Descartes*

Il commence donc par s'excuser avant de revenir très vite à lui-même. Je pose le doigt sur sa signature – c'est la première fois que je reçois une lettre portant son paraphe. Je tends les mains devant moi. Moi aussi, je peux le faire sans trembler, si je veux.

J'emmènerai Francine lorsqu'elle saura marcher.

Questions

La robe qu'il a donnée pour elle est encore trop grande. Je la raccourcis et je resserre la taille avec une bande de lin coupée dans un drap que je viens d'ourler. Au moment de partir, je noue une autre bandelette au poignet de Francine, dont je saisis une extrémité. « Allons-y ! » Elle lève vers moi un visage sérieux et tire sur le nœud. Elle comprend qu'il ne se défera pas tout seul et part en faisant des zigzags ; de temps en temps, elle s'arrête pour ramasser des feuilles mortes le long du canal et finit par en avoir un gros bouquet. Je la porte un moment, la repose si elle devient trop lourde. En haut, en bas, en haut, en bas : dans mes bras, au sol, dans mes bras.

Nous arriverons quand nous arriverons. Cela lui donnera le temps de réfléchir. Après tous les mois qu'il a laissé s'écouler, qu'est-ce qu'une matinée supplémentaire ?

« Maman !

— *Francine !*

— Maman !

— *Francine !*

— Maman !

— *Francine !* »

C'est notre jeu favori et j'adore m'amuser avec elle. Je n'ai envie de penser ni à l'endroit où nous allons ni à ce qui va se dire.

« Ga-do.

— Non : gâ-teau. » C'est son nouveau mot. Je souris, fière d'elle.

« Ga-do !

— Bonbon.

— Pip !

— Pop ! »

Elle crie de joie, bat des mains, perd l'équilibre et manque de tomber. « Attention, Francine ! » Elle se rétablit et s'essuie sur sa robe.

« Maman !

— *Francine !* »

Nous passons devant le marché aux poissons et l'église Pieterskerk ; un homme a été mis au pilori, pieds nus et sans manteau, avec à côté de lui un écriteau où l'on peut lire : FORNICATEUR. Je reprends le cordon qui retient Francine et presse le pas.

La maison, au bord du canal, est coincée entre deux imposantes bâtisses. Elle me paraît plus petite que celle de M. Sergeant, avec des ouvertures plus étroites. Je me demande s'il y a de la place pour Limousin ou s'il a dû se loger ailleurs. J'hésite avant de frapper. Je suis désormais contrainte, comme le Monsieur, de déménager de ville en

269

ville. Aujourd'hui, à Leyde, une simple porte nous sépare.

Une servante corpulente et âgée me fait pénétrer dans une salle lambrissée et me prie d'attendre. Près d'une table basse, trois chaises ont été disposées devant l'âtre. Le mobilier est simple et massif, sans ornements. Pas de livres ni de gravures, rien qui rende la pièce accueillante, montre qu'une famille ou un enfant y vivent. C'est peut-être ce qui plaît au Monsieur, à moins que cela l'indiffère. J'entends des voix dans le couloir, puis plus rien.

Une flambée crépite dans la cheminée et, après le froid de la rue, j'étouffe. Ces derniers temps, j'ai dû m'habituer à des lieux plus frais, à des feux moins fournis. J'enlève mon châle et retire le bonnet et le manteau de Francine. Elle grimpe sur l'une des chaises et tire sur sa robe qui la gêne. Je contemple les flammes en écoutant ma respiration. Peu à peu, les courbatures que je ressentais à force de porter Francine s'atténuent.

Helena, tu as du souffle et tu es forte. Pas comme un bœuf, qui peut être entêté, mais comme le vent qui gonfle les voiles, soulève les tuiles des toits et fait s'envoler les chapeaux.

Je suis tellement perdue dans mes réflexions, la lueur orangée des braises et la tempête qui souffle dans mon esprit, que lorsque la porte s'ouvre, je tressaille tel un moineau ; si la fenêtre avait été ouverte, je me serais envolée. Je me tourne, pensant voir le Monsieur. L'homme qui entre m'est inconnu. Je prends Francine sur ma hanche et la berce dans mes bras.

Il s'exclame : « Helena ! Et voilà donc Francine ! » Comment sait-il mon nom alors que je ne l'ai jamais vu ? Nous n'avons pas été présentés. Par habitude, je fais une révérence, en rougissant. Je ne suis pas une domestique. Je ne suis plus une servante. En entendant prononcer son nom, Francine enfouit son visage dans mon cou.

Il tire une chaise. « Prenez place, je vous en prie. Je suis Henri Reneri. »

Henri Reneri ? L'homme à qui j'ai adressé les lettres du Monsieur ? Reneri de la bibliothèque, Reneri d'Utrecht, le Professeur Reneri – *l'intermédiaire* du Monsieur ?

« Alors, Helena… *Helena.* À bien des égards, j'ai l'impression de vous connaître déjà. Va-t-elle jouer pendant que nous parlons ? René Descartes m'a prié d'intercéder.

— Où est-il ?

— J'ai quelques questions – peu nombreuses. » Je ne m'attendais pas à cela – le Monsieur ne peut-il pas m'interroger lui-même ? Je repose Francine et j'enroule rapidement la bandelette de lin pour en faire une balle. « Regarde, Francine ! » Je la fais rouler sur le sol pour qu'elle coure après. Je croise les mains en attendant qu'il se mette à parler. Il s'avance jusqu'à la fenêtre, songeur. « Il est toujours si difficile de croire que le temps va se réchauffer une fois que l'automne est là, n'est-ce pas ? »

Pour moi, il n'y a rien de pire que l'hiver à Deventer. Je pense à Reneri et au Monsieur, à leur entente parfaite. Ces derniers mois ont dû être tellement différents pour eux de ceux que j'ai endurés dans la soupente de Mme Anholts.

« Comment vous portez-vous, Helena ? Et l'enfant, pas d'affections ? »

Affections ? « Elle va bien, nous allons bien toutes les deux.

— Bien. Bien. »

Ma réponse lui convient, apparemment. Il garde le silence un moment ; peut-être cherche-t-il comment exprimer ce qu'il a à me dire et dans quel ordre amener ses phrases. Celle qu'il prononce alors me laisse bouche bée : « Votre âge. Quel âge avez-vous, Helena ? »

Les mots sortent malgré moi : « Quelle importance cela peut-il avoir pour vous ? »

Il réfléchit. « Votre père était marin, à ce que je sais ? Il vous a peut-être dit qu'avec le temps, la plus infime voie d'eau peut faire sombrer le plus imposant navire. Cependant, si l'on en connaît l'existence, on peut agir, la combler, la réparer. »

Que sait-il de la navigation et des voies d'eau ? « Le bateau de mon père a fait naufrage dans une tempête. Il n'y avait rien à faire.

— Mon analogie était maladroite et je suis sincèrement désolé pour la perte que vous avez subie. Votre âge, Helena… J'ai besoin de savoir. »

Je me rapproche du bord de la chaise, le dos bien droit, et lui donne le chiffre que j'ai en tête : « Dix-neuf ans. Presque. »

Je le vois compter les mois en arrière. « Vous n'avez dit à personne qui est le père ?

— À personne.

— Pas même à votre mère ?

— Mme Anholts le sait, et Limousin. Personne d'autre.

— Le pasteur Revius ? » Il hausse les sourcils. « C'est lui qui a procédé au baptême, d'après ce que je sais ? »

Comment l'a-t-il appris ? Par Mme Anholts, peut-être.

« Le pasteur Revius était au courant des lettres parce qu'elles partaient de la bibliothèque – mais elles vous étaient adressées. Il ne sait pas que le Monsieur est le père de Francine.

— Je vois. Bien. » Il est soulagé.

Pendant qu'il observe Francine en train de jouer, je l'observe moi aussi : il est élégant, sans excès – ses chaussures sont éraflées et les poignets de sa chemise usés. Ses épaules sont courbées, son dos voûté, à l'image de bien des lecteurs que j'ai vus à la bibliothèque, qui semblaient porter un fardeau. Sa lassitude vient du plus profond de son être.

« Mon épouse, que Dieu la garde, ne pouvait avoir d'enfants. » En évoquant ce souvenir, il devient immobile et fixe un point vers ses pieds.

Je comprends alors qu'elle est morte et réponds : « Je suis désolée.

— Un enfant est un don de Dieu. Vous avez de la chance. »

Je n'ai pas besoin qu'il me dise ce que je sais déjà ; malgré tout, je suis surprise qu'il se soit confié. Si je l'avais croisé dans une ruelle, je me serais effacée pour le laisser passer. Je ne sais rien de lui à part ce qu'il vient de m'apprendre. Les mots qu'il a prononcés ouvrent un passage entre nous : il s'est effacé devant moi.

« Vous travaillez ?

— Oui. » Je crois qu'il le sait déjà. « Je file la laine et je fais de la couture. Et… » Il attend que je poursuive. « Du dessin. Je dessine.

— Le filage et la couture suffisent-ils à vous faire vivre ? »

Je hoche la tête. Je ne veux pas admettre la vérité, ni lui dire que, bientôt, je devrai me débrouiller seule.

« Et il n'y a aucun autre… Comment dire… ? Aucun autre *intérêt* ? »

Je hausse les sourcils ; de quoi me parle-t-il ? Il tripote le bouton de son poignet. « Pardonnez-moi, pas d'autre *jeune homme* ?

— Jamais de la vie !

— Pourquoi cela, Helena ? »

Je n'aime pas ces questions. C'est cela que le Monsieur désire savoir ?

« Je n'en veux pas d'autre. »

Il fait une pause. « Attendez-vous quelque chose de la part de Monsieur Descartes ? »

Voilà donc pourquoi on m'a fait venir ici ? Pour s'informer sur ce que je réclame ? Sur mes exigences ? Je peux m'occuper de Francine moi-même. Je fais non de la tête.

« Souhaitez-vous le revoir ? »

Cela ne le regarde pas. Que sait-il ? Il est l'ami du Monsieur – peut-être même le seul qu'il ait.

274

« Les lettres que vous lui avez envoyées l'ont affecté. »

La colère me fait rougir. « Mes lettres ? Que peut-on savoir d'un enfant avec du papier et de l'encre ? »

Nul besoin d'être père pour comprendre cela. Je sens en lui une compassion nouvelle.

« Il est son père. Il aurait dû venir.

— Où est passée cette servante ? » dit-il sans s'adresser à moi ni même se tourner vers la cuisine. Les flammes se sont éteintes ; il tisonne le feu et projette des étincelles sur le sol. Je ne sais pas quoi dire, ni où je dois aller, mais je suis soulagée que cette étrange conversation prenne fin.

Je tends les bras vers ma fille ; tout à coup, j'ai besoin de l'avoir près de moi. « Francine, viens… *Francine.* » Elle lève la tête sans s'arrêter de jouer.

« Elle sait ce qu'elle veut. »

La voix du Monsieur me prend par surprise : j'avais presque oublié la raison de ma venue. Il se tient à la porte. Depuis notre dernière rencontre, il a peut-être réfléchi à ce qu'il souhaite car son regard s'accroche au mien sans hésiter. Puis il cherche Francine, la dévore des yeux comme un homme affamé qui s'attablerait à un banquet. Il vient vers elle, se baisse et pose un puzzle en bois à ses pieds. Il lui montre comment assembler les pièces pour former un poisson. « Tu vois ? » Il les défait et lui donne une pièce ; elle la repousse et en choisit une autre. Il lui dit : « C'est ça ! » car les deux éléments s'insèrent parfaitement. Elle en place un autre et lui

fait un sourire radieux. Il lui sourit de la même façon.
Elle s'écrie : « *Vis !* »

    « *Oui, c'est un poisson.*

    — *Vis !*

    — *Poisson.*

    — *Vis !*

    — Oui, *vis*, si tu veux. » Il rit aux éclats. C'est la
première fois que je l'entends rire ainsi.

    En moins d'une seconde, Monsieur, vous l'adorerez.

    La servante revient et dépose sur la table un plateau
recouvert d'une serviette. En apercevant le Monsieur
en train de jouer avec Francine par terre, elle ouvre
la bouche si grand qu'on pourrait y glisser une part
de gâteau. Au lieu de baisser le front honteusement,
ce qui ne ferait que la conforter dans son jugement,
je la dévisage à mon tour. Reneri la remercie, elle
fait une révérence un peu guindée et sort.

    La vue du plateau me rappelle que je dois nourrir
Francine. Je me sens lourde, gonflée, et j'ai chaud.
Le matin, mon corsage me va ; à partir de midi, il
me serre comme s'il était taillé pour quelqu'un de
plus mince que moi et je dois le délacer. Je ne peux
le faire devant ces messieurs.

    « Y a-t-il un endroit où je puisse aller ? Il faut que
je la nourrisse. »

    Reneri soulève la serviette. « Il y a ici du gâteau,
si elle veut. » Devant mon rire nerveux, il fronce le
sourcil sans comprendre. Comment le pourrait-il ?

Il n'a pas eu d'enfant. Et qu'est-ce que le Monsieur connaît de tout cela ? Dans son milieu, on fait appel à des nourrices. Je tapote ma poitrine avec deux doigts, aussi discrètement que possible. « Il faut d'abord que je lui donne…

— Ah ! » Reneri a saisi. « Je vais rappeler la servante. »

Le Monsieur se relève. « Non, pas ça. Je vais vous conduire où vous ne serez pas dérangées. »

Je le suis, avec Francine dans mes bras ; je crois qu'il va m'indiquer un recoin où je pourrai m'asseoir, mais il se dirige vers l'escalier : il m'emmène dans sa chambre.

Quand nous y entrons, il se baisse pour ramasser une chemise qui traîne par terre. Je reconnais ses livres et le coffret qui contient son horloge. Je n'imaginais pas revoir tout cela un jour. Je suis triste tout à coup. Il est libre de partir, sans rien pour le retenir, et c'est ce qu'il souhaite. Quelle est cette vie ? Logé dans une pièce ou une autre, sans autre compagnie que lui-même, ou d'autres hommes et leurs lettres – Limousin, Reneri, Mersenne. Ses documents sont empilés sur une petite table poussée contre le mur. Cette servante n'est pas très attentionnée : je l'aurais placée devant la fenêtre, là où il y a plus de lumière. Qu'importe, cela ne me concerne plus.

« Assieds-toi, Helena. Ici. » Il lisse le couvre-lit et ajoute, en me voyant hésiter : « C'est plus confortable – et propre. »

Je le regarde à la dérobée ; il est tout aussi nerveux que moi. *Nous ne sommes pas si différents après tout ;*

l'un et l'autre tel l'oiseau sur la branche. Croit-il que je vais faire demi-tour et m'enfuir ? Je dois d'abord nourrir Francine. « Maman ! » Elle ne comprend pas pourquoi c'est si long et tire sur mon corsage. J'essaie d'éloigner ses mains.

« Monsieur…

— *Ah, oui.* » Il se détourne pendant que je le délace. J'ai beau pivoter l'épaule pour l'allaiter, il se rapproche peu à peu et, pour finir, s'installe à côté de moi sur le lit.

« Elle a de beaux yeux. »

J'enroule une boucle des cheveux de Francine autour de mon doigt. D'ici un an ou deux, ils descendront jusqu'à ses épaules, comme les siens. Se reconnaît-il en elle, lui aussi ?

Tout en buvant, Francine ne le quitte pas du regard ; il lui prend la main. J'ai toujours trouvé qu'il avait de belles mains, avec des ongles bien nets, en forme de croissant. Petit à petit, elle se détend et s'assoupit. Sa bouche lâche mon sein. Alors, sans rien demander, il la dépose doucement au milieu du lit.

Cela ne m'a pas gênée qu'il observe pendant qu'elle tétait ; maintenant qu'elle a terminé, si. Je tremble en rajustant mon corsage. Je sens ses yeux sur mes doigts qui relacent les rubans. Au moment où je m'apprête à me relever, il me dit : « Reste un peu, s'il te plaît » et fait le tour du lit. Il tapote le matelas. « Je vais me mettre là. »

Je cale l'oreiller derrière moi et m'adosse. Nous sommes assis de chaque côté de Francine. Je pourrais m'endormir si je ne tenais pas autant à demeurer

éveillée. Il me caresse la joue. Je ferme les paupières.
La pièce fraîche, sa main fraîche, je suis soulagée.

« Je ne pensais pas te revoir. »

J'avais tellement envie d'entendre ces mots, et je
les déteste avec autant de force. Depuis des mois, il
ne m'a pas rendu visite une seule fois.

« Vous auriez pu venir à Deventer, Monsieur.
Vous n'étiez qu'à Utrecht. »

Il tente de m'attraper la main ; je croise les doigts
pour l'en empêcher. Du coup, il descend un peu sur
le lit, s'allonge et fixe le plafond, aussi raide qu'un
sillon dans un champ. S'il croit que je vais m'api-
toyer, il se trompe. Pendant un long moment, nous
campons dans notre neutisme. C'est lui qui a choisi
de se taire, pas moi, et je n'ai pas l'intention de briser
le silence. Je ne parlerai que s'il parle. Pour finir, je
dois m'y résoudre, sinon nous y serons encore au
printemps, enracinés dans le lit.

« Pourquoi Deventer, Monsieur ? Ma maison était
ici, à Leyde. »

Il part d'un rire brusque. « *Vraiment ?* Et si ta mère
t'avait mise à la porte ? Que se serait-il passé ? Je ne
pouvais pas − *je ne peux pas* − prendre ce risque.
Avec *mon* enfant ? *Non.* J'avais besoin que tu sois… »
Il cherche le bon mot. « *En sûreté.* Et ici, je suis
connu. »

C'est donc ça : tout tourne autour de lui. Il n'a
pas bougé, rien n'a changé dans son attitude, tout
est figé dans son esprit. Eh bien, je ne vais pas tenter
de le faire changer d'avis et je ne veux pas qu'il me
juge à l'aune de la triste façon dont il conduit sa vie.

C'est alors que je prends brutalement conscience de la terrible réalité : *Helena, as-tu encore un foyer ?*

Je vois par la fenêtre que la lumière commence à baisser ; le jour s'assombrit. J'étends les jambes. Je me souviens de ces fois où nos pieds se touchaient, mes orteils dans le creux de sa cheville. Je colle les miens l'un contre l'autre ; il me semble les avoir plongés dans l'eau froide.

« Je dois y aller.

— Non, Helena, *s'il te plaît.* » Il se frotte le front. « J'ai décidé de quitter Leyde. »

Je n'ai pas envie de savoir. Je me redresse pour descendre du lit.

« Helena, Helena… je t'en prie. *Attends.*

— Pourquoi me dites-vous cela ? »

Il fait le tour du lit et me tend une couverture. « J'ai un châle, Monsieur, et Francine a un manteau, en bas.

— Garde-la, *s'il te plaît.* J'en ai une autre. »

Il l'enroule autour de Francine.

« Tu crois que ce que je veux, c'est continuer à vivre de cette façon ? »

Je ne suis pas sûre qu'il s'adresse à moi. Ses phrases sortent d'elles-mêmes, il secoue la tête en réponse à ses propres questions ; le désespoir affaiblit sa voix. À quoi est-il dû ? C'est sa vie. Je ne veux pas le savoir.

« Je cherche une maison avec un jardin dans le nord du pays, à moins d'une journée de route – près du littoral, au milieu des dunes. Un endroit paisible où je pourrai travailler, bien entendu, *où il est possible d'être.* Peux-tu l'imaginer, Helena ? »

Bien sûr que je peux : une chaumière, la mer un peu plus loin, le vent dans les arbres, un lieu où rien n'est immobile. Il est libre d'aller où il veut. Il n'a à se préoccuper que de lui, et Limousin pour l'assister. Je caresse la joue de Francine pour la réveiller. Il est temps de partir. Je vais l'abandonner à ses rêveries et rentrer chez moi dans le noir.

« Si je la trouve, y viendras-tu avec Francine ? » Il fait un pas vers moi, me prend la main et pose un baiser sur mes doigts, comme pour sceller une promesse.

« Nous pourrions y être ensemble, Helena. Personne n'a besoin de savoir. »

J'accepte qu'il me raccompagne. Il porte Francine, drapée dans la couverture, qui tient toujours les pièces du puzzle. La fumée s'envole des cheminées en longs serpentins pâles. L'odeur de la tourbe flotte dans l'air. Il remonte Francine plus haut dans ses bras. D'habitude, c'est toujours moi qui la porte. D'abord réticente, elle finit par poser sa tête sur son épaule. Cela me donne une liberté nouvelle ; une liberté dont, à ce moment-là, je ne veux pas vraiment.

Au moment où il la remonte encore, je dis : « Donnez-la-moi », en tendant les bras. Il a une étrange manière de la tenir devant lui en guise de plastron, un bras sous elle et l'autre dans son dos. Je lui montre : « De cette façon, Monsieur », en mettant un bras sur la hanche pour qu'il voie comment je fais. Il me répond : « Je la tiens », en la soulevant à nouveau. Cela me contrarie. Il apprendra. Je laisse retomber mon bras. Je me sens nerveuse, à marcher ainsi.

« As-tu réfléchi ? » Devant mon silence, il reprend : « Viens me rejoindre, Helena. »

Je tripote le ruban de mon poignet. *Personne n'a besoin de savoir.* Cette phrase me tord l'estomac.

« Helena ? »

Il est pressant. Maintenant, il a envie de parler. J'ai l'impression d'être chassée d'un coin à un autre – d'abord ma mère, puis lui.

« Non, Monsieur, je n'irai pas.

— Non ? Quoi ? *Non ?* »

Est-ce un mot nouveau pour lui ? Qu'il n'a encore jamais entendu ?

« Non. Je suis désolée. »

Son expression est incrédule. « Désolée ? Non ? Tu ne peux pas refuser ! »

Je tape du pied. « Non ! »

Il m'attrape par le bras. « Arrête ! Arrête de dire non ! Tu préfères rester *ici* ?

— Non, non.

— Que dis-tu ? Tu ne veux pas venir ? Tu ne veux pas rester ? Ni ici ni là-bas ? Où, alors ? Où ? »

Les yeux baissés vers mes pieds et les siens, je lui raconte ce que ma mère m'a annoncé. Nous avons beau avoir le même sol sous nos semelles, nous y sommes arrivés par des chemins différents.

« Alors c'est décidé ! Viens ! Il le faut ! » Dans son esprit, la question est réglée. « Helena ? »

Les choses se passeront donc toujours ainsi? Ne comprend-il pas? Si je dois partir avec lui, cette fois, c'est moi qui déterminerai les termes de l'arrangement.

« Vous avez dit qu'il n'y a aucune raison qu'une fille ne puisse apprendre. Je vous ai montré que j'en étais capable. Francine l'est aussi. Je veux qu'elle reçoive une éducation, Monsieur. »

Son rire est plus surpris que joyeux. « Elle est toute petite!

— Si c'était votre fils, auriez-vous le même avis? »

Je sais que je prends un risque à lui parler ainsi. Il n'y a plus aucun son; les arbres au-dessus de nous ont cessé de bruire, semblent attendre ce qui va suivre.

« Je peux lui apprendre à lire et à écrire, mais il faut qu'elle sache compter, Monsieur, ainsi que vous me l'avez montré, et qu'elle connaisse les chandelles, les flocons de neige, les arcs-en-ciel, les étoiles et... »

Son rire m'empêche de continuer. « Seulement pour commencer? »

Mon cœur bat fort et pousse mes paroles dans ma gorge. « Le ferez-vous? »

J'enfonce le pied dans la poussière et tire mon châle sur mes épaules. Je n'ai pas fini de parler.

« Et si je viens, ce ne sera pas en tant que domestique, Monsieur. Je ne serai pas votre servante.

— Non. Non. Certainement. » Il y a une note d'espoir dans sa voix. Pourtant, je n'ai pas encore la réponse que j'attends.

« Le ferez-vous, Monsieur? »

Il fait noir, son visage est dans l'ombre. Il prend une profonde inspiration et souffle lentement.

« J'ai mon travail, Helena.

— Monsieur ? » Je ne céderai pas.

« Oui. Oui. »

Son ton est impatient. Je ne relève pas. Je me place sous un rayon de lune, pour qu'il me voie.

« Dans ce cas, je viendrai. »

Âtre

Rends-toi compte, Helena : la mer! La mer que je n'ai jamais vue.

Je ne regarde plus les gens de la même façon : je me demande ce qu'ils dissimulent, ce qu'ils ne disent à personne. Je sais ce que c'est d'avoir des secrets, de sentir que le sol n'est pas d'aplomb.

Après la Saint-Martin, ma mère part dans le Brabant. Il n'est pas utile qu'elle me rappelle qu'à son retour, je ne devrai plus être là. Je dois m'en aller, j'ignore encore quand. Je vends deux autres dessins à l'éditeur qui m'a acheté le premier. Limousin m'apporte des provisions, et après que le Monsieur a vu mes dessins, du papier et de l'encre. Le Monsieur me rend visite à la nuit tombée pour ne pas être vu des voisins. Avec les jours qui rallongent, j'ai du mal à garder Francine éveillée, ou de bonne humeur, jusqu'à son arrivée. Si elle pleure, il repart sans tarder. Petit à petit, elle s'est habituée à lui. Elle l'appelle Monsieur *Veer* en raison de la plume qu'il porte à son chapeau. En lui chatouillant le nez, il lui dit en français : « *Je suis Monsieur Plume !* » Il passe autant de temps qu'il souhaite avec elle, puis Limousin passe le chercher et ils s'en vont.

Nous ne pouvons quitter Leyde avant la publication de son *Discours* et il ne sait à quelle date elle aura lieu. Je le taquine : « Je croyais que vous étiez *certain* ? » Il me répond en se frappant le front : « Je le suis ! *Ce n'est pas la même chose !* » Il attend de Mersenne une autorisation. « Il est déterminé à agir à l'encontre de mes envies. » Pour moi, son ouvrage ressemble à l'objet qu'il m'a un jour décrit : des pages réunies par une reliure. Pour le fabriquer, il faut du papier, de l'encre, une presse à imprimer. Pourquoi une autorisation ? Pourquoi Mersenne ? « Cela a tout et rien à voir avec lui. J'ai besoin d'une permission de la France, *un privilège royal*. Il doit l'obtenir pour éviter que le livre soit piraté là-bas – c'est le prix que je dois payer pour avoir rédigé ce maudit texte en français. »

Une fois que le printemps est là, je cesse de plaisanter à ce sujet. J'ai mes propres préoccupations : ma mère sera de retour d'ici un mois.

Et puis, un jour, le Monsieur vient me voir en courant : « C'est fait ! » Il se met à rire, moi aussi. Son livre est publié. Nous allons pouvoir partir.

Quelque temps après, on frappe un soir à la porte. Sur le seuil, un homme titube et se retient à l'embrasure comme s'il venait d'être rejeté par la mer ou craignait d'être emporté par le vent.

« *Thomas !* » J'ai beau dire son nom, je ne peux pas y croire. « *Helena ?* » Il cligne des yeux plusieurs fois pour s'assurer que c'est bien moi. L'interrogation dans sa voix, la surprise sur mon visage : nous ne nous attendions ni l'un ni l'autre à nous rencontrer là. Il s'essuie la bouche avec sa manche et je sens une forte odeur de genièvre : il a bu.

On dirait qu'il a passé l'hiver sous la pluie. Il est maigre, vêtu de guenilles qui pourraient être taillées dans de la toile à voile usée ; sa culotte, déchirée par endroits, laisse voir des plaies couvertes de croûtes. Heureusement que notre mère n'est pas là pour le voir. *Mère !* Je me retiens de prononcer son nom.

Son regard se fait méfiant. Il tend le cou. « Notre mère est là ? » Je suis si stupéfaite que je ne prononce qu'un simple « Non ». Il est surpris, et aussi soulagé ; ses épaules se détendent. Il lâche la porte, reste en suspens. Je suis dans son passage. Le Monsieur et Francine sont à l'intérieur. Comment vais-je lui expliquer leur présence ?

« Pour sûr, j'en ai bavé sur ce bateau… il y a eu des nuits difficiles. » Il frotte sa veste, persuadé que le problème vient de là, et me fait un petit sourire. « C'est mieux ? Je peux entrer maintenant ? » Il aura beau brosser ses habits, cela ne rendra pas le tissu plus propre ; il n'y a pas de mot assez dur pour qualifier son état. « Oh, Thomas ! » Je suis au bord des larmes. *Son bateau ?* Je pense à ce qu'il a enduré, les fossés dans lesquels il a probablement dormi, tout ce qui l'a conduit jusqu'ici.

C'est alors qu'un cri retentit derrière moi, suivi d'un rire en cascade ; nous sursautons tous les deux. *Francine.* Elle ne veut pas se calmer tant que le Monsieur ne lui a pas donné sa plume, et il était en

287

train de la retirer du ruban de son chapeau quand on a frappé à la porte.

Thomas fronce le sourcil. « Qui est-ce ? » Francine rit à nouveau, puis on entend des chuchotements sonores. Il se met sur la pointe des pieds pour voir par-dessus mon épaule. « Je ne peux pas entrer ? Je ne suis pas le bienvenu ? Chez moi ?

— *Arrête !* »

Cette fois, il m'écarte. Au début, il est déso- rienté, ne comprend pas ce qu'il a devant lui : le Monsieur accroupi au fond de la pièce à côté d'un petit lit ; Francine, sous la courtepointe, tenant une plume. Lorsqu'elle se relève pour voir qui est là, il lui caresse le front pour la calmer et l'endormir. Thomas contemple tout cela comme si la pièce et tout ce qu'elle contient étaient sens dessus dessous et qu'il était le seul à se tenir à l'endroit. Lorsqu'il se tourne vers moi, il n'y a plus trace de douceur dans sa voix.

« Qui est-ce ? Où est notre mère ?

— Thomas, je… »

Il lève la main pour me faire taire, lâche son manteau sur une chaise et s'avance. Il touche la jatte, la table, le manteau de la cheminée – reprend possession des lieux. Ses yeux reviennent sans cesse vers le Monsieur. Pour finir, il me demande : « Alors, où est-elle ?

— Partie dans le Brabant. Thomas…

— Quand ça ?

— À la Saint Martin. »

Il se redresse, le menton en avant – la même atti- tude qu'avait notre père. « *La Saint-Martin ?* C'était l'an dernier !

— Oui. »

Le front plissé, il observe le Monsieur et Francine.

« Tu n'étais pas à Amsterdam ?

— Si, j'y étais.

— Tu t'es installée, à ce que je vois. *Avec lui.* »

Je rougis.

« Hein, c'est ça ?

— Non !

— Non ? Alors que fait-il là ?

— Il n'y a pas de mal à ça. » Pourtant, je sais, en le disant, que je n'ai pas respecté la volonté de ma mère.

« Elle revient bientôt ?

— À Pâques. »

Il écarte les bras : « En attendant, c'est moi qui commande, et j'ai grand besoin d'un lit. »

Il ne demande pas, il exige. Je n'imaginais pas qu'il se montrerait aussi brutal. Maintenant, il donne des ordres : le frère que j'ai perdu n'est pas celui qui est revenu. Ceci dit, je ne suis pas non plus la sœur qu'il a quittée.

« Pourquoi es-tu revenu, Thomas ? Que veux-tu ? »

Il fait la sourde oreille, dévisage le Monsieur et le défie en haussant la voix : « Qui est-ce ? J'aimerais bien le savoir. »

Le Monsieur pose un doigt sur ses lèvres et s'adresse à lui pour la première fois : « Chut ! J'essaie d'endormir cette enfant.

— Alors celle-là, c'est la meilleure ! On me prie de me taire alors que je suis chez moi et que je débarque à peine ! Un enfant ? L'enfant de qui ? »

Il ne le voit donc pas ? Faut-il que je le lui dise ?
« Tu as une nièce, Thomas.

— Depuis quand ? Et qui est le père ? *C'est lui ?*

— *Bien sûr*, c'est lui », répond le Monsieur.

Thomas fait un pas en arrière. « Un *Français ?* »

À ces mots, le Monsieur se met debout. « Je porte un nom. Vous seriez bien avisé de vous en souvenir.

— Un nom ? ricane Thomas. Eh bien, nous n'avons guère que cela en commun.

— *Je ne crois pas !* Il y a une différence. »

Thomas crache dans l'âtre. « Je ne la vois pas. Alors, dites-moi, c'est quoi, votre nom ?

— Descartes.

— Descartes ? » Il l'examine de pied en cap. « T'as vu ses habits, Helena ? Ce monsieur est de la haute. » Il y a du mépris dans sa voix. « Quoique… À en juger par ce qui s'est passé ici, pas si haute que ça.

— Thomas !

— Ah ! Je connais le genre – qui prennent de grands airs depuis leur tas de fumier. »

Ma voix tremble : « Et toi, Thomas ? »

Il me lance un regard mauvais. « *Moi ?* Quoi, moi ? »

Je frémis de ce que j'ai à dire ; je pourrais l'ébouillanter avec. « Allons, tu sais bien… »

Il se met à rire. « Il déshonore notre nom, et c'est moi qu'on accuse ! »

J'ai du mal à ravaler ma fureur. *À peine débarqué ?* Je vais lui arracher son masque. « Je sais ce qui s'est passé, Thomas. Je suis allée à la VOC, à Amsterdam. »

Là, il est surpris.

« Ils tiennent des registres, que l'on peut consulter si l'on sait où chercher. Tu pensais que je ne saurais pas ? C'est toi qui m'y as envoyée ! Souviens-toi, tu m'as dit : *Tu n'auras qu'à demander, je naviguerai à bord de l'Aemilia !*

— Toi ? Qu'est-ce que tu sais de la VOC ?

— *Déserteur*, Thomas, voilà ce qui est inscrit. *Déserteur.* » J'ai l'impression de remporter une victoire en laissant ces mots s'échapper de mes lèvres.

Il secoue la tête.

Lorsque tout finit par devenir clair pour lui, le Monsieur éclate de rire : « Eh bien ! *C'est l'hôpital qui se moque de la charité !*

— Tu es un déserteur, Thomas. »

Il recule ; d'un coup, il perd de sa morgue. Il m'apparaît alors pour ce qu'il est : mon frère, que de mystérieuses épreuves à bord de ce maudit navire ont poussé au désespoir. La satisfaction que je ressentais il y a un instant s'évanouit. J'ai envie de le serrer dans mes bras et qu'il me prenne dans les siens, mais nous ne sommes plus des enfants.

Il se ressaisit : « Notre mère ? Elle le sait ?

— Non, elle te croit toujours à Batavia. Ou en mer. Elle attend que tu reviennes….

— Alors je serai ici à son retour. Je n'ai pas d'autre endroit où aller.

— La VOC ne va pas se mettre à ta poursuite ?

— À l'enrôlement, j'ai déclaré que j'étais d'Utrecht ; s'ils cherchent quelque part, ils iront là-bas. »

C'est probablement vrai : personne ne s'est présenté.

« Que diras-tu à notre mère ?

291

— Des histoires. Que veux-tu que je fasse ? »

C'est lui qu'elle veut, je le sais. Il sera le bienvenu, de toute façon. Voudra-t-elle connaître la vérité si elle soupçonne qu'il lui raconte des mensonges ? Cela me remplit d'amertume.

Thomas toise le Monsieur d'un œil froid. « L'homme, ici, c'est moi. Souvenez-vous-en. » Il m'écarte d'une bourrade, grimpe dans le lit de notre mère, tire les rideaux.

« Maman ? » Francine pointe le nez de sous la courtepointe en se frottant les yeux et me tend les bras. Je la soulève et lui embrasse le front. « Chut, calme-toi. »

Le lendemain matin, le Monsieur revient et je fais mes bagages. Il m'annonce que nous ne reparlerons plus de Thomas et me conduit dans une petite chambre qu'il a louée, où je logerai ; lui va partir avec Limousin à la recherche d'une maison près de Santpoort. Il s'en va. Les journées suivantes, je pense à ces hommes qui avaient tant d'importance pour moi et que j'ai voulu protéger à tout prix.

Le jour où je quitte Leyde pour Santpoort, je repasse une dernière fois devant chez nous. Thomas vient à la fenêtre, me voit, mais n'ouvre pas la porte ; il reste derrière le carreau et me tourne le dos.

SANTPOORT, 1637–1639

Graines

Le coche s'arrête au bout d'un chemin de terre. Francine, qui n'a cessé de babiller depuis Santpoort, se tait tout à coup. Je n'ai pas su répondre à ses questions : « On est arrivées, Maman ? Dis, Maman, ça y est ? » « C'est la mer, là-bas ? Tout là-bas ? » chaque fois qu'elle pointait le doigt vers l'horizon.

Je ne sais pas. Je n'ai pas plus de réponses à mes propres interrogations : *Où allons-nous ? Qu'est-ce qui nous attend ?* Maintenant que nous sommes sur place, je regarde par la fenêtre et ce que je vois ne ressemble en rien à ce que je me suis imaginé depuis Leyde. Une seule chose est sûre : nous ne pouvons retourner en arrière. C'est là qu'est désormais notre foyer.

Debout côte à côte, nous découvrons la chaumière si différente des maisons hautes et étroites d'Amsterdam ; elle est construite sur deux niveaux, avec quatre fenêtres poussiéreuses, un toit incurvé qui descend très bas et une façade ventrue arc-boutée dans le sol. Tout autour, il n'y a que des champs, cernés par un rideau d'arbres et de fourrés envahis par la végétation. Même en dressant l'oreille, je n'entends pas la mer.

Le cocher décharge nos baluchons et les porte jusque devant l'entrée. Je frappe. Nous attendons. Le cocher frappe à son tour ; au bout d'un moment, Limousin apparaît et saisit nos sacs sans nous saluer ; on dirait qu'il ne prend livraison que des bagages. Le cocher bougonne en remontant sur son siège. « Un petit verre n'aurait pas été de refus… » Il tire sur les rênes d'un coup sec, fait faire demi-tour aux chevaux et repart. « C'est ça, *file* ! » lui crie Limousin en tapant dans ses mains comme pour effrayer des poules. Il va nous attendre dans la cuisine. « Il y a des lits de part et d'autre de l'alcôve. » Il a l'air content que la décision ait été prise sans me consulter. Je ne relève pas : je sais où je vais dormir. Il reprend : « Je n'ai pas le temps de bavarder », et s'en va sans dire un mot du Monsieur.

Francine court vers l'alcôve, grimpe sur le lit et passe la tête entre les rideaux en me souriant. « Viens ici, coquine. Allons visiter. » La cuisine est claire et ensoleillée ; à côté, il y a une buanderie avec une pompe à eau puis un petit office pavé, où sont entreposés un sac de farine et plusieurs pots de terre cuite contenant du beurre, du sucre, des raisins secs et des œufs. Un lapin maigrichon pend à un croc. Qu'est-on censé faire avec ?

L'étage comporte deux pièces. La plus spacieuse, à l'avant, est celle du Monsieur. Je frappe, pour le cas où il serait là ; personne ne répond. Il a laissé sa cape suspendue, ses chemises sur une chaise ; en frôlant le dossier, il me semble le toucher. Francine va à la fenêtre, revient me tirer par la main, pressée de poursuivre l'exploration. Nous passons devant la porte de la seconde chambre. La malle, au bout du lit, me confirme que Limousin en a fait la sienne.

La pièce qui donne sur l'avant, au rez-de-chaussée, est la plus surprenante : elle ne contient pas d'autre meuble qu'une grande table. Elle est froide, humide et sent le renfermé. J'ouvre la fenêtre en grand, décroche au passage une toile d'araignée. Dans les deux pièces du bas, je ne compte que quatre chaises. C'est curieux : il y en a une pour chacun de nous, mais nous devrons nous asseoir à tour de rôle si nous recevons de la visite.

De retour à la cuisine, je range les vêtements que j'ai apportés dans un tiroir sous le lit, pose ma Bible et ma broche sur l'étagère, les bobines et le puzzle de Francine dans un petit panier. Toujours aucun signe du Monsieur. En me voyant disposer ma chemise de nuit sur l'oreiller avec la sienne, Francine croise les bras : « Mon lit. C'est *mon* lit.

— Nous allons devoir le partager, ma chérie. » Trois paires de draps à laver, c'est suffisant.

« Où est Grootje ?

— Grand-mère est dans le Brabant. » Elle va bientôt rentrer à Leyde et retrouver le fils qu'elle attendait.

« Je veux Grootje. » Elle fait la moue, car elle n'a pas encore assez de vocabulaire pour argumenter.

« Nous sommes ici chez nous, Francine. Tu peux aller jouer dehors, tu en as de la chance ! »

« Il faut me dire s'il manque quelque chose, m'annonce Limousin à son retour. J'ai fait de mon mieux pour les provisions. Il y a un balai neuf, des torchons, du vinaigre pour nettoyer les carreaux.

— Et le Monsieur ?

— Oh, il marche. Il a ses habitudes. » Son air est aussi vague que le ton de sa voix.

Je pense au lapin pendu à son crochet. « Comment vais-je aller au marché ?

— Tu me diras de quoi tu as besoin et j'irai le chercher. »

Voilà donc comment cela va se passer ? Il ne m'apprend rien, ou presque ; je ne sais s'il y met de la mauvaise volonté ou s'il se contente de répéter ce qui lui a été dit.

« Du levain. » J'ai fouillé tous les pots dans l'office en vain. « Il m'en faut si je dois cuire du pain. »

À Amsterdam et à Leyde, j'allais au marché acheter de quoi préparer les repas – le pain sortant du four, le poisson, le fromage. Sur notre route, nous avons traversé une petite ville – Santpoort, probablement – sans y faire halte. Il y a certainement un marché là-bas, au moins deux fois par semaine. J'ai essayé de me souvenir du trajet, mais la campagne s'étendait à perte de vue sous un ciel immense, sans le moindre toit, clocher, ou mât de bateau pour retenir le regard. Nous sommes passés devant de grandes pièces de tissu accrochées à des cadres, et j'ai deviné qu'il s'agissait de lin. C'était une vision incroyable, cette blancheur éblouissante sous le soleil. Personne n'a levé le bras pour nous saluer ; les femmes et les jeunes filles qui travaillaient là se sont remises aussitôt à la tâche. Il flottait une puanteur pire que sur le marché aux poissons d'Oude Waegh un après-midi du mois d'août, au point que j'ai couvert ma bouche en me renfonçant sur la banquette.

À part des fermes et des moulins à vent, il n'y avait pas grand-chose à voir, aucun point de repère pour garder la route en mémoire. J'ai cessé de compter les moulins une fois que j'ai dépassé la vingtaine. Le paysage était absolument plat – passé au rouleau. Cela aurait donné une carte très simple : une piste étroite s'avançant vers la mer. Je me demandais : *Que vient-il faire ici, où tout est si visible ?*

À mesure que nous nous sommes rapprochés de la côte, les dunes sont apparues – d'abord de petits monticules de sable et de poussière, qui ont rapidement pris la forme d'épaules de bossus géants, avec çà et là des pins au tronc déformé, figés dans une danse folle. Je les ai fait voir à Francine, qui a crié de joie. Moi aussi, j'étais surprise ; nous étions toutes les deux surexcitées. Le cocher s'est arrêté pour que nous nous dégourdissions les jambes. Le sol était étrange : j'ai dû crisper mes orteils pour ne pas tomber. Francine a retiré ses chaussures et ses chaussettes et a couru dans le sable sur le bord de la route. J'ai dû la rappeler plusieurs fois avant qu'elle revienne.

La maison du Monsieur était dissimulée, au milieu de nulle part. J'avais beau la savoir proche, j'étais perdue.

J'inspecte la pièce : cet intérieur a été aménagé par des hommes pour des hommes. Il est clair que Limousin ne se soucie que du confort du Monsieur et du sien ; pourtant, dorénavant, c'est aussi chez nous. Je touche le manteau de cheminée en chêne, noir de suie. Sa chaleur me rassure.

« Helena ! » C'est sa voix. « Monsieur ! » Il tend les bras. « Tu es là ! » Il semble ne pas y croire. Soudain intimidée, je ne lui serre pas la main. En voyant où j'ai posé mes affaires, il me dit : « Tu n'es pas obligée de dormir ici. » Limousin lève les yeux ; même s'il essaie de se faire discret, il tend l'oreille. Je sais qu'il est là alors que le Monsieur ne paraît pas s'en être aperçu.

Je réponds : « Francine a besoin de moi » en la faisant venir vers moi.

« Bien sûr. Oui, bien sûr. »

Je n'ai pas de mots. Et je me rends compte que *lui non plus*.

La frontière qui nous séparait s'est-elle effacée au cours du voyage ? Pouvons-nous l'abandonner derrière nous, sur la route ? Je lance un regard à Limousin et le vois se renfrogner. J'en doute.

Le Monsieur n'a pas l'air de s'inquiéter de l'état de la maison, inoccupée depuis au moins un an – les trous dans la clôture, la paille qui a glissé du toit. Il me montre le terrain : « Il y aura des fleurs à l'avant, un potager et un jardin à l'arrière.

— Un jardin ? » J'ai de l'herbe jusqu'aux genoux,
Francine soulève des nuages de pollen en gamba-
dant : pour y voir un jardin, il faut beaucoup d'imagination. « Peut-on faire pousser de la lavande ? » Et
des roses, du chèvrefeuille, des marguerites… Je n'ai
pas d'autres idées : ce sont les seules fleurs qui me
viennent à l'esprit.

Il fouette les ronces qui poussent devant la fenêtre.
« Limousin va devoir débroussailler tout cela. J'ai
besoin d'autant de lumière que possible dans cette
pièce. »

À l'arrière, nous découvrons de vieux arbres fruitiers aux branches enchevêtrées. Aucun de nous
ne sait s'il s'agit de pruniers, de pommiers ou de
poiriers. Nous devrons attendre l'automne pour voir
ce qui en tombera. « Cela devrait nous fournir ce
dont nous avons besoin. » Je suis interloquée ; j'entrevois les semaines – non, les mois – de travail qui
nous attendent. Un jardin : il a donc l'intention de
s'installer ?

Au-delà, le chemin s'enfonce dans un sous-bois.
Il me voit tourner la tête dans cette direction : « Il
conduit aux dunes et à la mer. Je n'ai pas encore eu
l'occasion de m'y promener. » La mer ! D'un seul
coup, elle m'apparaît en pensée, limpide et bleue. Je
cueille une fleur de pissenlit et souffle sur les graines,
que le vent emporte et fait disparaître dans les herbes.

Des échappées de soleil pâle transpercent les
nuages. Limousin est parti poser des pièges pour les
lapins. Le Monsieur veut que je l'aide à réparer la
clôture. Il remet le poteau en place, je le maintiens

pendant qu'il enfonce un clou, puis un autre, à coups de marteau. Les vibrations se répercutent tout le long de mon bras. « *Bon, c'est mieux.* »

Le Monsieur passe les après-midi de la première semaine à nettoyer le terrain autour de la maison. Jusqu'alors, je l'ai toujours vu bien habillé, des manches jusqu'aux poignets et des bas jusqu'aux genoux ; maintenant, sa chemise reste ouverte. La tâche est éprouvante, il fait chaud et nous devons tous y prendre part. Je regroupe les mauvaises herbes avec un râteau et Francine m'aide à les porter au fond du jardin. Une fois que le sol est bien éclairci, le Monsieur et Limousin se mettent au travail en silence : ils bêchent et retournent de grosses mottes de terre noire pour mettre à nu une grande parcelle rectangulaire.

Pour la suite, ce sera à moi de jouer : il nous faut des oignons, des choux, des carottes. Comment faire pousser quelque chose dans cette terre ? Je sème des graines de plantes délicates – laitues et aromates – et je chasse les moineaux qui affluent. Francine ramasse des vers, les cache dans la poche de son tablier, et je les découvre en lavant sa robe. Mes mains sont couvertes d'ampoules, de crevasses, de durillons. Je me couche éreintée, me réveille raide et endolorie, pour finir la journée encore plus fourbue. J'avais prévu de dessiner les plantes au fur et à mesure de leur croissance, mais je n'en ai pas le temps. Je croque quelques esquisse de graines avant les semis – ce ne sont guère plus que des points sur une feuille.

Limousin rapporte du marché des plants de fraisiers et des poireaux aussi fins que des brins d'herbe. Il creuse un trou avec une baguette, enfonce un poireau et l'arrose. « Voici comment on procède : l'astuce consiste à remonter la terre tout autour ; ainsi, la partie qui pousse dessous reste blanche. J'aime les poireaux mijotés dans du beurre jusqu'à ce qu'ils soient tendres. » Je mets toutes les graines en place et la parcelle se couvre de verdure au point qu'on ne voit plus la terre. Je suis surprise que cela sorte si vite et en telle quantité. Il y a plus de plantes que je n'en ai semées : comment reconnaître les bonnes ? Même avec mes croquis, je ne vois rien de commun avec les graines. Je n'ai plus qu'à deviner où sont les mauvaises herbes.

Ce sont les haricots qui grimpent le plus haut. Pourtant, très vite, ils se flétrissent et noircissent. En les observant de près, je découvre que leurs tiges sont remplies de moucherons verts et noirs, poisseux, prêts à éclater. Je déterre tout et recommence ; ils reviennent. J'en conclus que Dieu ne souhaite pas que nous ayons des haricots. Les moucherons sont-ils une épreuve – pour les légumes et pour moi ? Je demande à Dieu de me pardonner pour ce que je vais faire, et je les écrase entre le pouce et l'index, en prenant garde à ne pas casser les tiges ni montrer mon dégoût. Je déteste leur contact, et ils tachent mon tablier quand je m'essuie les doigts. Le Monsieur éclate de rire en voyant ma répulsion, mon tablier sali. « Tu es vraiment surprenante, Helena. » Je dois avoir la bouche ouverte, puisque je la referme. De quoi ai-je l'air, debout dans cette pauvre parcelle, la jupe relevée, de l'herbe jusqu'à la taille, les doigts pleins de moucherons ? Je repousse les cheveux qui me couvrent le visage, et la pluie se met à tomber – une pluie fine et tiède, exactement ce qu'il faut pour que tout pousse. En me baissant vers mes haricots et les moucherons que je vais éliminer, avec l'ondée qui me mouille les épaules et le dos, je me dis : *Je me surprends moi-même, Monsieur.*

Les haricots finissent par fleurir – quatre rangées de fleurs pourpres que butinent les abeilles. Je pourrais me mettre à danser : nous allons avoir des haricots ! Je les ferai sécher ; une bonne récolte nous fournira de quoi manger cet hiver. Après, je marche la tête haute, comme si je maîtrisais l'art de porter les haricots en équilibre.

Un jour, agenouillée dans le jardin, je pose les mains sur la terre. J'aimerais sentir ce qui pousse dessous ; je ne sens rien d'autre que les pattes d'un scarabée sur mon bras. J'écris *Monsieur* sur ma paume avec de la terre mouillée, l'efface avec le pouce.

Les pluies fréquentes ont fait grossir les pommes, les prunes et des fruits durs et irréguliers que je ne connais pas ; j'en cueille un pour croquer dedans, et le recrache aussitôt. Limousin m'apprend que c'est un *coing – kweepeer*. Il s'étonne qu'il y en ait à cette latitude ; pour lui, ce fruit est aussi français que la lavande et a besoin de soleil. Je lui réponds sur un ton pincé : « Presque tout pousse ici. » Il me rétorque :

« Il doit être plus rustique que je ne pensais, et un arbre ne fait pas un verger », avec une expression aussi acide que le fruit qu'il porte. Au cours des semaines suivantes, les coings prennent en mûrissant une belle couleur jaune et dégagent un fort parfum de miel. Pour ne pas me faire prendre à nouveau, je les ramasse en dernier.

À l'occasion du deuxième anniversaire de Francine, nous dégustons des fraises, de la salade et de petites carottes revenues dans du beurre, qui ont une étonnante saveur sucrée. En terminant son assiette, le Monsieur essuie le beurre avec un morceau de pain : « Délicieux ! » C'est vrai qu'elles sont fameuses. Limousin, quant à lui, garde sa plus grosse fraise pour la fin. Je réfléchis déjà à ce qu'il faudra planter : cet hiver, nous aurons besoin de panais et de betteraves, de chou frisé, de chou vert et d'épinards.

Je sais ce que je ressens quand je le vois, et mon sentiment balance d'un côté, de l'autre. La nuit, je suis seule avec mes pensées et je m'oblige à les retenir, à les empêcher de s'emballer. *Voilà* ce que nous avons : une chaumière au milieu des dunes, avec un toit criblé de trous et des carottes où les vers ont creusé des galeries.

Sang

Je n'arrive pas à comprendre comment tant de gens peuvent savoir qu'il est l'auteur de ce livre alors que son nom n'est pas dessus. Deux fois par semaine, Limousin va à Santpoort ramasser le courrier. À son retour, sa sacoche déborde de réactions, d'objections, d'éloges – surtout des objections, apparemment.

Le Monsieur a prévu de consacrer ses après-midi à ses méditations et ses matinées aux observations et travaux pratiques dans la pièce de devant. Il y est pourtant rarement, car il passe le plus clair de son temps dans sa chambre, à répondre aux lettres apportées par Limousin. Le soir, si Francine est encore réveillée, il lui fait la lecture. Parfois, je l'entends par l'escalier lui chanter des airs français ou lancer sur le plancher des petits galets qu'elle a ramassés et dont il se sert pour lui apprendre à compter.

Un jour, il me déclare : « Il me pousse des poils blancs sur le crâne. » Je me retiens de lui rétorquer que ce n'est pas nouveau. Quand Limousin revient avec un nouveau paquet de missives, il commente : « Je n'ai jamais été moins inspiré pour écrire qu'en ce moment. » Cela ne l'empêche pourtant pas de répondre à chacune d'entre elles.

Je lui monte du pain et de la soupe tard le soir, s'il me le demande ; jour après jour, je le trouve courbé sur ses pages, lisant à la lueur d'une bougie. Il me montre ce sur quoi il travaille : un long texte sur les roues dentées et les poulies, aux illustrations maladroites. Parfois, il est endormi.

Je touche son épaule. « Monsieur. » Il se redresse et m'attire vers lui, pose la tête sur mon ventre, m'étreint en enfouissant son visage dans ma jupe. Il voudrait que je vienne plus près ; je le repousse : « Non. Monsieur, non. »

Je le laisse à son bureau et descends dans le jardin. L'automne est là et le ciel est rempli d'étoiles. Je l'entends arriver derrière moi. Sa bouche cherche la mienne ; nous trébuchons dans l'ombre et mon dos heurte un tronc d'arbre. Il relève ma jupe, se glisse entre mes jambes, se presse contre moi.

« *Non.* »

Il pose son front sur le mien. « Helena. Je le vois aussi dans tes yeux.

— Monsieur, pas cela. Francine…

— J'ai envie de toi. J'ai envie de toi. »

J'ai la gorge nouée. Si j'ai un autre enfant, que se passera-t-il ? Et si je me refuse, que se passera-t-il ? Il m'embrasse dans le cou, le long de ma clavicule. « Viens dans mon lit. *Viens.* »

Je ne veux pas être ce qu'il veut, pas devant Limousin. Et Francine ?

« Je ne peux pas. »

307

Sa bouche sur mon oreille, sa voix rauque. « Je te l'ai déjà dit : pas ces mots avec moi…. et si ce n'est dans mon lit, alors ici. »

Il s'agenouille, relève ma jupe et pose la bouche à l'endroit où il s'est collé contre moi. Il écarte mes jambes avec les siennes et m'embrasse. Dieu va nous voir. Je ferme les yeux de toutes mes forces. Ensuite, il n'y a plus que cette sensation qui grandit en moi sous ses baisers. Il pousse avec ses doigts, m'embrasse encore et encore, l'obscurité m'envahit, je sens que je tombe en arrière dans le noir.

Au bout d'un moment, il se redresse et me tient jusqu'à ce que je sois immobile. Je l'attire contre moi et l'enlace, puis je le sens en moi, et l'arbre, dur, dans mon dos. *Oh mon Dieu, il va y avoir un enfant, il va y avoir un enfant, il va y avoir…*

Trois jours plus tard, mes menstrues sont là. Je saigne.

J'aimerais comprendre ce que signifie ce sang, pourquoi je suis si abattue. Il s'est arrêté lorsque Francine grandissait dans mon ventre et pendant quelque temps après sa naissance. *C'est ce qui arrive quand on allaite*, m'avait dit Mme Anholts. Après, il est revenu. Je compte les jours, prépare des serviettes pour ne pas tacher mes vêtements.

C'est la semence de l'homme qui donne vie à l'enfant – à l'image du petit bois qu'on enflamme ; après, le sang menstruel cesse. Ce qu'est l'enfant avant de sortir, je l'ignore. Peut-être un objet minuscule, mais parfaitement formé, de la taille d'un petit pois. Aurais-je en moi des quantités de bébés-petits pois attendant qu'il soit temps de se développer ? J'examine le sang sur la serviette. Il n'y aura pas d'enfant. Est-ce que la semence est morte ? Est-ce que le bébé-pois meurt aussi ?

J'ai mal au dos, je fonds en larmes le jour où je casse le pot à lait, alors qu'il est déjà fendu et que ce n'est pas une perte, puis je ris d'avoir pleuré. C'est peut-être le mauvais moment ; il y a peut-être dans mon corps quelque chose de néfaste avant que les saignements commencent, qui empêche le bébé d'exister, même si la semence est en moi. Le frère de mon père et sa femme n'ont pas eu d'enfants, Reneri non plus ; l'épouse de M. Beeckman en a eu sept.

Je compte les jours – un peu plus de vingt avant mes menstruations, la prochaine fois que sa semence ne prendra pas. Quand il vient derrière moi et me caresse les seins, je lui dis : « Pas encore. » Il faut qu'il apprenne, lui aussi, qu'il connaisse les rythmes et ce que cela veut dire. À la fin de l'automne, il a compris : la semaine qui précède mes saignements, il envoie Limousin à Utrecht ou à Amsterdam et dès que Francine est endormie, je vais le rejoindre.

Si je déteste ces écoulements de sang, je les comprends : ce n'est pas seulement la semence de l'homme qui fait les enfants ; il se passe aussi quelque chose en moi.

Je compte les jours. Je ne me refuse pas à lui.

Tulipes

En novembre, le Monsieur rentre du marché de Haarlem accompagné d'un chien. En lui frottant les oreilles, il nous raconte : « C'est lui qui m'a trouvé : il nous a suivis sur une longue distance avant qu'on l'autorise à monter. Je crois qu'il nous a adoptés. » Le chien remue la queue, se gratte l'oreille et s'allonge par terre, le museau entre les pattes.

Francine s'écrie : « Mon chien ? S'il vous plaît ! » Elle s'assied à côté de lui et passe les bras autour de son cou. « Mon chien. »

Le Monsieur sourit. « S'il décide de rester, il est à toi. »

Francine pousse un cri de joie et pose la tête sur celle du chien. « Comment il s'appelle ? »

Le chien lèche sa patte, se gratte à nouveau.

« *Il s'appelle Monsieur Grat* », répond en français le Monsieur, ce qui fait rire Limousin.

« Monsieur Grat ! Monsieur Grat ! Monsieur Grat ! » Elle saute sur ses pieds et se met à gambader autour de lui en chantant à tue-tête : « Monsieur Grat ! »

Limousin se tourne vers son maître : « Celui-ci n'est pas destiné à être découpé, Monsieur ? Vous n'allez pas examiner ses entrailles ?

Les yeux de Francine s'agrandissent, horrifiés. « Non !

— Oh, c'est qu'il le ferait ! » Limousin se penche en avant, amusé. « Il ouvre le ventre, l'écarte et…

— *Ça suffit !* », coupe le Monsieur, si brusquement que nous sursautons tous.

Limousin se raidit. « *Je m'excuse, Monsieur.*

— *Êtes-vous complètement fou ?*

— *Pardonnez-moi.* »

Le Monsieur se baisse à la hauteur de Francine. « Monsieur Grat est à toi. » Il lui relève le menton. Elle le regarde, encore un peu méfiante. Il lui sourit et essuie ses larmes. « Ne pleure pas. À ton avis, est-ce que ce nom français lui va bien ?

— Oui, répond-elle en reniflant.

— Tu devras lui apprendre les bonnes manières parce que je suis sûr qu'il n'en a aucune et qu'il va essayer de voler la nourriture dans ton assiette. Il faudra aussi le dresser à venir lorsqu'on l'appelle, sinon il repartira à Santpoort. Limousin va lui faire une laisse avec une corde. »

« Monsieur Grat ! » Elle l'appelle en tapant sur sa cuisse. « Monsieur Grat, *viens* ! »

Le chien se redresse, s'étire et la rejoint d'un pas lent. Il lui arrive à l'épaule. Pourtant, ce n'est pas lui que nous fixons, c'est Francine : elle vient de prononcer son premier mot en français. Elle se tortille, intimidée, sans comprendre pourquoi nous lui accordons tant d'attention.

Limousin enfonce les mains dans ses poches. « Viens, on va chercher ça. »

« Il est vraiment bête parfois », me dit le Monsieur une fois qu'ils sont sortis.

J'aimerais tant que l'on se passe de lui. Je sais aussi que c'est impossible.

*

*   *

Très vite, les vêtements de Francine deviennent trop petits et, avec l'hiver qui vient, elle va avoir besoin de galoches. Limousin a beau se plaindre de la quantité de courses qu'on lui demande, je lui confie ses vieilles bottines pour qu'il les emporte au marché et en achète de plus grandes.

À son retour, je déballe une paire de chaussures qui conviendraient à un enfant de dix ans. Il hausse les épaules : « J'ai fait ce que j'ai pu. » Il n'a pas été beaucoup plus heureux dans le choix du tissu pour une nouvelle robe que je veux coudre pour Francine : le lainage est grossier, juste assez bon pour le tablier d'une servante. Il ajoute : « Pas de dentelle » avant que j'aie le temps de lui poser la question, et revient avec une autre caisse. « J'ai failli oublier. Le Monsieur voulait que je prenne ça. Pour toi. »

Je n'attends rien du Monsieur. En l'ouvrant, je découvre une petite casserole en cuivre, un pichet et huit assiettes ornés d'un motif de bateaux bleu et blanc, un pomander garni de lavande, et tout au fond, une petite boîte contenant trois bulbes de tulipe dans un nid de paille. J'en ai le souffle coupé. « Ça alors ! » s'exclame Limousin, et je ne sais lequel de nous deux est le plus surpris. Sur un petit papier qui entoure les bulbes, il est recommandé de les planter, à une main de profondeur ; ils pousseront pendant l'automne et l'hiver. Je le replie. Le Monsieur pense déjà au printemps.

Limousin prend une pomme et mord dedans.

« Il vaudrait mieux que ce soit moi qui aille au marché la prochaine fois.

— Je doute que cela soit possible. Ceci dit, ce n'est pas moi qui décide. Tu n'auras qu'à en parler avec le Monsieur. » Il fait retomber la pomme entamée dans le plat.

Le Monsieur ne dit pas non ; il ne dit pas oui non plus. Je comprends que nous devons être prudents, qu'il tient absolument à protéger sa tranquillité. « J'ai mis du temps à dénicher ce logis. Je ne veux pas courir le risque de le perdre. » Je dois lire entre les mots : on nous remarquera. Même si j'y vais avec Francine, on posera des questions. Les gens voudront savoir qui nous sommes, d'où nous venons, pourquoi nous nous sommes installés ici. Et ils ne se contenteront pas d'une seule question.

« Explique bien à Limousin ce dont tu as besoin et il le rapportera.

— Oui, Monsieur. »

Je ne veux pas paraître ingrate.

La plupart du temps, je suis très heureuse.

Les lettres affluent toujours. Il dresse la liste de ses correspondants et conserve des copies de ses réponses. Il écrit à Mersenne, ainsi qu'à Plemp, Vatier, Huygens, Reneri, Pollot, Morin, Hoghelande, Debeaune – des noms qui semblent surgir des cartes de M. Veldman. Je me les représente en pots à épices : Debeaune, c'est la vanille ; Morin, le clou de girofle ou la noix de muscade ; Vatier, un produit piquant et fort – le tamarin ou le citron confit ; Plemp, que Dieu me pardonne, je ne peux l'associer qu'à la graisse d'oie.

Je fais la cuisine, le ménage et m'occupe de Francine. Limousin va au marché et à la pêche avec le Monsieur ; ils posent des collets pour les lapins ; après les premières gelées, c'en est fini des anguilles jusqu'à la débâcle. Le matin, je mets le pain à cuire ; l'après-midi, je sors dans le jardin préparer la terre pour le printemps. Nous avons six poules dans le poulailler et suffisamment d'œufs pour confectionner des gâteaux. Une fois par semaine, je fais du fromage avec le lait que Limousin rapporte du marché.

Tous les jours, le Monsieur et Limousin vont se promener. Je dois ravaler mon envie quand je les vois partir. Je ne sais toujours pas à quelle distance est la mer.

Et je ne peux toujours pas aller à l'église. Le Monsieur m'a dit, la main sur le cœur : « Cela ne signifie pas que Dieu n'est pas en nous, dans nos paroles et dans nos actes. » Je lis ma Bible et en fais la lecture à Francine ; nous prions toutes les deux, et parfois avec lui. Nos prières sont différentes ; elles se fondent l'une dans l'autre comme la fumée dans le brouillard et Francine apprend les deux.

Le matin, elle saute du lit avant que je puisse la rattraper, se précipite dans sa chambre, le réveille et le tire jusqu'au rez-de-chaussée, encore tout endormi, en jacassant pour deux. Elle annonce : « Petit déjeuner » et apporte le pain de la veille sur la table. « On ne peut pas passer sa journée au lit ! » Elle mâche sa tartine en le dévisageant. « C'est du temps perdu.

— Francine ! » Je ne peux pas vraiment la reprendre ni la réprimander car elle ne fait que répéter ce que j'ai l'habitude de lui dire. Il lève la main en bâillant pour signifier qu'il se rend.

Je plante les bulbes sous le pommier. Lorsque les tulipes fleuriront, elles seront magnifiques. Je sais la chance que j'ai de les posséder.

*
* *

L'annonce que Reneri va nous rendre visite met la maison en émoi ; j'ai l'impression qu'on a lancé tout son contenu dans les airs et que je dois le récupérer avant qu'il retombe. Le Monsieur commande du vin et de l'eau-de-vie à Amsterdam et les fait livrer à grands frais. Il prépare leur programme dans les moindres détails et ne peut se concentrer sur quoi que ce soit pendant les jours qui précèdent sa venue.

« Il faut que nous lui réservions le meilleur accueil. La mort d'Anna l'a rendu très malheureux. » Je revois le jour où j'ai fait sa connaissance à Leyde. Il y avait de la tristesse en lui, mais aussi de la gentillesse, qui venait peut-être de la perte qu'il avait subie. Il ne m'avait pas jugée.

Ce sera notre premier visiteur. Il logera dans la chambre de Limousin, ce qui implique que ce dernier va occuper le second lit de l'alcôve. Je ne peux pas y échapper. J'espère qu'il ne compte pas sur moi pour que je lui fasse la conversation – ni que je boive avec lui : tous les soirs, il monte un pichet de vin dans sa chambre et le rapporte vide au matin. Il prétend que cela lui réchauffe le sang. Où va-t-il boire désormais ? Dans la cuisine, avec moi.

Reneri arrive en même temps qu'une tempête de neige, qui a recouvert le jardin et enseveli les légumes d'hiver – choux et poireaux – sous une croûte gelée ; les poules refusent de quitter le poulailler. Lorsqu'il apparaît sur le pas de la porte, le Monsieur lui donne une accolade. « Reneri ! Entrez ! Entrez ! » Je ne l'ai pas vu depuis Leyde, et je ne suis pas préparée à le trouver aussi changé : il a pris dix ans et est voûté comme un vieillard. Une fois qu'il a retiré son manteau et son écharpe, je me rends compte qu'il a aussi beaucoup maigri. Il me prend les mains :

« Helena, je suis tellement heureux de vous voir. »
Sa poigne est si légère que ses doigts paraissent vidés
de leur substance.

Le Monsieur le mitraille de questions. « Entrez,
entrez. Vous êtes venu seul ? Vous n'en avez parlé à
personne ? Bien, bien. Helena, apporte-nous à boire.
Nous mangerons ensuite.

— Oui, Monsieur. » Je le décharge de sa pelisse,
de son écharpe de fourrure, de ses gants et de sa
couverture. Que va-t-il rester de lui ?

Le Monsieur le fait entrer dans la pièce de devant ;
j'ai allumé un feu et fermé la porte et les volets pour
garder la chaleur à l'intérieur. J'apporte deux chaises
et des boissons chaudes, et je les laisse. *Rien ne change.*
Je fais ce que je fais et il en est satisfait.

Limousin monte la malle de Reneri sur son épaule,
ainsi qu'un paquet de livres. « Je ne sais pas combien
de temps il compte séjourner ici. » Moi si, car le
Monsieur me l'a dit. Je suis surprise que Limousin
ne soit pas au courant.

« Cinq semaines.

— Cinq semaines ? » Il est accablé.

J'insiste, car je sais que cela l'accablera encore
plus : « Au moins. »

Ce soir-là, le Monsieur et Reneri dînent ensemble
dans la pièce de devant, me demandent de leur apporter du vin et s'enferment. Dans la cuisine, Limousin
retire ses bottes, étend les jambes devant le feu et

casse des noix en faisant tomber les coquilles par terre. Je m'assieds sur une chaise aussi éloignée que la politesse me le permet. Francine grimpe sur mes genoux. Ses cheveux me chatouillent le menton.

« Raconte-moi une histoire, Maman.

— Eh bien… »

Limousin est plongé dans ses pensées. Je murmure : « Il était une fois, il y a très longtemps, une petite fille… » Francine se détend contre moi en poussant un soupir. C'est notre histoire, celle qu'elle préfère.

« C'était une petite fille très heureuse – la plus heureuse des petites filles, et tout le monde l'aimait.

— Elle habitait où ?

— Elle habitait dans une maison avec sa maman et son…

— Elle était gentille, Maman ?

— Elle était très gentille. Elle était serviable et souriante, sa maman l'aimait, Monsieur Grat l'aimait, les poules l'aimaient. Les poules l'aimaient beaucoup et pondaient pour elle de gros œufs délicieux.

— Les vers de terre, ils l'aimaient ?

— Bien sûr, même les vers de terre, qui gigotent dans tous les sens, l'aimaient. » J'entortille ses cheveux autour de mes doigts. Elle se contorsionne sur mes genoux en gloussant.

« Et le Monsieur, il l'aimait ? »

Je chuchote à son oreille : « Bien sûr, qu'il l'aimait.

— Elle s'appelait comment, Maman ?

— Ça, c'est une très bonne question. Elle s'appelait Francine et te ressemblait beaucoup. »

318

Elle arrête de bouger et se redresse au moment où une pensée lui vient. « Francine : de France !

— *France ?*

— Je suis France. »

Je lui réponds en riant : « Non, tu n'es pas France ! » J'hésite en la voyant surprise. J'étais sûre de son nom quand je l'ai choisi : *Francine – de France, un être libre.* « C'est un nom français et hollandais. »

Elle bat des mains. « Comme le Monsieur ! Comme Maman !

— Ah, pitié ! s'exclame Limousin. J'en ai assez entendu. » Il enfile ses bottes, s'emmitoufle dans son manteau, remplit sa pipe de tabac et sort en claquant la porte.

« Tu sais, Maman, je l'aime pas.

— Chut ! C'est sa façon d'être… Et il est l'heure d'aller se coucher pour les petites filles qui ont sommeil. »

Je la mets au lit, tire les rideaux et me pelotonne contre elle. Elle me dit tout bas : « Maman, le Monsieur est mon oncle maintenant.

— Ah bon ? » Je m'efforce de ne pas montrer ma surprise. Que lui a-t-il dit ? Son oncle ? *Son oncle ?*

« Monsieur Oncle.

— Simplement "mon oncle", si c'est bien ce qu'il t'a dit. *Oncle.* » Je répète le mot pour le retenir, mais je sens qu'il s'échappe déjà.

« Toi, tu l'appelles Monsieur ?

— Oui. » Ce sont des questions que je n'attendais pas si tôt.

Francine se tourne vers le mur en répétant : « Mon oncle, mon oncle, mon oncle… » Elle se rassied et ouvre les bras : « La France est grande, Maman, aussi grande que ça.

— C'est vrai ?

— C'est mon oncle qui l'a dit. »

Elle est songeuse. « Je peux y aller, Maman ?

— En France ? C'est loin, Francine. Très, *très* loin d'ici.

— Je reviendrai.

— Allez, suffit. Ta maison est ici.

— Maman ?

— Chut, Francine, dors. »

Limousin revient un peu plus tard. Je l'entends se verser un verre de vin au pichet, faire grincer sa couche de l'autre côté de l'alcôve. À l'étage, Reneri tousse. Un profond silence descend sur nous, comme si la neige avait recouvert nos lits. Je cherche le sommeil. La France est aussi éloignée que la lune, aussi proche que la lavande dans le jardin.

Francine respire bruyamment à côté de moi et je me rends compte que je retiens mon souffle.

La nouvelle année débute par une journée ensoleillée, un ciel si pur qu'il fait mal aux yeux. Il n'a pas neigé depuis plusieurs jours et, si l'on est prudent, on peut emprunter le chemin qui longe notre terrain. Le Monsieur et Reneri ont passé la semaine à discuter dans la pièce de devant, et même le Monsieur a probablement envie de s'aérer. Ils m'annoncent qu'ils vont faire de la luge et emmener Francine avec eux.

« Si tous vos livres ne vous tuent pas, Henri, ils sonneront ma fin », lance le Monsieur en pénétrant dans la cuisine. « Combien en possédez-vous ?

— À peu près un millier. Plus un, avec le vôtre.

— Mille et un livres ! Bonté divine ! Et vous vous plaignez de ne pas avoir d'argent ! » Le Monsieur ouvre la porte donnant sur l'arrière. « Elle est là, ma bibliothèque !

— Assurément, René, vous avez fière allure, devant une bibliothèque de neige. »

Je noue une ceinture autour du manteau de Francine, lui enfile des mitaines et enfonce sur ses oreilles un bonnet que j'ai bordé de fourrure de lapin. « Il te tiendra chaud. » Je l'embrasse sur le nez et la tend à bout de bras ; j'aimerais la graver dans mon esprit. Je donne une couverture au Monsieur, qui la repousse : « Elle n'en aura pas besoin. »

Il tend la main à Francine. Elle la saisit en virevoltant autour de lui.

« Tous les enfants devraient pratiquer la luge. Quand je pense qu'on les oblige parfois à garder le lit de crainte qu'ils tombent malades : c'est inouï ! Nous allons courir aussi vite que possible et le froid ne pourra nous rattraper ! »

Francine pousse des cris de joie, saute sur place et manque de le faire tomber. Limousin entre en tapant ses bottes sur le sol, les mains au fond des poches. « *C'est prêt.* » Je n'ai jamais vu quelqu'un avoir moins envie d'aller faire de la luge. Reneri et le Monsieur s'en vont, le chien à leurs côtés bondit en mordillant la neige, Francine lui court après, et Limousin ferme la marche avec la luge. Personne ne m'a proposé de venir. Qui ferait cuire le pain, préparerait le repas et s'occuperait du reste si je les accompagnais ?

En fait, la pâte ne lève pas bien et, à la cuisson, la croûte se fend et brûle sur le dessus. Je m'y suis mal prise et récupère une rangée de miches peu avenantes en récompense de mes efforts. Le soleil chauffe la cuisine, mais quand j'ouvre la porte qui donne sur le jardin, l'air froid me pince les chevilles. Je la referme d'un coup de pied. Je déteste ces journées où tout se ligue contre moi.

Mon oncle ? Mon oncle ? Tant que Reneri sera présent, je ne pourrai pas questionner le Monsieur à ce sujet. Je me traîne ; ma mauvaise humeur empire. Je connais cet état : mes saignements sont pour bientôt.

Je mets les pains à refroidir sur une grille et monte à l'étage. Reneri a juste repoussé ses draps et je refais son lit en une minute. Celui du Monsieur est en désordre, comme toujours, les draps en tas sur le sol, tire-bouchonnés de sommeil. Je secoue l'oreiller pour l'aérer ; une lettre tombe de la taie. Je recommence ; plusieurs autres dégringolent. Je les reconnais avant même de les ramasser : ce sont celles que je lui ai envoyées de Deventer.

Je m'assieds sur le lit ; mon mal de ventre a disparu. En les feuilletant, je découvre aussi les copies des courriers qu'il m'a adressés et d'autres qu'il n'a pas envoyés. Certains plis ont été cachetés et rouverts.

Je l'imagine en train de lire, relire, changer d'avis, renoncer. J'en choisis un et l'aplatis.

12 février 1635

Très chère Helena,

C'est la cinquième fois que je tente d'écrire. Je ne parviens pas à trouver les mots… S'il m'est possible de rationaliser mes sentiments, il ne m'est pas pour autant plus facile de vivre avec eux.

Je ferai en sorte de vous mettre, toi et mon enfant — quand il, ou elle, sera là — en sécurité, à l'abri d'intentions malveillantes.

La nature de l'amour est difficile à comprendre ; pourtant, je m'y efforce. J'y accorde une telle valeur — tout ce que nous éprouvons en son nom est agréable — que même ceux qui se sont exposés à une mort certaine pour des personnes particulières auxquelles ils sont dévoués me semblent heureux jusqu'à leur dernier souffle…

Je lis cette lettre, une autre, une autre encore ; lorsque j'entends un oiseau s'envoler d'un arbre, je sursaute si fort que je n'ose poursuivre. Je les replie en tremblant, les reglisse dans la taie d'oreiller, remets le lit en ordre et redescends. De retour dans la cuisine, je vais à la fenêtre et je contemple le jardin jusqu'à ce que ma vue se brouille et que je ne voie plus que du blanc. Il a écrit la première lettre à mon départ d'Amsterdam, sans l'envoyer.

L'amour ? Je rejette la tête en arrière en libérant mes cheveux, ouvre les bras en croix, monte sur la pointe des pieds et me mets à tournoyer sur moi-même, de plus en plus vite. Je finis par trébucher et me rattrape à la table alors que la pièce continue à tourner et que tout ce qu'elle contient vole dans les airs.

En les entendant revenir, je défroisse ma jupe et dissimule mes sentiments aussi fermement que mes cheveux sous ma coiffe.

« Maman ! » Francine se dirige droit sur moi ; ses galoches et ses mitaines sont trempées, le bas de sa robe raidi par le froid. « J'ai fait de la luge ! Du haut jusqu'en bas ! »

Elle frissonne et claque des dents en parlant.

« Regarde-moi ça ! Tu es gelée ! »

J'ai oublié les lettres. Je lui retire son manteau et toutes les couches de vêtements humides. Sans cesser de grommeler, je ramasse la couverture dont il n'a pas voulu tout à l'heure, l'enveloppe dedans et la place devant le feu pour qu'elle se réchauffe. Le Monsieur et Reneri entrent dans la cuisine, hors d'haleine et titubants : des gamins rentrant à la maison après avoir joué dehors. Je suis hors de moi. « Je vous l'avais pourtant dit ! La couverture ! Avez-vous vu dans quel état elle est ? »

Il lève les deux mains, plus pour se protéger que pour nier la vérité qui lui fait face. « Elle va se requinquer très vite. »

Francine lève les yeux vers lui et sourit. Il me semble le voir faire un clin d'œil.

« Vous n'y avez pas songé ?

— Helena, je t'en prie, pense à notre hôte.

— Elle aurait pu attraper la mort !

— Ça n'a pas été le cas. »

Je croise les bras. Il sait donc tout ? « La prochaine fois, une couverture. »

Sa bouche s'entrouvre et Reneri réprime un rire. Francine remue ses orteils et éternue, éternue.

Cette nuit-là, il vient me rejoindre. Il pose un doigt sur ses lèvres, écoute les ronflements de Limousin, m'aide à descendre de mon lit. Nous ne pouvons prendre le risque d'aller à l'étage car Reneri a le sommeil léger. Il m'entraîne dans la pièce de devant, où le feu rougeoie encore. Il a posé une couverture par terre.

Il défait mes rubans, saisit mes seins. Je l'embrasse tout en faisant passer sa chemise par-dessus ses épaules ; ma respiration trahit déjà mon désir. Il caresse mon téton avec le pouce, le prend dans sa bouche, puis attire ma tête près de lui.

« Qu'es-tu pour que je ne puisse tenir un mois sans toi ? Que tu m'obliges à compter les jours… »

Plus tard, je caresse l'intérieur de son bras, du coude au poignet, et l'ombre violette au creux de sa paume. L'obscurité nous rend silencieux. Ses doigts sont doux. Il m'impressionne, sa présence m'intimide – sa peau blanche, ses cheveux, le pouls qui bat à son cou.

Je pense aux lettres que j'ai découvertes. Pourquoi ne les a-t-il pas envoyées ? Pourquoi m'a-t-il laissée si seule ?

« Francine vous appelle "mon oncle". »

Il n'est pas nécessaire d'en dire plus. Il retire sa main de la mienne.

« Il fallait que je reconnaisse notre lien d'une façon ou d'une autre. C'est bien ainsi. »

Monsieur, Reyner Jochems, Oncle – hypocrite et patte-pelu, voilà ce que dirait Betje.

Nous restons immobiles, sans parler ; le craquement du feu accompagne nos réflexions.

« Lui direz-vous ? »

Son visage, encadré par la lueur des flammes, reste dans l'ombre.

« Lui direz-vous ? »

Anguilles

En mars, nous fêtons l'anniversaire du Monsieur. Francine m'a aidée à décorer un gâteau en enfonçant des raisins secs dans la pâte pour former la lettre O. Elle lui demande son âge ; il lui répond, en écarquillant les yeux : « Quarante-deux ans, et au moins quarante-deux cheveux blancs ! » C'est la première fois qu'il en parle. J'aimerais avancer le mien pour qu'ils correspondent. Je compte les années qui nous séparent : il a tellement vécu avant moi, tellement profité de la vie déjà.

Francine écarte les doigts. Je ne lui ai pas encore appris à compter jusqu'à vingt. « Sept, quatre, trois… J'ai quarante-deux ans, mon oncle ! » Il rit. « Quel bel âge pour une si jeune personne ! » Il lui prend la main, sépare deux doigts et replie le troisième à la première phalange. « *Un, deux… et trois quarts.* Tu as deux ans et trois quarts. » Avec un grand sourire, elle lui montre ce qu'elle a fait : « Gâteau.

— *Un gâteau ? Pour moi ?* »

Elle fait oui de la tête.

« Je vais te dire un secret. » Il s'accroupit devant elle et lui murmure : « C'est mon premier gâteau d'anniversaire. Faut-il que je le garde jusqu'à l'année prochaine ?

— Non, mange-le, tout de suite !

— Il m'en faudra un autre l'an prochain ?

— Je le ferai ! Mange-le ! »

Il se met à rire. « Tout à l'heure. Je dois aller travailler. » Il fait une mimique triste en écho à la sienne et relève son menton. « Va jouer, Francine, et sois sage pendant que je travaille. *Comme une souris.*

— *Oui !* » Elle pousse des petits cris perçants qui le font sursauter. « *Souris, souris.*

— Monsieur Grat jouera avec toi. Le gâteau, tout à l'heure, *je te promets*. Et souviens-toi : *chut !* » Il pose un doigt sur ses lèvres.

Elle ordonne au chien : « Monsieur Grat, pas aboyer ! » en le tirant par l'oreille.

Je suis le Monsieur dans la pièce de devant ; il veut que je l'aide. Le matin même, Limousin est parti en France pour deux mois. Le garde-manger est rempli et la tourbe empilée contre le mur. Deux mois ! Je n'ai pas été aussi heureuse depuis des semaines.

Avant son départ, Limousin m'a montré comment appâter les pièges à anguilles, car je vais devoir le faire en son absence. Nous sommes allés au bord du fossé où il les a installés ; il est monté dans un petit bateau, où des planches grossières font office de sièges, qu'il avait amarré à un piquet sur la berge. Une fois que nous avons été tous les deux à bord avec les six pièges, il n'y avait plus beaucoup de place pour bouger. Il s'est agenouillé à l'avant ; sous son poids, la proue s'est enfoncée dans l'eau de façon inquiétante. Il a pris l'aviron, l'a tendu devant lui et a godillé sur les eaux sombres. Sur l'autre rive, il a égoutté deux nasses et les a hissées. J'ai tiré les quatre autres pour m'assurer que j'en étais capable ; à la fin, ma robe était trempée. Il a jeté par-dessus bord celles qu'il avait appâtées et m'a passé l'aviron : « C'est toi qui nous ramènes. »

De retour sur la berge, il a chargé nos prises dans une petite charrette et a fait un pas de côté : « Je t'en prie. » J'ai gardé pour moi les mots qui me venaient aux lèvres. J'allais m'en occuper pendant son absence ; cela ne servait à rien de me plaindre. J'ai passé la lanière sur mes épaules et j'ai tiré la charrette jusqu'à la maison.

Je m'efforce de ne pas penser du mal de Limousin. Il est allé ramasser les nasses ce matin avant son départ et les a empilées sans les ranger ; le sol est recouvert de flaques boueuses, qu'il va falloir que je frotte. Chaque fois qu'il rend un service, il l'assortit d'un désagrément.

J'aide le Monsieur à transporter la table jusqu'à l'endroit où les rayons du soleil strient les pavés de longues bandes dorées. Nous avons jusqu'à la fin de la matinée, l'heure où la luminosité est la meilleure ; ensuite, le soleil passe derrière le pignon et éclaire le jardin tout l'après-midi. Le Monsieur verse le contenu d'un seau dans un tonneau. Je fais un pas pour voir… et recule aussitôt : il grouille d'anguilles. Il relève ses manches, se penche au-dessus du tonneau et, avec son bras, brasse l'eau qui gicle sur le sol et lui mouille les pieds. Il s'écrie : « *Voilà !* » et en brandit une, qui pend mollement avant de fouetter l'air d'un coup de queue brutal en aspergeant toute la pièce. Il doit la tenir à deux mains pour l'empêcher de se sauver. « *Parfait !* Belle et vigoureuse. »

Il la porte jusqu'à la table où ont été disposés des plats creux et plusieurs couteaux. Il en choisit un à lame fine – pas un pour la cuisine, un modèle spécial qu'il s'est fait envoyer d'Amsterdam. Il plaque l'animal avec difficulté. « Tiens bien la queue. » Je l'agrippe. L'animal tressaute. « La tête, vite ! Tu l'as ? » Je l'empoigne. Le Monsieur approche son couteau, mais celui-ci dévie au moment où il fait l'incision. Il grimace. « Non, ça ne va pas. » Il la jette dans un seau. Six autres bêtes subissent le même sort. « Malédiction ! Comment procéder sans la tuer d'abord ? » Il suce son pouce là où il s'est blessé. À ce rythme, il n'aura plus de doigts avant la fin de la matinée.

« Je pourrais essayer. » Je vais chercher une anguille dans le tonneau. Mon père m'avait montré comment on les tuait en sectionnant l'arrière de la tête.

« Je ne la veux pas morte, Helena. Ni avec les entrailles déchirées. Je veux étudier son cœur. Juste une petite coupure. » Il trace une ligne avec son doigt sur sa paume.

« Je sais. » Je n'ai aucune idée de l'emplacement du cœur des anguilles ; en revanche, je connais celui de leurs viscères. Je tâte son abdomen et l'entaille. L'anguille s'ouvre en deux et ses organes apparaissent, roses et luisants. La pauvre créature se tord. Que peut-il bien lui vouloir pour lui infliger de telles souffrances ? Je repose le couteau sur la table, puis mes mains près des siennes pour reprendre l'anguille. « Vous avez vu ? » Je suis contente d'y être parvenue du premier coup. Il fouille avec la pointe de son couteau et remue un petit lambeau de chair rose qu'il pose sur la lame. Il se penche plus près. Je sens son souffle sur mon bras.

À ce moment-là, Francine rentre en trottinant du jardin ; sa robe n'est guère plus propre que le sol. Elle s'arrête net à la vue du Monsieur, de son couteau, de l'anguille. « *Viens.* » Elle monte sur la pointe des pieds pour jeter un œil sur la table. Il tapote la chaise : « Là, tu verras mieux. » En grimpant, elle lui demande : « C'est quoi ? »

Il sectionne le cœur, le pose sur la lame et le fait glisser dans un plat. L'anguille se contracte et devient immobile. Il pose la main de Francine sur sa poitrine. « Tu sens, là ? » Elle n'a plus du tout envie de jouer. « Sais-tu ce que c'est ? » Elle secoue la tête. « C'est mon cœur. » Il lui fait sentir son cœur à elle. « Là, c'est le tien. » Il lui montre le morceau de chair : « Et là, c'est celui de l'anguille.

— Il est tout petit, dit-elle. Trop petit pour moi.

— Mais parfait pour une anguille.

— Ça doit lui faire mal.

— Les animaux ne ressentent pas les choses de la même façon que nous. »

J'espère pour l'anguille que c'est vrai. Francine a gardé la main sur son cœur. Elle examine celui qui est dans l'assiette. « Il est mort.

— Le sang est froid, mais si on le réchauffe doucement, le cœur peut se remettre à battre. »

Elle plisse le front. Elle a un peu le même regard que lui. « Non, mon oncle. Il est mort. Pareil que l'écureuil. » Sur ce, elle donne un coup de menton, saute de la chaise et repart. Le Monsieur se tourne vers moi. « *L'écureuil ?* » En un mot, par le ton sur lequel il le dit, s'inscrit toute notre différence d'âge. Je rougis.

« Un écureuil que Monsieur Grat a tué la semaine dernière, Monsieur. Nous l'avons enterré au fond du jardin. »

Il essuie son couteau sur une serviette. « Je vois. Est-il convenable d'accorder un enterrement à un écureuil, Helena ? »

Je fais signe que non, mais est-il convenable que le cœur d'une anguille soit ranimé après qu'on l'a découpé ?

Il se remet au travail, en prenant des notes rapides et désordonnées et en dessinant maladroitement ce qu'il a devant lui. Je m'en sortirais mieux que lui. Il n'a qu'à demander. Ces annotations sont différentes de ses lettres aux grandes marges bien nettes : ce sont des documents qu'il brûlera. Il pense à l'avenir, il n'écrit pas que pour lui-même.

Je rince le sang sur mes doigts, essuie la table de mon mieux et me mets à la frotter. Il faudra aussi que je lave par terre. Et la robe de Francine.

Le coup à la porte nous fait sursauter. Il me lance un regard interrogateur. Je hausse les épaules : je ne sais pas qui est là. Un autre coup, plus fort, puis la voix d'un homme : « Il y a quelqu'un ? »

Une lame de parquet grince. Le Monsieur grimace comme s'il avait marché sur une écharde. Le visiteur mystérieux est entré. Je replace mes cheveux sous ma coiffe pour m'arranger un peu. *M'arranger ?* Avec mon tablier taché de sang ? J'ai du mal à ne pas rire.

« Bonjour ? *Bonjour ?* »

Nous pourrions ne pas répondre, mais s'il nous découvre, devrons-nous faire semblant d'être sourds ? Le Monsieur déroule ses manches et fait bonne figure pour me rassurer ; néanmoins, son sourire s'efface quand il sort pour accueillir l'inconnu. Je l'entends dire : « Bonjour ! Pardonnez-moi, je travaillais.

— Non, non. *Pardonnez-moi.* La porte était ouverte. »

Que dois-je faire ? Rester où je suis ? Continuer à nettoyer ? J'essuie le bol que je tiens et le pose doucement sur la table, soudain inquiète qu'il m'échappe. Une odeur de vase flotte dans l'air, un amas d'anguilles remue dans le seau. Soudain, ce qui paraissait normal ne l'est plus. Je vois à quel point tout cela est étrange, presque révoltant : qui garde des anguilles dans sa salle de séjour – et trouve cela naturel ?

À cet instant, le Monsieur revient dans la pièce, suivi d'un homme corpulent vêtu de noir. Inutile de faire les présentations, son habit parle pour lui : c'est un pasteur, probablement celui de Santpoort.

« C'est ici que je travaille », annonce le Monsieur avec un large geste. « Helena, ma servante. Helena, le pasteur van Agteren. »

Je recule d'un pas et me cogne au pied de table. Je suis paralysée par la peur. *Servante ?* Cela fait si longtemps que je n'ai pas entendu ce mot qu'il me faut un moment avant de comprendre qu'il parle de moi. Servante : que pourrais-je être d'autre avec mes mains rougies, ma brosse à récurer et ma jupe tachée de sang ? Quelle autre raison pourrait expliquer ma présence ? À travailler ainsi, *avec lui ?*

« Enchanté de faire votre connaissance, Helena. »

Il jette un coup d'œil sur mon tablier et ne me tend pas la main. Petit à petit, il prend la mesure de ce qui l'entoure, avise le seau où nous avons jeté les animaux morts. À son expression, je vois qu'il s'efforce de surmonter son dégoût. Il renifle et plisse le nez.

« Étrange occupation, Monsieur…

— Vous avez peut-être entendu parler des travaux de William Harvey sur la circulation du sang ?

— Non. Je devrais ? » Il s'éloigne du seau et essuie son manteau alors qu'il n'a rien touché.

Pendant que le Monsieur lui fait visiter le jardin, je m'appuie sur la table pour me soulager. J'ai mal là où je me suis cognée. Je compte aussi longtemps que je peux et vais me poster à la fenêtre de la cuisine. J'aperçois le Monsieur et le pasteur près du carré de légumes ; où est Francine ? Je monte sur la pointe des pieds, la cherche de tous côtés et finis par la repérer tout au fond, sous les arbres fruitiers. *Ne bouge surtout pas.*

À leur retour, je pèle une pomme pour m'occuper, je la tourne en l'examinant de près et retire avec mon couteau des meurtrissures inexistantes. Si ce pasteur ne part pas rapidement, je n'aurai plus qu'un trognon ou peut-être même que les pépins. Je fais mine de ne pas écouter leur conversation. *Je suis une servante, une servante qui pèle une pomme.* En réalité, je me sens un lapin pourchassé dans les hautes herbes.

« Fascinant, Monsieur… J'avais entendu dire que ce logis était occupé et je voulais vous transmettre mon invitation à venir assister à l'office.

— Merci, je la garderai à l'esprit. Je me déplace fréquemment…

— Vous voyagez ? J'avais cru déceler un accent. » Il se tapote le nez, apparemment satisfait. « J'étais moi-même à Gouda il n'y a pas…

— Mon oncle, mon oncle ! » Francine entre en trombe dans la cuisine et se dirige droit vers le Monsieur. En voyant le pasteur, elle traverse la pièce pour se cacher dans ma jupe. Elle aimerait que je lui fasse un câlin mais je ne la prends pas dans mes bras, ce que je ferais en temps normal. Le pasteur se baisse vers elle.

« Et qui est cette petite fille ? Votre nièce ?

— Oui, ma nièce. » Le Monsieur me lance un regard.

« Une jolie petite fille, et qui vous ressemble ! »
Francine tire sur mon tablier. Je la repousse doucement : « Attends un peu. »

Elle recommence, plus fort : « *Maman !* Tu *dois* venir. Monsieur Grat s'est coupé à la patte. » Elle court vers le Monsieur. « Mon oncle, viens s'il te plaît. Monsieur Grat s'est fait mal. »

Le pasteur se redresse ; son visage a changé. Le Monsieur attire Francine vers lui. Rien n'est dit. Je relève le menton, puis les yeux, en essayant de me calmer à chaque petit mouvement.

« Je n'ai pas retenu votre nom, monsieur…

— Ce ne sera pas nécessaire », répond le Monsieur, abandonnant tout faux-semblant.

« Bien, je vois ce qu'il en est. Extrêmement inconvenant et choquant, je dois… »

Le Monsieur lève la main pour le faire taire.

« À votre guise. » Le pasteur s'incline, aussi raide que s'il avait été plongé dans un bain d'amidon. « Je vous verrai à l'église. » Il tressaille à nouveau à la vue du seau. Il attend un peu ; quand il comprend que le Monsieur ne lui rendra pas son salut, il s'en va sans ajouter un mot.

Après son départ, nous restons immobiles un long moment. Francine se tortille pour se libérer du Monsieur, s'écarte de lui, et lui dit sur un ton de défi avant de tourner les talons : « Les animaux ne sont pas comme vous dites. Monsieur Grat pleure, je l'ai entendu. »

Il se pince l'arête du nez. Dehors, j'entends Francine appeler le chien et, dans le lointain, les cris des mouettes au-dessus des champs. Les yeux fermés, il réfléchit, peut-être pour mettre un terme à ce qui vient de se passer.

« Une soupe avec ces anguilles, tout à l'heure.

— Oui, Monsieur. »

Quels que soient nos efforts pour être discrets, les gens le trouveront de toute façon. La pomme a bruni. Je vais dans le jardin et la jette aussi loin que possible.

Nous ne sommes pas allés à l'office. Ni ce dimanche-là, ni celui qui a suivi.

« L'église me manque, Monsieur. Puis-je y aller?

— Nous portons Dieu en nous, Helena. »

Cette phrase, que j'ai déjà entendue, ne m'est d'aucun réconfort. Le ton calme et las qu'il emploie ne fait que m'énerver encore plus. *Un Dieu intérieur, dissimulé à la vue?* Ce n'est pas mon Dieu.

« Cela ne suffit pas!

— Il va bien falloir. Nous n'avons pas le choix. »

Nous? Pourquoi m'inclure dans tout cela?

« C'est en *pratiquant* que nous faisons le bien envers les autres. Sinon, comment pouvons-nous nous dire *chrétiens?*

— *En pratiquant?* La pratique nous rend visibles, Helena. Elle nous donne un visage et un nom. Nombreux sont ceux qui parlent au nom de Dieu; leurs supérieurs n'hésitent pas à lancer des accusations d'athéisme ou d'hérésie dès lors qu'on ne se conforme pas *à la lettre...* Je suis catholique, tu ne l'es pas. Tels que nous sommes, ici, *nous trois*, nous ne pouvons aller à l'église.

— Alors j'irai avec Francine.

— Quel accueil recevras-tu, selon toi ? Le pasteur van Agteren sera heureux de te voir ? C'est ce que tu souhaites pour elle ? »

Je croise les bras pour retenir ma colère.

« Je connais un prêtre à Alkmaar. Il ne fait pas publiquement état, bien entendu, de sa confession, mais il pourrait être de bon conseil… »

Un prêtre ? Alkmaar ? En quoi cela peut-il m'aider ? Je le fusille du regard. Puis, en un éclair, ma mauvaise humeur s'évanouit. *Betje.* Bien sûr ! C'est là qu'elle habite.

Je peux envoyer une lettre à Betje, à condition de ne donner ni notre adresse ni *aucune indication de l'endroit où nous habitons.* Le pli pourra être confié au prêtre d'Alkmaar, qui fera son possible pour se mettre en contact avec elle.

« Comment pourra-t-elle répondre si elle n'a pas d'adresse ?

— Elle donnera sa réponse au prêtre et il l'apportera la prochaine fois qu'il vient à Santpoort. »

Je fais le compte dans mon esprit de toutes les étapes de cet interminable périple.

« Cela va mettre *une éternité*, Monsieur.

— Non, pas une éternité. Une semaine ou deux, au plus. »

Je me hérisse. Trois ou quatre, au moins.

« Pas d'adresse, Helena. C'est ma condition.

— Et si je veux qu'elle vienne ? »

Ce regard ! Pire que si j'avais proposé au roi d'Espagne de nous rendre visite.

« Elle ne peut pas, pas ici. C'est *absolument* hors de question. »

Je recule d'un pas. « Elle ne peut pas ? Pourquoi, Monsieur ?

— Est-ce qu'il faut que je me justifie devant toi, Helena ?

— Reneri est bien venu, lui !

— Reneri, c'est différent et, pour être franc avec toi, ce n'est en rien comparable. »

Je vois qu'il est en colère : il emploie plus de mots que nécessaire. « Tu ne dois pas faire mention de moi.

— Pour vous satisfaire, Monsieur, faut-il que j'envoie une feuille blanche ? »

Il donne un coup sur son bureau et s'écrie en français : « *Tu es impossible !*

— *Et vous, vous êtes…*

— *Oui ? Quoi ?* »

Le mot français me vient, aussi rapide que l'animal que j'ai vu surgir dans mon esprit. « *Une souris !* »

Il se rassied d'un coup. Je fais le geste de tortiller de longues moustaches. « *Oui. Monsieur Souris.* Qui se cache, telle une souris. » Je sors en claquant la porte.

Une fois que je suis calmée, je lui donne la lettre que j'ai rédigée, sans qu'un mot soit ajouté à propos des prêtres, des souris et autres sujets.

Je n'ai plus qu'à attendre une réponse. D'ici trois ans, si ce prêtre est débrouillard.

Je ne parle plus d'aller à l'église. J'attends le courrier de Betje.

Le temps se radoucit et Francine devient turbulente. Elle a trois ans. Les vers de terre ne la distraient plus. Elle traîne dans mes jupes, dit : « Monsieur Grat s'ennuie » en grattant une croûte sur son genou. Elle ne dort plus l'après-midi, bout comme du lait dans une casserole.

Le Monsieur la sermonne : « Francine, il *faut* que tu sois sage pendant que je travaille. » Si elle joue à l'intérieur, le claquement de ses pas sur le plancher le gêne. Si elle est dehors, ses rires le dérangent et je l'entends fermer les volets pour se calfeutrer. Je ne peux pas lui ordonner de ne pas bouger, ni la faire taire à volonté ! J'apaise les discussions et les caprices, j'essaie de m'arranger pour qu'elle ne fasse pas de bruit. Malgré tout, je n'ai pas le pouvoir d'empêcher les jours de rallonger, ni le soleil de briller. Francine se précipite dans le jardin, suivie de Monsieur Grat qui galope et aboie à ses côtés ; les oiseaux s'envolent des arbres, les pommes vertes tombent des branches. Il hurle en français : « *Tais-toi !* » depuis l'étage, puis, à mon intention : « Calme-la, bonté divine ! » Il la chasse de sa chambre : « Non, pas l'horloge ! Il est interdit d'y toucher ! »

Pour finir, je vais le voir. « Monsieur, elle a besoin d'exercice. Nous pourrions aller nous promener ? Nous n'irons pas loin. » Sans relever la tête, il me fait un signe. « Oui, d'accord. Il faut que je finisse cela aujourd'hui. »

Au moment où j'arrive à la porte, il me rappelle et me tend une lettre. « J'ai failli oublier. J'ai reçu ceci pour toi. » Après plusieurs semaines d'attente, la réponse de Betje ! Je crois le voir sourire : « Tu peux l'ouvrir, tu sais. » Je vais tout droit à la cuisine.

chère Chère Helena
je suis si heureuse d'avoir de tes nouvelles et de savoir que tu vas bien désolée pour ton frère et je pense que ta mère sera heureuse dans le Brabant même si je préfère que ce ne soit pas moi qui suis là-bas
j'ai été bien <u>surprise</u> de lire que tu n'es pas chez M. S. et j'ai dû relire ta lettre pour être sûre que j'avais bien compris parce que j'étais <u>encore plus surprise</u> d'apprendre que tu es maman Ta petite fille − <u>est-ce qu'elle a un nom</u> − Elle a l'air belle
ton histoire sur le livre m'a fait rire je pourrais l'acheter je me suis mariée Il s'appelle Henk et je vais aussi avoir un enfant bientôt si c'est une fille je lui donnerai le prénom de ma mère, si c'est un garçon il s'appellera Henk et si j'ai une seconde fille je l'appellerai Helena comme toi ma chère tu devrais me voir je suis aussi grosse qu'une baleine
Je n'ai pas retrouvé ma mère Elle est morte mais j'ai trouvé sa sœur et sa famille est gentille avec moi

341

On m'a dit que M. Hoek était fâché que je sois partie
et Mme Hoek encore plus Je plains celle qui est venue
après moi Sais-tu comment va Antje
Ta lettre m'a <u>tellement surprise</u> elle m'a été apportée très
tard le soir Il était gentil et m'a donné du papier pour la
réponse et va venir la chercher chez moi Il m'en a laissé
plus donc je peux écrire une autre fois si tu veux
Pardon pour mon écriture Cela fait si longtemps que je
n'ai pas pris une plume je lis chaque fois que je peux
ton amie
Betje
écris pour me dire le nom de ta fille Qui est le père <u>Je ne</u>
<u>peux pas croire que tu as eu un enfant avant moi</u>

Je la relis. Ma chère Betje. Elle me manque. Elle s'est servie de ce qu'elle a appris pour partir alors que moi, je suis coincée ici.

J'appelle Francine qui est dans le jardin. « Viens mettre tes souliers, ma chérie, on va se promener. »

Lin

Nous prenons le chemin qui part au fond du jardin, serpente au milieu des dunes et se rétrécit jusqu'à être à peine plus large que mon pied. Un peu plus loin, il s'enfonce dans un bosquet cerné de buissons épineux. Francine s'y précipite avant que je puisse l'arrêter et refuse de rebrousser chemin. Je n'ai pas d'autre choix que de la suivre ; je me penche autant que possible en me protégeant la tête, je rentre les coudes et prie pour ne pas déchirer ma robe. Nous débouchons sur un terrain dégagé et lumineux ; de hautes herbes ondulent dans la brise, deux alouettes s'envolent en piaillant. La crête des dunes est couverte de graminées, de chou marin et d'armérie qui forment une frise effrangée sur le ciel. La promenade nous a entraînées plus loin que prévu. J'imagine déjà les plaintes de Francine au retour. Je respire un grand coup : on verra tout à l'heure. Je dénoue ma coiffe et libère mes cheveux.

« Francine ? » J'escalade une dune à quatre pattes en suivant ses empreintes, que le vent efface déjà. Au sommet, une bourrasque colle ma jupe sur mes jambes ; j'enfonce les talons dans le sable pour ne pas perdre l'équilibre. Et soudain, j'aperçois la mer, à perte de vue jusqu'à l'horizon clair et bleuté. Des mouettes qui volaient haut dans le ciel plongent en piqué au-dessus des vagues ourlées d'écume. Je mets une main en visière pour protéger mes yeux du scintillement de l'eau. Je suis tellement émerveillée que je ne trouve rien d'autre à dire que : *Oh! Oh!*

D'immenses vagues se succèdent et se brisent sur le rivage, abandonnant de larges rubans mousseux sur le sable. J'aperçois Francine en contrebas. Le vent me pousse : *Vas-y, cours!* Je dévale la pente, le sable s'écroule sous mes pieds – il m'est impossible de ralentir. Je ramasse les chaussures – une ici, une là – que Francine a abandonnées au pied de la dune. Elle sautille dans un trou d'eau et me montre du doigt la mer pour être sûre que je l'ai bien vue : « Maman, Maman, Maman! » Elle écarte les bras et les referme, serre le paysage dans ses bras.

Je retire mes souliers, relève ma jupe ; le sable mouillé s'infiltre entre mes orteils. Francine s'agenouille, creuse, découvre un coquillage, un autre, les frotte et me les donne en disant : « Co-quilles.

— Aussi jolies que toi! » Elle cligne de l'œil pour observer le soleil à travers ses doigts et ses boucles.

Je l'embrasse sur la joue et, quand je veux la retenir, elle se tortille et se sauve en trottinant. Comme Monsieur Grat, elle revient en arrière et repart en courant. Elle me confie un galet humide, qui passe en séchant d'une teinte argentée à un gris tourterelle.

Nous parcourons la plage en écrivant sur le sable avec un morceau de bois, puis je m'assieds pendant que Francine continue à jouer. Le sable est chaud. Je m'allonge en écoutant le bruit du ressac. Quelle importance que mes cheveux soient défaits si seul le ciel peut le voir ?

Voilà donc ce que fait la mer : elle apaise, met tout à plat.

Je me réveille en sentant qu'on tire sur ma jupe. Je m'assieds, un peu perdue. La brise sur ma peau me donne la chair de poule. De la grève monte une vapeur blanchâtre formée par les vagues qui déferlent.

« Maman ? » Je me frotte les paupières. « Maman ? Pourquoi c'est tout bleu ? » Je suis la direction que son doigt m'indique. « Maman ? » Je tente de reprendre mes esprits. « Dieu l'a créé ainsi. » Elle tire à nouveau. « *Pourquoi*, Maman ? » Je repousse sa main. « Ça suffit, Francine. Je ne sais pas. On ne pose pas de questions sur Dieu. »

Elle remue les orteils. La plage est couverte de ses empreintes de pas, qui tracent des cercles et des lignes – une page géante de notes du Monsieur étalée sur le sable.

« Mon oncle saura. »

Je me relève. « Tu verras qu'il sera d'accord avec moi – on ne pose pas de questions sur Dieu. »

Elle plisse le front. « Mais... »

C'est mon tour de froncer les sourcils. « Dans quel état tu es ! » Je frotte sa robe pour faire tomber le sable. Elle lâche les coquillages qu'elle avait ramassés.

« Est-ce que mon oncle est aussi ton oncle ?

— Bien sûr que non ! »

Elle me tend une plume et dit en français : « *Plume.* » Je répète : « *Plume ?* en regardant autour de nous. Bon, il est temps de rentrer.

— *Plu-me.* » Elle fait rebondir le mot dans sa bouche en essayant de marcher à côté de moi.

Nous revenons vers les dunes. Je ne sais plus par laquelle nous sommes descendues. Elles sont toutes pareilles. Rien ne les différencie.

Nous faisons des tours et des détours ; j'escalade les dunes l'une après l'autre en cherchant à me repérer, jusqu'à en avoir mal aux jambes ; mes mains sont brûlantes à force de me rattraper aux herbes pour éviter de glisser et de redescendre. C'est peine perdue. Notre chemin est quelque part au milieu d'un dédale de sentiers. Tout ce que je reconnais dans le lointain, c'est la tache claire des champs où l'on blanchit le lin. La maison n'en est pas trop éloignée, pour autant que je puisse m'en souvenir. Je pourrai m'orienter à partir de là.

Ils sont aussi étranges que la première fois que je les ai vus. De loin, on croirait que la terre est couverte de nuages – alors que l'endroit n'a rien de nuageux. À mesure que nous avançons, l'air se charge de la même odeur pestilentielle. Je me couvre la bouche et le nez, en respirant aussi peu que possible. Francine se cache dans ma jupe.

Nous passons devant des femmes penchées au-dessus de grands baquets remplis d'un liquide malodorant qui sent le lait tourné. Les unes le brassent, d'autres en sortent de lourds paquets de tissu dégoulinant, qu'elles passent à des fillettes, dont certaines sont toutes jeunes. Elles pataugent jusqu'aux chevilles dans des flaques laiteuses aux reflets verdâtres. Les fillettes emportent ces pièces de toile jusqu'à une roue où elles sont essorées. Ensuite, un homme les accroche sur des cadres et des tréteaux bas, et d'autres femmes passent de long en large avec des arrosoirs, et je ne sais si c'est pour rincer ou détremper cet étendage nauséabond. Nous voyons les différentes étapes du processus, le tissu passe d'un gris terne au blanc le plus éclatant.

Une femme nous regarde approcher. Je la salue de la tête sans m'arrêter, en indiquant à Francine de m'imiter. Elle l'interpelle : « Alors, petite, tu as soif ? » en recueillant un peu de liquide. Francine fait signe que non. La femme se met à rire et fait couler le liquide entre ses doigts.

« Dommage… C'est pourtant ce qui donne le meilleur lin… mais c'est réservé aux cous des gens distingués. » Elle m'examine. « C'est pas souvent qu'on voit passer des gens par ici. Vous êtes perdues ?

— Je connais mon chemin, merci. »

Francine lui lance d'un jet, sans reprendre sa respiration : « On habite avec mon oncle. Il est français et il sait tout ! » Depuis que nous sommes parties de Leyde, c'est la première fois qu'elle adresse une phrase aussi longue à quelqu'un d'autre qu'au

Monsieur ou à moi. « Et j'ai un chien et je… » Je lui pince l'épaule. Elle se dégage, furieuse.

La femme s'essuie sur son tablier. « Un oncle français ? C'est curieux… Jamais entendu parler de ça… » Elle a le regard fixé sur ma taille.

J'essaie d'entraîner ma fille. « Allez, viens, Francine !

— *Francine* ? Ça aussi, c'est un nom curieux. Je ne t'ai jamais vue à l'église. J'aurais remarqué une petite fille qui a un oncle *français*. Enfin, si vous savez où vous allez… »

Elle opine plusieurs fois du bonnet et plonge de grandes pièces de lin gris dans le lait en les malaxant avec le geste du boulanger qui pétrit son pain.

« Elle est à vous ? »

Je tire Francine vers moi.

« C'est bien ce que je pensais. Vous, vous n'êtes pas française ? Ça m'étonnerait, vous ne parlez pas comme une Française. Bizarre, tout ça. Je ne connais pas beaucoup de familles avec des Hollandaises qui ont un *frère* français. J'en connais même aucune, à vrai dire. »

Je prends Francine par le bras. L'odeur me soulève l'estomac. La femme nous dévisage en se passant la langue sur les dents.

« Vous devez vous demander comment on fait pour obtenir un tissu si blanc à partir de quelque chose d'aussi… *répugnant*. Vous savez ce que je me dis en vous voyant vous promener avec votre petite et vos cheveux défaits, pendant que tout le monde ici trime pour blanchir du tissu ? Trop bien pour être la servante, pas assez pour être l'épouse ! Qu'est-ce que vous êtes donc, si vous n'êtes ni l'une ni l'autre ?

— Mais enfin !

— Ah ! J'en étais sûre ! Ces choses-là, je les repère tout de suite.

— *Je suis sa mère. Et elle est ma fille !*

— Maman ! » Francine se met à pleurer en cherchant à se libérer. « Maman ! »

La femme ricane : « Une *mère* ? À d'autres ! Il y a des endroits pour les mères et les enfants dans votre genre. Je travaille peut-être dans la boue, mais je suis plus propre que vous ne le serez jamais, *mademoiselle.* »

Je repars avec Francine derrière moi. « Allez, viens ! » Dès que nous avons avancé suffisamment, je me mets à genoux devant elle, la prends par les épaules et la secoue.

« Tu ne dois jamais parler aux gens ni leur dire ton nom, tu m'entends, Francine ? Jamais ! »

Ses yeux se remplissent de larmes. Je continue à la secouer. « Tu sais ce qui se passera, sinon ? *Tu veux que je te le dise ?* Le Monsieur nous renverra. C'est ce que tu veux ? C'est ça ?

— Non, Maman.

— S'il le fait, où irons-nous ? »

Les larmes coulent sur ses joues.

Je me mets à crier : « Hein ? Dis-moi ! »

Elle se couvre les oreilles. Je m'assieds par terre. Elle vient vers moi, je la repousse. Lorsqu'elle s'éloigne, je la serre dans mes bras. « Pardon. Je suis désolée, désolée, désolée. »

Nous restons ainsi jusqu'à ce que mes pleurs cessent. Je rassemble mes cheveux et les glisse sous ma coiffe en tirant sur le ruban. Je tremble tellement que j'ai du mal à le nouer. Nous nous relevons et avançons en silence, main dans la main, jusqu'à un moulin qui fait monter l'eau d'un fossé. Ses voiles me font tressaillir chaque fois qu'elles fendent l'air en passant au-dessus.

« Maman ? Mon oncle est ton frère ?

— Plus un mot, Francine. »

Le sable vole sur le chemin, porté par un vent qui fraîchit. Sur la rive érodée, on peut voir les racines dénudées d'un arbre. La clôture, à moitié détachée, commence à s'écrouler.

Rien, dans cette région, n'a de fondations solides, et tout est exposé à la vue de tous.

Le soleil est bas sur l'horizon quand nous rentrons. Nos ombres s'étirent, pressées d'atteindre la porte avant nous. Une voiture à cheval est arrêtée devant la maison, et plusieurs caisses sont empilées sur le côté. À l'évidence, Monsieur Vinaigre est revenu.

Francine cueille une poignée de marguerites et se met à courir. Je compte jusqu'à vingt et je la suis. J'ai des ampoules aux pieds, là où le sable a frotté ma peau.

Le Monsieur sort avec Limousin en lui donnant une petite tape dans le dos. « Regardez qui vient d'arriver ! » Limousin s'incline légèrement et reprend sa phrase. « Mersenne va bien ; il est plus soucieux de votre santé que de la sienne. »

Francine tire sur l'habit du Monsieur. « Mon oncle ?

— Il voulait tout savoir — *tout* — sur vos travaux actuels...

— *Mon oncle ?* » Elle lui tend les fleurs qu'elle a ramassées. Il s'agenouille. « *Pour moi ? Merci* » et me les donne. « La chambre de Limousin est prête ?

— Elle peut l'être, Monsieur.

— Merci de t'en occuper. »

Pas un mot à mon intention, aucun commentaire sur notre retour tardif. Je fais ce qui m'a été demandé, mets les marguerites dans un verre et les pose sur le rebord de la fenêtre dans la chambre du Monsieur. Francine me suit partout en tapant des pieds ; chacun de ses pas exprime sa fatigue.

« J'ai faim, Maman.

— Attends un peu, Francine. »

J'entre dans la chambre de Limousin, replie le couvre-lit et défroisse les draps. Le parfum de Reneri flotte encore vaguement dans la pièce.

Francine triture l'ourlet de sa robe. « Maman, j'ai soif. »

J'entends des pas dans l'escalier, une malle cogner le mur.

« Descends, Francine. Tout de suite. »

Elle boude et refuse de bouger.

« *J'ai dit tout de suite !* »

Limousin entre à reculons en traînant son coffre entre ses jambes. En une seconde, Francine se glisse sur le côté et dégringole l'escalier. Il pousse la malle dans un coin, s'assied sur le lit, tapote le matelas et se renverse en arrière en salissant le couvre-lit avec ses souliers.

« Tu as bonne mine, Helena. La petite l'appelle *mon oncle*. C'est si *gentil*.

— C'est le Monsieur qui l'a souhaité.

— Il faut dire qu'elle lui ressemble de plus en plus. Elle fait de moins en moins hollandaise. » Il se frotte les mains sur son pantalon. « Elle pourrait être de lui, finalement.

— Mais elle l'est... »

Je sais qu'il voulait dire autre chose. Il croise les bras sur sa poitrine. « C'est toujours si agréable de te voir, Helena.

— Le Monsieur est heureux que vous soyez rentré. » Je referme la porte derrière moi.

Au moment où je m'apprête à descendre, le Monsieur sort de sa chambre et dit en passant devant moi : « Ce sont les anguilles qui fournissent la meilleure analogie avec l'eau. »

Écho

« Mersenne fait fausse route. » Le Monsieur pose la lettre qu'il est en train de lire et se couvre les yeux. « Pourquoi dois-je tout expliquer deux fois ? » Je m'efforce – c'est ma troisième tentative – de dessiner une roue dentée. Il ne me l'a pas demandé, mais si je devais attendre son bon vouloir, il ne se passerait rien. Ses croquis la font paraître complètement plate. C'était le cas aussi de mes deux premiers essais, jusqu'à ce que je me rende compte que je ne l'observais pas correctement ; j'ai alors dessiné un ovale avec les dents plus grandes à l'avant qu'à l'arrière. Je lui montre. Il commente : « Pas mal.

— Je n'ai pas encore terminé. » Je sais que c'est déjà bien mieux que ce qu'il a fait.

Il se lève, va et vient dans la pièce en faisant claquer la missive de Mersenne contre sa cuisse. Il est impossible de travailler lorsqu'il est dans cet état. Il soupèse un livre. « Pourquoi est-il lourd ? » Il le fait retomber et va chercher le balai dans un coin. Il le tient devant lui, d'abord au milieu, puis par l'extrémité. « Pourquoi semble-t-il plus pesant si je le porte ainsi ? C'est pourtant le même balai. » Il le remet à sa place, va à la fenêtre, passe la main sur le rebord et secoue la poussière qu'il a ramassée pour la faire danser dans la lumière.

« Qu'est-ce que la poussière, ce *chaos*, nous dit de l'air, la matière subtile ? J'aimerais être sûr que Mersenne comprend *un mot* de ce que j'écris… »

La poussière ? Les balais ? Les livres ? Quand il est de cette humeur, il n'y a rien à ajouter. Rien en tout cas qu'il souhaite m'entendre dire. Il se remet à sa tâche, aux courriers non décachetés et aux réponses à moitié rédigées qui recouvrent son bureau. « Déjà trois de Mersenne auxquelles je dois réagir… » Il les prend, les repose, s'adosse à sa chaise, se penche en avant et pose la tête sur la table. Il écarte les bras, pousse les lettres et les plumes de chaque côté et ne s'arrête que lorsque tout est à terre.

Je m'écrie : « Monsieur ! » en bondissant sur mes pieds. L'encrier s'est renversé et une large tache noire apparaît. Il a déjà grondé Francine pour moins que ça. Il fait mine de ne pas comprendre ce qu'il a fait. Je hausse la voix pour qu'il bouge : « De l'eau, s'il vous plaît, Monsieur ! » La flaque s'étale sur le bois. Je suis catastrophée : elle ne partira jamais. Il n'a de considération ni pour moi ni pour l'encre qu'il a gaspillée. Il revient avec un torchon et un petit verre d'eau. « On voit bien que ce n'est pas vous qui devez nettoyer. Il en faut beaucoup plus ! » Je cours à la cuisine prendre un seau. Il me suit mais je suis déjà de retour. Je me mets à genoux pour essuyer. En rinçant le torchon dans le seau, je lui dis : « Voyez ! Ça ne s'efface pas. »

Il répond : « Laisse », s'accroupit à côté de moi et ramasse ses documents éparpillés en les égouttant. « Laisse ? » J'ai beau frotter plus fort, je ne réussis qu'à agrandir la tache et me noircir les mains. Sans que je sache pourquoi, j'ai soudain envie de pleurer.

En triant ses feuilles, il marmonne : « Ridicules affectations de flagorneurs et d'imbéciles... C'était une erreur de publier en français...

— Assez, Monsieur.

— Si je le traduisais, il serait lu. »

Je tape sur le plancher. « Assez, Monsieur ! Assez. » Je rentre les épaules. « Il a été lu. Vous avez reçu des courriers qui le prouvent. Ils prennent tout votre temps. Vous passez vos journées à répondre aux lettres que Limousin apporte – qui posent des questions, avancent des objections. Une traduction ne ferait qu'en provoquer plus.

— Mais ce travail n'est pas *compris*. S'il était traduit... »

Va-t-il m'écouter un jour ? Je ramasse une poignée de feuilles et les lui lance avant de me relever.

« Au lieu de répéter la même chose à tout le monde, pourquoi n'écrivez-vous pas un texte qui explique ce que vous voulez dire – *clairement* ?

— Un nouveau texte ?

— Oui. »

Je vois l'idée cheminer dans son esprit.

« Sinon, qu'allez-vous faire ? Perdre votre temps à rédiger des réponses ? Enseigner – *comme Reneri* ? »

Il grimace. Je lui montre les messages sur la table. J'en ai assez. Il ne s'occupe plus autant de Francine.

« Vous gaspillez votre énergie. » Et, puisqu'il est attentif, puisqu'il s'est tourné vers moi et m'écoute, j'ajoute : « Et cette fois, vous devriez mettre votre nom dessus. Ainsi, il n'y aura plus de doute. »

Je jette le torchon dans le seau et quitte la pièce. J'ai peur d'avoir été trop loin. Je l'entends pourtant me dire : « Tu as raison. Je devrais t'écouter plus souvent. »

En vidant l'eau dans le jardin, je me dis : *Oui, vous devriez.* Sans réfléchir, je m'essuie les mains et me rends compte aussitôt de ce que je viens de faire : mon tablier, rapporté neuf du marché il y a une semaine, est tout taché. Il est fichu.

Reneri, qui a passé l'été à enseigner sans mettre le nez dehors, nous rend une nouvelle visite. Je suis aussi heureuse de le voir qu'accablée par son amaigrissement. Le Monsieur veut absolument savoir ce qui se passe à Utrecht : « Dites-moi tout ce que vous savez, je veux tout entendre. Ne m'épargnez aucun détail ! »

Un soir, après le repas, nous allons dans le jardin admirer le coucher du soleil. Le Monsieur et Reneri apportent leur chaise ; je m'assieds à côté d'eux, sur une pierre, adossée à un tronc d'arbre. Limousin se met suffisamment loin pour ne pas avoir à me faire la conversation mais reste à portée de voix pour le cas où le Monsieur aurait besoin de lui. Ils regardent Francine revenir du jardin.

« Observez bien », dit le Monsieur. Il l'appelle :
« Francine, *écoute* ! » Il frappe dans ses mains et en
met une en coupe autour de son oreille : « Tu as
entendu ? »

Elle saute sur place : « *En-core* !

— *Encore, fifille ?* » Il recommence ; un son étouffé
revient vers nous. « Cours vite et rattrape-le ! »

Elle se précipite au fond du jardin, là où l'herbe est
très haute. Elle revient, les mains jointes, des graines
plein les cheveux. « Je l'ai ! Je l'ai ! » Il se penche pour
écouter lorsqu'elle les entrouvre, et fait une grimace.
« Il s'est échappé. » Il tape une troisième fois et elle
repart, faisant voler sa jupe autour de ses jambes. Le
Monsieur se tourne vers Limousin. « As-tu entendu
l'écho ? Les hautes herbes, les arbres en surplomb
– tout ce qu'il faut.

— Je vois cela », grogne Limousin. Il me fait
penser au gris de la nuit qui repousse la lumière du
jour qui s'achève.

Reneri joint les mains et scrute le ciel. Le
Monsieur ramasse un brin d'herbe et le fait rouler
entre ses doigts.

« Que pensez-vous du jardin que j'ai créé ? »

Reneri le fixe un long moment. « Je crois qu'il
n'est pas nécessaire que je vous dise à quel point vous
avez de la chance, René.

— Avez-vous vu que je suis devenu jardinier ? »
Il arrache un autre brin d'herbe, l'examine, le jette.

« En effet, René. C'est inattendu. *De toekomst is
een boek met zeven sloten.* » Le Monsieur ne répond
pas.

Nous étions sortis pour voir le soleil se coucher, et c'est déjà fini : le crépuscule est tombé, qui teinte d'un bleu indigo le ciel à la cime des arbres. Les papillons de nuit survolent les herbes ; on dirait des fantômes de papillons.

De toekomst is een boek met zeven sloten – *l'avenir est un livre à sept verrous.* Qui peut dire ce qu'il nous réserve ?

J'entends les voix de Reneri et du Monsieur se fondre dans un murmure ; un peu plus loin, le rire de Francine. Les tourterelles roucoulent, se posent sur leurs perchoirs.

Avez-vous repensé…

quand elle sera plus âgée…

sujets dont nous avons parlé la dernière fois…

certainement pas, je suis disposé…

… l'amour, si c'est cela…

Voet…

Je n'ai jamais eu l'intention…

J'ouvre les yeux dans le noir. Le Monsieur et Reneri discutaient. Leurs paroles se sont évanouies. Le jardin est vide. Je suis seule.

Le lendemain matin, je suis réveillée par le caquètement des poules devant la fenêtre. Je pense d'abord à la visite d'un renard. L'aube vient à peine de se lever et le soleil est auréolé d'un halo rose pâle. Au fond du jardin, j'aperçois Limousin en manches de chemise, entouré d'éclairs argentés – les reflets de la lumière sur la lame d'une faux. Il coupe l'herbe à ras en faisant de grands cercles réguliers avec ses bras, d'avant en arrière. Quand Francine voit cela, elle se précipite dans mes bras en hurlant.

« Je le trouverai plus !

— Quoi, ma chérie ? Qu'est-ce que tu ne vas plus trouver ?

— Mon écho ! Il est parti. Il est *méchant*, Limousin ! »

Plus tard, le Monsieur lui explique : « Limousin dit que si on laisse l'herbe pousser, elle est envahie par les tiques. Il faut qu'elle soit fauchée. C'est pour ton bien. »

À côté du pommier, là où elle était la plus haute, je découvre que mes trois bulbes de tulipes, qui ont fleuri cette année pour la première fois, ont été déterrés.

J'interroge Limousin, qui me répond : « Monsieur Grat... C'est le problème avec les chiens, j'en ai peur... »

La journée, on étouffe : la chaleur s'enfonce dans le sol comme si le soleil y avait jeté l'ancre. Francine et le Monsieur se sont installés à l'ombre du pommier ; elle a posé sa tête sur son bras replié et s'est endormie. Je m'assieds un moment à côté d'eux, puis je vais chercher du papier, une plume et de l'encre, pose ma feuille sur une planche et me mets à dessiner. Il reste immobile jusqu'à ce que j'aie terminé ; ensuite, il ramasse une plume dans l'herbe et caresse le bras de Francine. Elle remue dans son sommeil et se réveille peu à peu. Lorsqu'elle comprend ce qu'il est en train de faire, elle attrape la plume, se tortille pour se libérer et part en riant : « C'est ma plume ! »

Il vient derrière moi, pose les mains sur mes épaules et me dit, en se penchant plus près : « Très bien. Quand as-tu appris à dessiner ?

— Quand vous regardiez ailleurs. »

Je ne sais pourquoi sa phrase déclenche une telle révolte en moi ; mon humeur vire au noir. Je plonge le bec dans l'encrier mais j'en prends trop et me tache les doigts. Je repose la plume et croise les mains sur mes genoux. Les siennes sont lourdes et il les laisse là alors que j'aimerais m'en dégager.

« Vous savez ce que je pense, Monsieur ? »

Il se redresse en remettant ses bras le long du corps.

« Que penses-tu, Helena ? » Son poids sur moi s'est transformé en lassitude dans sa voix.

« Que vous préféreriez être à Utrecht. »

Sable

Brusquement, une touffeur accablante s'abat sur nous ; les nuages s'amassent si haut qu'ils donnent l'impression d'être sur le point de s'écrouler du ciel. *Somnolence* – si je prononce ce mot tout bas, il m'évoque le bruit d'une bille qui roule dans un bol.

Bientôt deux ans que nous vivons à Santpoort. Limousin apporte de moins en moins de lettres en réaction au *Discours*. J'ajoute *lassitude, langueur* et *léthargie* à ma liste de mots. J'aime entendre le Monsieur les prononcer en français ; il me semble qu'il les écrit en boucle sur ma main. Je donne à Francine de vieilles plumes pour qu'elle joue avec. Elle reconnaît quelques mots qu'elle a appris dans la Bible et lance des cris de joie lorsqu'elle les repère avec son doigt.

Le Monsieur lui consacre plus de temps. En fin de matinée, il la fait venir dans la pièce de devant et lui montre ce sur quoi il est en train de travailler. Sur la table, les lapins ont remplacé les anguilles ; Limousin garde les queues pour elle, mais elle ne veut pas de leurs pattes. Le Monsieur lui parle souvent en français. Un jour, je la trouve avec un morceau de craie, en train d'aligner des chiffres un peu tordus sur le plancher. Son sept, à l'image de celui du Monsieur, est barré au milieu. Elle m'en montre un au milieu de la rangée, annonce « *Neuf* » en français et le souligne d'un trait.

Ils fabriquent des cerfs-volants et les lancent depuis la plus haute dune, là où le vent souffle fort. Le soir, elle me raconte ses aventures au moment de s'endormir. Elle a grandi et ne tient plus dans le creux de mon bras. Elle gigote, donne des coups de pied, agite les mains, invente une langue qui n'appartient qu'à elle en mélangeant le hollandais et le français.

« Maman, j'aime vivre ici avec mon oncle. »

Chaque mois, le Monsieur envoie Limousin en courses assez loin pendant trois ou quatre jours. Il revient avec du courrier, des nouvelles et, de plus en plus souvent, des ragots.

Un soir que j'avais prévu de leur apporter une boisson chaude, je prends du retard en préparant le feu pour le lendemain. Il est tard et la nuit est tombée. Peut-être m'ont-ils oubliée. Quand je m'approche, la porte est entrouverte et je les entends discuter.

« Les rumeurs ont repris à Utrecht, Monsieur.

— À quel sujet ?

— On parle de l'enfant… » Il s'éclaircit la gorge. « Pardonnez-moi… l'enfant d'un *menteur français*. »

Je me colle contre le mur, le plus près possible. Par la fente, j'aperçois le Monsieur, assis, et Limousin debout à côté de lui.

« Qui est-ce cette fois-ci ? Cet âne bâté de Voet ? Revius ?

— Vous voyez ce qui se passera si cela se sait ? Tous vos travaux...

— Je nierai.

— L'enfant... n'est qu'un des aspects. Le problème, c'est aussi *Helena*, vous vous en rendez compte ? »

Le Monsieur se renfonce dans son siège. « J'ai fait de mon mieux.

— En effet, en effet, je sais, répond Limousin, d'une voix doucereuse. Vous avez fait de votre mieux, et même plus. Certains seraient surpris de tout ce que vous avez fait ; ils y verraient la preuve d'un attachement. Ils iraient même jusqu'à y voir de la *culpabilité* – ce qui n'est pas sans présenter des difficultés, car cela demande une explication. Néanmoins, des éléments échappent à votre contrôle. On parle à Haarlem...

— À Haarlem ?

— Chez les blanchisseurs de lin. »

Le Monsieur écarte la remarque d'un geste. « Cela ne me concerne pas.

— Cela montre, Monsieur, que les racontars se répandent. S'ils parviennent aux oreilles de Voet, ce qui ne manquera pas de se produire, j'en suis pratiquement sûr, au rythme où vont les choses, que se passera-t-il ? Puis-je être franc avec vous, Monsieur ? »

Je ne sais qui est Voet. Je sais en revanche que Limousin est une sangsue ; il est cramponné au Monsieur et ne veut pas le lâcher.

363

« Si ce que tu dis est vrai, si Voet découvre…

— Ce sont des rumeurs, Monsieur. Qui parfois deviennent *vérité*. Bien entendu, ce n'est pas la première servante qui a un enfant et ce ne sera pas la dernière. En revanche, son âge, Monsieur… à quoi s'ajoutent la différence de religion, votre position…

— Je le regrette, c'est certain. »

Je mets la main sur ma bouche. *Culpabilité ? Regret ?* Il a honte ? Honte de lui, de moi, de *Francine* ? En un instant, tout ce dont j'étais si sûre se défait. Je tire le fil de notre histoire, je remonte au premier mot : il nous a voulues près de lui ; il ne pouvait tenir un mois entier sans moi ; dans ses courriers, *il a parlé d'amour*.

Ces lettres que j'ai trouvées, ce ne sont que *des mots*. Des mots qu'il n'a jamais envoyés, qu'il n'a pas voulu me faire lire. Les mots sont sa spécialité. Il peut présenter au monde le visage qu'il souhaite. *De l'amour ?* Le mot est coincé dans ma gorge.

« Cette enfant pourrait être de n'importe qui !

— Elle est de moi à l'évidence ! Vous ne voyez donc rien ?

— Pardonnez-moi, Monsieur. Oui, elle est de vous, *cela saute aux yeux*. Néanmoins, vous avez un devoir envers vous-même, envers votre œuvre. Mettriez-vous cela en péril ? *Il y a parfois de petits accidents*, un enfant ou deux avec une jeune personne. Chez les rois et les princes, on pourrait même dire que c'est *normal*, mais vous ne bénéficiez pas de la protection royale. On s'en servirait pour vous nuire. Les corbeaux d'Utrecht seraient trop contents de vous mettre à bas.

— Je n'aurai jamais leur approbation.

— Mais leur *désapprobation* est bien pire, Monsieur. Imaginez à quel point ils se délecteraient…

— Au diable ! Je n'ai jamais fait vœu de chasteté ! Jusqu'où dois-je aller pour me soustraire à tout cela ? Dans l'océan ? Je pensais qu'ici au moins, *dans ce lieu perdu*, je pourrais y échapper. »

Limousin secoue la tête. « Vous voyez le problème, Monsieur ?

— Oui, oui, je vois.

— Le risque que cela fait courir à votre travail ?

— Oui, oui.

— Cela ne peut durer. » Sa voix, en prononçant cette phrase, est pleine d'espoir.

« Où ? Si ce n'est ici, où ?

— En France, Monsieur… au moins pour un temps. » Il pose sa main sur son épaule, comme pour le soulager d'une peine. « Vous aurez essayé.

— Et Francine ? J'ai un devoir envers elle. »

Un devoir ? C'est alors que la phrase de Limousin me revient – *Elle est peut-être de lui après tout* – et je comprends : le Monsieur m'a cachée à Deventer *parce que j'étais une honte*, et il me cache encore. Il parle de partir et d'emmener Francine. Pour la cacher. Tout ce qui compte pour lui, c'est lui-même, son travail, sa réputation. Je ne veux pas entendre un mot de plus.

Plus tard, il vient me rejoindre. Je lui tourne le dos. Il pose les doigts sur mon coude. « Helena, que se passe-t-il ? » Je le repousse. « Helena ? » Il tente de caresser ma joue. Je me recule. La colère m'a ouvert

les yeux. « Je ne suis pas votre servante, Monsieur. »
Il sursaute. « Non, Helena, bien sûr que non. »

Monsieur ? Pourquoi est-ce que je l'appelle encore ainsi ? Pourquoi me laisse-t-il faire ? N'a-t-il pas un nom ? Ne souhaite-t-il pas que je le prononce ? Je m'écarte. Il n'aura qu'à fermer ses volets lui-même.

Je descends dans le jardin. Dans le noir, je distingue à peine le chemin qui mène au potager ; cela m'est égal qu'il fasse froid. J'arrache des poignées de lavande en criant : « Je vais vous dire de quoi un jardin a besoin, Monsieur : il a besoin d'attention. De soin. D'amour. » Je vais dans le carré de carottes et je tire sur les fanes pour les déterrer. « Pas d'encre, Monsieur. Non. Ni de mots. Ni de réflexions profondes et de méditations ! » Je déracine une rangée de haricots et les lance par-dessus mon épaule. En le voyant arriver, je piétine une laitue et la réduis en bouillie.

« *Que fais-tu, Helena ?* Que s'est-il passé ?

— J'ai appris, Monsieur ! Je sais ! Voilà ce qui s'est passé.

— Helena, s'il te plaît, rentre.

— Un jardin a besoin d'amour, vous m'entendez ? *D'amour !* »

Je lui jette à la figure tout ce qui me tombe sous la main − haricots, oignons, menthe, orties, pissenlits. « Il a besoin de force, Monsieur ! De quelqu'un qui y mette son cœur ! D'efforts ! Il a besoin de *travail*, Monsieur, vous le saviez ? »

Il rentre les épaules sous l'attaque.

« Vous croyez tout savoir ?

— Helena, je t'en prie…

— Partez ! » Je crie. Je me suis coupée et mes doigts me piquent. Et quand il fait un pas vers moi, je me mets à hurler : « Laissez-moi tranquille ! *Laissez-moi !* »

Fossé

Je vais me promener avec Francine où je veux, quand je veux, sans dire où nous allons ni à quelle heure nous rentrerons. J'évite le chemin qui conduit aux champs des blanchisseurs ; je préfère longer le polder en direction de Santpoort, ce qui nous fait passer devant une ferme où jouent des enfants. Lorsque Francine descend sur la rive pour leur dire bonjour, je ne l'en empêche pas, je continue à marcher. Elle me rejoint ou attend mon retour.

Depuis la digue, je vois dans toutes les directions : Santpoort, Haarlem, Amsterdam au loin. Vers le sud, c'est mon enfance ; vers le nord, ma vie chez M. Sergeant ; vers l'est, Deventer et Mme Anholts. Maintenant, j'habite dans l'ouest. Tous ces points me ramènent à l'endroit où je me tiens aujourd'hui. Dois-je remplir mes poches de cailloux et sauter dans le fossé ?

« Ohé ! »

Un jeune homme avance à pas pressés dans ma direction en tenant Francine par la main. Je me rends compte que je me suis beaucoup éloignée. « Oh ! Je suis tellement désolée ! »

Francine le lâche et court vers moi en reniflant. « Tu m'as oubliée !

— Ma chérie. » Je la serre dans mes bras en embrassant ses cheveux. Ses joues sont mouillées de larmes.

L'homme tousse. « Bon, elle vous a retrouvée. » Je lève les yeux vers lui. « Merci. » Il répond en rougissant : « Je vais y aller. » Il ne bouge pas et poursuit : « C'est une belle journée. Je vous ai déjà vue. »

Il croise et décroise les bras ; on dirait qu'on vient tout juste de les lui donner et qu'il ne sait où les mettre. Tout en lui est gauche et anguleux.

« Je ne crois pas. » Je ne suis pas d'humeur à bavarder.

« Nous vendons du miel. C'est le meilleur. Vous pouvez en avoir si vous voulez. »

Son menton n'est pas rasé, ses cheveux sont en bataille – sans doute coupés au couteau à la lueur d'une bougie – et il a déjà des taches de rousseur à force de passer ses étés au soleil.

« Merci. » Je redresse les épaules de Francine et lui touche le nez pour la faire sourire. Elle annonce : « J'aime ça, le miel. »

Le jour où nous repartons dans cette direction, il est là, à nous attendre. La fois suivante, il m'offre un pot de miel. Après, il nous accompagne pour nous montrer où poussent les myrtilles. Et puis, un autre jour, je l'autorise à m'embrasser.

Il n'y a pas de surprise dans son baiser : il ne débute pas doucement pour devenir encore plus doux et m'envahir. Il s'insinue en moi, aussi plat que la paume d'une main. Peut-être que je n'en veux pas, qu'il n'y a pas de place pour cela en moi. Il ne me dégoûte pas, mais il n'est pas le Monsieur. Il me rappelle les toisons de Leyde – ces étendards blancs et mous de la défaite.

Il pose la main sur mon sein et s'étonne qu'elle prenne sa forme et l'enveloppe. Il ne pose aucune question sur Francine. Je n'aime pas sa bouche ; quand il se met sur moi, je me détourne pour qu'il souffle dans mon cou, ou dans l'herbe en dessous de nous.

J'ai laissé Francine à la ferme jouer dans le foin et elle s'est cassé une dent en tombant d'un arbre. Nous rentrons toutes les deux débraillées, tuméfiées, mordues, salies.

Je passe devant le Monsieur. Il me retient par le bras : « Où étais-tu passée ?

— Nulle part. »

Il ne me lâche pas.

« Vous me faites mal.

— Tu vas me dire où tu étais.

— Nulle part ! » Je tire sur mon bras pour me libérer.

J'ai envie de lui. J'ai envie de lui. J'ai envie de lui. Je le déteste de toutes mes forces.

« Comment t'appelles-tu ?

— Daan.

— Daan ?

— Tu es très jolie, Helena. Tu serais heureuse ici. » Il me tapote la main comme il le ferait à un chien et sa voix est pleine d'espoir. Je suis la première femme qu'il embrasse. Je lui réponds : « Oui », mais j'ai des haut-le-cœur.

Sa peau cendreuse, ses ongles noirs, ses sourcils blonds : il n'y a rien de plus à savoir, rien à découvrir chez lui. Tout est visible – *voici qui je suis.* Il tend la main. Il a du désir pour moi et cela suffit. Je délace mon corsage, le laisse glisser sur mes épaules pour dénuder ma poitrine, fais descendre sa bouche jusqu'à mon sein ; il commence à le sucer et moi à pleurer. Puisque je ne veux pas l'embrasser, il me mord l'épaule. Une fois qu'il a fini, je le repousse, rajuste mes habits, me relève en titubant et repars à la ferme chercher Francine. Je ne réagis pas lorsqu'il m'appelle pour me retenir. Une fois que j'ai récupéré ma fille, nous rentrons d'une traite et sans un mot.

Je monte dans la chambre du Monsieur. Je veux qu'il sache, qu'il voie. Je me tiens devant lui, le menton tremblant. Quand il se rend compte de mon état, il dit : « Oh ! Helena… » avec tant d'amour que cela me fait presque craquer. Je recule jusqu'à ce que mon dos touche le mur. « J'ai envie de toi, Helena. » Il m'attrape les poignets et les soulève au-dessus de ma tête. Je suis plus forte que lui : c'est moi qui porte la tourbe, qui retourne la terre dans le jardin, qui sors de la bassine les draps trempés pour les essorer.

Je redescends mes bras. L'effort me fait vaciller. « Non. Non, ce n'est pas vrai. »

C'est Limousin qui m'apprend la mort de Reneri. Le jour même, le Monsieur part pour Utrecht. « La maladie du lettré. Une si brève existence : quarante-six ans. Pas beaucoup plus âgé que le Monsieur. » Chaque phrase, dans sa bouche, est pire que celle qui précède. Il n'est pas heureux de m'apporter cette nouvelle, mais il m'observe attentivement au moment où il claque le majeur sur son pouce. Il est agité ; d'une certaine façon, la disparition de Reneri l'excite.

« Pour le Monsieur, c'est terrible… ils étaient des frères.

— Oui, je m'en étais rendu compte. Pauvre Reneri. Que Dieu ait son âme.

— Nous allons être tous les deux jusqu'au retour de Monsieur. Tu es sous ma responsabilité pendant son absence. Ainsi que la petite.

— Elle s'appelle Francine. Et c'est moi qui m'en occupe.

— Je n'en doute pas. Je n'en doute absolument pas. »

Son ton est froid, ce qui est souvent le cas en l'absence du Monsieur. Cette fois, pourtant, j'en ai assez.

« Pourquoi est-ce que je vous déplais tant que ça, Limousin ? »

Il prend un air stupéfait ; ma question semble être la plus saugrenue qu'il ait jamais entendue.

« Tu ne me *déplais* pas, Helena.

— Je vous ai entendu, l'autre soir… avec le Monsieur.

— Ah, *ça.* Les murs ont des oreilles, à ce que je vois. »

Il garde le silence un moment, pas pressé d'en dire plus, tambourine sur la table avec ses doigts.

« À certaines époques de ma vie, j'ai couru de grands dangers. J'ai marché jusqu'aux lignes de front de pays reculés, voyagé très loin et vu se commettre des actes d'une indicible cruauté. Dans ces lieux-là, la vie *disparaît* ; à certains moments, c'est d'ailleurs tout ce que l'on souhaite – disparaître pour ne plus voir de telles souffrances. Nous, nous sommes dans ce lieu protégé, et tu t'inquiètes de savoir si je t'apprécie ? Sais-tu ce que les gens subissent là-bas ? As-tu la moindre idée de ce qu'on leur fait ? *Hein ?* »

Il secoue la tête.

« Je ne sais ce que tu as entendu. Tu en tireras tes propres conclusions. Certaines personnes souhaitent détruire le Monsieur. Je ne parle pas de le tourner en ridicule, même si c'est déjà suffisamment pénible. Non, ils voudraient le lapider jusqu'à ce qu'il se repente ou que son corps soit brisé. Il leur serait indifférent qu'il meure. Ils en tireraient même une certaine satisfaction. Je suis d'avis qu'il devrait se séparer de toi et je le lui ai dit. Il est d'une opinion différente. Avant toi, c'était moi. J'ai vu la vie quitter les animaux qu'il disséquait, je les ai vus se battre contre une mort certaine. J'ai nettoyé le sang sur sa table. Après la mort ? Rien. On vit, on meurt. *C'est tout. Rien de plus.* J'ai appris, moi aussi, Helena. »

Ses paroles vont à l'encontre de celle de Dieu. J'ai pris sa place auprès du Monsieur et il en est jaloux.

« Son œuvre nous survivra. Mersenne, Huygens connaissent sa valeur. Toi, qu'es-tu ? À peu près rien.

— Le Monsieur n'a pas cette opinion. » Je me reprends : « De Francine. »

Il a un bref sourire, mais son visage est triste. « Helena, Helena… nous savons tous, au bout du compte, quelle est notre place. »

Je ne bouge plus. Je reste à l'intérieur avec Francine. Je dessine des lettres pour les lui apprendre et j'écris son nom pour qu'elle le recopie. Le Monsieur revient d'Utrecht, et sa chambre est close en permanence. Le silence nous enveloppe ; même Francine parle en chuchotant. C'est pire qu'à l'époque où Beeckman est venu à Amsterdam : cette fois, il n'y a pas de livre à rendre, pas d'invectives lancées sur le seuil. Il m'a fermé sa porte.

Limousin annonce : « Il paraît qu'il y a un étranger dans les parages. On a aperçu un homme qui épiait les maisons ; il a été chassé à plusieurs reprises. Pour moi, c'est un espion. On ne peut être trop prudents. » Une ou deux semaines plus tard, j'aperçois un mouvement dans le jardin. Mon cœur s'emballe. Quelqu'un se cache derrière un buisson près du pommier. Les branches bougent, un homme

374

aux cheveux blonds se relève et court vers l'arbre
– *Daan!* Il passe la tête sur le côté du tronc, se dissimule. Je sors en vitesse. Quand il me voit, il surgit
tel un lapin débusqué.

« Helena! »

Je mets les bras en avant pour le tenir à distance. Il
fronce les sourcils, sans comprendre. Je recule tandis
qu'il avance.

« Comment as-tu su que j'étais ici? » Je regarde
par-dessus mon épaule. Il avance encore : « Je ne le
savais pas. J'ai fait tous les environs pour te trouver.
Où étais-tu? Pourquoi n'es-tu pas revenue?

— Il faut que tu t'en ailles! Pars. Tout de suite.

— Je ne partirai pas tant que je n'aurai pas dit ce
que j'ai à dire.

— Non! Ne fais pas ça. »

À ce moment-là, le Monsieur apparaît sur le seuil.
Il s'immobilise en voyant Daan. « Helena? Qu'y
a-t-il? Qui est-ce? »

Avant que je puisse ouvrir la bouche, Daan me
passe devant et tend la main au Monsieur.

« Je m'appelle Daan.

— Daan? » Il fixe sa main et les fleurs qu'il tient
dans l'autre.

« Oui. J'habite à une demi-lieue d'ici. Je suis l'aîné
et la ferme sera à moi un jour. » Il redresse les épaules.

Je comprends tout à coup que Daan prend le
Monsieur pour mon père et se présente à lui en tant
que prétendant.

« Je vois », répond le Monsieur. C'est moi qu'il
fixe maintenant. « Donc vous avez de la terre, ou

375

vous en aurez. Est-ce ce que vous êtes en train de me dire ?

— Oui ! » Le visage de Daan s'éclaire, mais il n'est pas encore très sûr de lui. Il ouvre la bouche en dévisageant le Monsieur et m'offre les fleurs. J'hésite à les prendre. « Daan vend du miel. » Le Monsieur hausse les sourcils.

« Et l'enfant ne me gêne pas. » Daan cherche à m'attraper la main.

Le Monsieur se raidit. « Voilà qui est fort généreux de votre part. »

Daan s'incline, satisfait de la tournure de la conversation.

« Merci, Daan. Vous m'avez donné de quoi réfléchir. Je ne savais pas qu'Helena avait un soupirant.

— Vous ne saviez pas ? » Il courbe les épaules. Je voudrais m'enfuir à toutes jambes, je suis clouée au sol.

« Entrez, Daan, je vais vous montrer où nous vivons, nous ferons connaissance. »

Il le conduit à l'intérieur et le fait s'asseoir à la table de la cuisine.

« À boire pour Daan, Helena, qu'en dis-tu ? Un peu d'eau-de-vie, peut-être. » Il va chercher l'alcool lui-même.

« Non, non. Je ne bois pas. »

Le Monsieur pose un verre devant lui et lui verse une bonne rasade. « Buvez, cela vous fera du bien. Elle est *française*. C'est la meilleure. »

Daan boit une gorgée et fait la grimace. Il observe ce qui l'entoure – plumes cassées dans un verre, crânes d'oiseau sur le manteau de la cheminée, taches d'encre sur la table. Au milieu du fouillis, des croquis que j'ai faits de Francine et du Monsieur. Celui-ci se met à rire. « Frappante, n'est-ce pas, la ressemblance ? »

Au moment où il comprend ce que le Monsieur veut dire, le visage de Daan se fige. Il se lève d'un coup en faisant tomber un bol. « Bonté divine… » Il m'arrache les fleurs, les jette par terre, me lance un regard désespéré et se précipite dehors.

Je me mets à genoux pour ramasser les débris de faïence dans mon tablier. Ils sont parsemés de pétales de fleurs.

« Vous êtes cruel.

— Que voulais-tu que je fasse ? Te donner au premier imbécile venu ?

— Vous n'avez pas à me donner. Je ne vous appartiens pas, Monsieur.

— Non, en effet. Tu es libre de partir. Tu peux épouser ce rustaud si ça te chante. Quoi qu'il arrive, Francine reste avec moi. »

Quand je vais marcher, dix jours plus tard, Daan est devant sa ferme, comme d'habitude. Je suis seule. Le Monsieur ne veut pas que Francine mette le nez dehors, même pour jouer dans le jardin.

« Tu m'attends ici tous les jours, Daan ? » Avec le vent, mes cheveux se sont échappés de ma coiffe et volettent de chaque côté de mon visage. Il hausse les épaules.

« Tu ne devrais pas m'attendre.

— Je n'attendais pas. » Il ajoute : « Je croyais que c'était important pour toi. »

Important ? Je ris. « Daan, pourquoi es-tu ici ?

— C'est à cause de la ferme ? La terre est bonne, je te l'ai dit. »

Je repars. Il saute de la barrière et me rejoint.

« Où vas-tu ? Ne bouge pas ! »

Il me tire par le bras et me fait perdre l'équilibre. Ma cheville se tord sous mon poids, une douleur atroce remonte dans ma jambe et je tombe.

« Vous avez bien ri, hein, tous les deux ? *Quel ballot, ce Daan*, c'est ce que vous vous êtes dit, pas vrai ? » Il crache les mots. « T'es qu'une roulure. »

Il m'empêche de me relever, me maintient à terre et se met à genoux devant moi.

« Non, Daan. »

J'essaie de m'échapper en rampant, mais il est plus fort et me ramène vers lui.

« Daan, non… »

Il me pousse violemment sur le côté. « Je te déteste ! Qui voudrait d'une putain pour femme ? »

Puis il se jette sur moi, une main sur mon cou, un genou sur mes côtes. Elles vont se briser. Il veut me briser.

« T'es qu'une salope. Une salope. » Il saisit un caillou. « Salope, salope ! »

Je tends le cou pour respirer. Quand il me frappe, le ciel me tombe dessus, rouge et noir.

Suie

Où est ma petite fille aux cheveux noirs ? Ma toute petite ? Ma chérie ? Et toi, mon amour, où es-tu, mon bien-aimé ? Laisse-moi te dessiner, dessiner nos journées et j'en ferai un livre. En hiver, à l'époque où les fleurs ne sont que promesses blotties sous la neige, je filerai la laine pour te tisser une houppelande que je borderai de fourrure. Dans le jardin, je planterai des pommiers, des cerisiers, des cognassiers. Je t'apporterai des fraises sucrées.

Où est la fille du rivage, coquillages dans les poches, algues dans les cheveux ? Dessine-moi une rose, dessine-moi une tige, dessine-moi un flocon de neige que tu as pris dans le ciel et je t'apporterai une chandelle, mon amour. Je t'apporterai mes baisers dans la nuit.

Je suis l'eau. Je suis la boue. Je suis la pierre. Je me fends. Je sombre. Je me brise. La vase emplit mes poches, ma bouche, mes yeux. Papier, guenilles ; mots, corbeaux. Je me décompose. Mes os, fragiles et brisés. Je suis brindilles — petit bois pour le feu, suie dans la fumée. Je suis la gueule noire et brûlante de la cheminée. L'air que je respire est étouffement ; celui que je souffle poison.

AMERSFOORT, 1640

Horloge

La petite maison donne sur Lange Gracht. Les canaux sont plus étroits, les rues plus calmes, quoique suffisamment larges pour qu'un couple puisse y marcher en se tenant le bras avec les enfants qui courent devant. Cela me rappelle Amsterdam, mais un Amsterdam si petit qu'on pourrait le plier et le glisser dans sa poche.

Francine sort du coche la première. Au moment où je m'apprête à la suivre, un élancement me vrille le côté. Le cocher s'approche pour me tenir le coude ; je le repousse et ferme les yeux en attendant que la douleur diminue.

Avant que nous ayons le temps de frapper, la porte s'ouvre en grand et un visage connu apparaît : Mme Anholts. Elle s'écrie : « Helena ! » avec le ton de quelqu'un qui a passé la journée à attendre. « Je suis si heureuse de vous voir ! Et voici Francine. Que tu es grande ! Quel âge as-tu ?

— Presque déjà cinq ans !

— Presque déjà cinq ans ! Eh bien, c'est le meilleur âge. Jusqu'à ce que tu en aies six... Et là, tu te demanderas pourquoi on a fait tant de cas de tes cinq ans... »

Francine lui fait un grand sourire et me prend la main. Mme Anholts descend les marches, me soulage de mon panier et passe son bras sous le mien. Son visage est chaleureux et son regard plein de sollicitude. « J'ai reçu des instructions du Monsieur. Il a été très clair : je dois m'occuper de vous. Appelez cela des *dispositions* si vous voulez. Entrez, entrez. Par ici. »

Tout en parlant, elle ouvre la porte d'une salle qui a récemment été meublée de neuf : des chaises recouvertes d'un coussin ; sur le sol, un tapis à motifs ; près de la fenêtre, une table où ont été posés des livres, des feuilles et un encrier. « Je vous ai dit qu'on m'avait donné des instructions ! » Elle me montre un tableau au mur, un vase sur la cheminée, une dentelle qu'elle vient de commencer. Je ramasse une plume sur la table. Elle est douce – elle a été bien taillée et les barbes ont été retirées ; *rien qui puisse retenir ou éloigner la pensée.* Son bec est blanc : elle n'a pas encore servi. Mme Anholts contemple le tapis d'un air dubitatif. « C'est ce qui se fait de nos jours, à ce que j'ai cru comprendre. »

Je vais vers l'âtre, qui contient un poêle orné de carreaux de Delft à motifs de voiliers. Je fais le tour de la pièce. Elle est petite, lumineuse, gaie. Mme Anholts plantée au milieu, les bras ballants, attend que je dise quelque chose, que je la remercie, n'importe quoi.

En réponse à une question que je n'ai pas posée, elle m'annonce : « Limousin n'est pas censé venir. Qui a envie de la compagnie de ce grincheux ? S'il se tient correctement, je l'autoriserai peut-être à nous rendre visite. »

Je m'assieds sur la chaise la plus éloignée de la fenêtre et la laisse parler. Une brise tiède apporte avec elle les bruits de la rue. Un cheval passe, et les paroles de Mme Anholts s'estompent en même temps que le claquement de ses sabots. Elle s'installe à côté de moi, tapote le coussin, croise les bras, apparemment satisfaite. « Comment va le Monsieur ? »

Je regarde la croisée ; je voudrais la fermer. Francine entre avec Monsieur Grat en le tenant par l'oreille, une habitude qu'elle a prise le jour où le Monsieur l'a ramené du marché. « Maman ? » Elle touche ma manche timidement. Elle ne tire plus sur ma jupe, ne grimpe plus sur mes genoux : elle est trop grande, maintenant. « Est-ce que Monsieur Grat peut dormir dans ma chambre ? » Le chien me fixe de ses yeux tristes. « *S'il te plaît*, Maman. » Elle se dandine d'un pied sur l'autre. Je suis envahie d'une telle tendresse que je la prends dans mes bras ; en la sentant résister, je la relâche tout de suite, comme si je l'avais brûlée, ou si elle m'avait brûlée. Elle trébuche et se redresse, ne sachant si elle doit revenir vers moi ou pas.

Mme Anholts se lève : « Va voir ta chambre, Francine. Tu montes un escalier et encore un autre. Allez ! » Elle revient s'asseoir : « C'est son portrait tout craché. » Elle joint les mains sur ses genoux et cligne des yeux comme pour fixer une pensée. « Il vous faudra du temps, Helena. Nous ferons une petite promenade chaque jour. Le Monsieur a engagé

385

un précepteur pour Francine ; cela va l'occuper. Il a choisi cet endroit parce que le coche peut venir jusque sous la voûte : ainsi, personne ne saura. Ne vous inquiétez pas. Vous devez reprendre des forces et c'est ce que vous allez faire. »

Je vois les jours s'étirer devant moi : une longue banderole de tissu que je pourrai décorer à ma guise. Je n'ai aucune envie de marcher, de parler ou de dessiner. Je ne veux ni du cheval dans la rue, ni du tapis sur le sol, ni des coussins sur les chaises. Je veux simplement pouvoir fermer les paupières sans voir Daan.

Mme Anholts se penche un peu plus près. « Le Monsieur a-t-il mentionné une visite ? » Je baisse les yeux.

J'apprends à reconnaître les bruits. Je suis réveillée quand je devrais dormir. Je sais qui frappe à la porte – le précepteur de Francine, le poissonnier qui passe deux fois par semaine –, qui monte l'escalier, quelle fenêtre est ouverte. J'entends clopiner le poney du marchand de tourbe.

Lorsque nous sortons, je m'efforce de fermer mes oreilles à tous les sons – au vacarme qui m'assaille de tous côtés. Je marche aussi vite que possible pour pouvoir rentrer aussi vite que possible. Mme Anholts, hors d'haleine à mes côtés, fait deux pas chaque fois que j'en fais un. « Helena ? » Elle me retient au dernier moment : j'avançais tête baissée et serais rentrée dans un arbre si elle ne m'en avait pas empêchée. Je fais un écart et je repars.

*
* *

Les semaines se succèdent. Un matin, il arrive de Leyde. Sa petite malle est en bas des marches, où le cocher l'a posée. Limousin n'est pas là : il va devoir la porter lui-même.

Il s'avance vers la table. Tout est resté tel quel, rien n'a été touché. Il prend une feuille vierge, la retourne, la repose.

Il y a des moments où tout s'éclaire, comme lorsqu'on observe la flamme d'une bougie et qu'on comprend que les couleurs ont toujours été là, attendant que quelqu'un ait l'idée de les voir. Je me souviens de celle qu'il m'avait montrée à Amsterdam. Que voyait-il en me regardant ? Était-il assez près ?

« Tu n'en veux pas ? » Sa question m'étonne. Il fixe le papier sur le bureau, perplexe.

Je n'ai rien à faire ici. Rien. Et je ne suis même pas capable de cela.

« Il faut que tu parles, Helena. »

Puis la lumière revient, annoncée par des rires et le bruit des griffes sur le plancher. Francine et Monsieur Grat entrent en trombe dans la pièce. Elle se précipite dans ses bras : « Mon oncle ! » Il éclate de rire et embrasse ses cheveux, tout en écartant le chien qui s'est dressé sur ses pattes. « *Pschtt !* Tu lui as donc appris à danser ?

387

— Viens avec moi. » Elle lui prend la main et le tire vers la porte.

Il sort, repasse par l'embrasure. « Je monte ma malle et je redescends. Nous man... »

Francine doit l'entraîner à nouveau, car il disparaît brusquement. Je n'entends plus que le claquement des semelles et les rires d'une enfant que l'on chatouille pour qu'elle monte l'escalier.

Quand Daan en a eu fini avec moi, il m'a fait rouler en bas de la digue. Il avait l'intention de me jeter à l'eau, mais ma jambe était coincée sous moi et m'a retenue au bord. C'est Limousin qui m'a découverte et m'a portée jusqu'à la maison ; lui aussi qui est reparti chercher Daan.

Le Monsieur a indiqué au médecin les points à faire pour refermer les plaies de mon visage. J'avais des fractures à la jambe et à la hanche. On m'a bandée, on m'a fait boire de l'eau-de-vie du Monsieur et il s'est assis à côté de mon lit. Au cours des semaines qui ont suivi, il se tenait là pour écrire et lisait tout haut ce qu'il venait de rédiger.

« Des mots, des mots, des mots... Déjà trois semaines et je n'ai toujours pas répondu à celle-ci. » Il s'éclaircit la gorge. « *À Mersenne, 25 décembre 1639. Je passe à votre lettre du 4 décembre et vous remercie des avis que vous me donnez touchant mon* Essai de métaphysique... Mersenne et ses avis ! Voyons la fin. *Je ne suis point si dépourvu de livres que vous pensez et j'ai encore ici une* Somme *de saint Thomas et une Bible que j'ai apportée de France.* »

Il s'arrête. « Je vais te montrer quelque chose. » Il sort de la pièce et revient avec un volume recouvert de velours vert usé : *sa Bible.* Je n'en ai jamais vu de pareille : elle est beaucoup plus ancienne que toutes celles que j'ai feuilletées, avec une reliure ornée de gravures et d'armoiries gaufrées. Ce n'est pourtant rien en comparaison de ce qui se trouve à l'intérieur. Je suis tellement ébahie en l'ouvrant que j'ose à peine la toucher. *Des images !* Certaines sont même *coloriées !* Les pages sont bordées d'or, qui a foncé avec le temps. Il me montre une liste de noms et de dates de naissance. Il la suit du doigt, tapote la page et s'écarte pour que je puisse voir : « Je suis ici. » Ce n'est pas facile à déchiffrer, mais je parviens à lire son nom suivi de : 31 mars 1596. En me voyant plisser le front, il se met à rire. « J'ai moi aussi été un bébé. Avant de devenir un mouton noir… aux cheveux blancs ! » Je ris avec lui. Cela provoque une quinte de toux et me fait cracher du sang, qui tache ma chemise et le drap. La Bible tombe à terre. Je ne bouge plus jusqu'au printemps.

Quand le printemps est là, les os que Daan a brisés se ressoudent. Je survis.

Le Monsieur redescend en se frottant les mains : « Bien ! Montrez-moi la cuisine, je vais me mettre aux fourneaux. » Mme Anholts a eu la bonne idée d'apporter de Deventer ses casseroles en cuivre. Le Monsieur les sort presque toutes pour confectionner un plat compliqué à base de différents légumes en sauce cuits séparément. Nous mangeons tous les quatre, puis Mme Anholts conduit Francine à l'étage pour la mettre au lit.

« Six méditations, un texte court, quelques pages. Il devrait paraître dans moins d'un an. » Il a parlé pendant tout le repas de la progression de ses écrits et d'une lettre destinée à Mersenne qu'il est en train de rédiger.

« C'est une erreur de croire que nous nous souvenons mieux de ce que nous avons fait pendant notre jeunesse que de ce que nous avons fait depuis. J'ai presque tout oublié de…

— Je suis heureuse que vous soyez ici. » C'est sorti de ma bouche aussi naturellement que l'air que l'on inspire à la surface de l'eau.

Il pose la pomme qu'il est en train de peler. Au regard qu'il me lance, j'aurais aussi bien pu suggérer d'écrire moi-même à Mersenne. Il presse doucement ma main.

« Et moi je suis heureux d'être ici, Helena. »

Alors, nous nous mettons à parler, avec des silences lorsque les mots ne viennent pas. Nous restons attablés si tard qu'il nous faut une chandelle pour monter nous coucher.

Nous entrons dans ma chambre. Il ferme les volets et allume les bougeoirs sur la table de toilette. Chaque flamme éclaire un angle de la pièce – ses livres sur la console, son manteau accroché à la chaise, sa malle au pied du lit, son horloge posée sur le manteau de la cheminée : il s'est installé. « Demain matin, je te montrerai comment elle fonctionne. » Il vient derrière moi et me prend les épaules. « J'ai décidé de la laisser ici. Il faudra la remonter en mon absence. »

Je commence à me déshabiller. « Je vais t'aider. » Il délace mon corsage, fait glisser les manches sur mes bras et déboutonne ma jupe. Il touche les cicatrices sur mon ventre et, quand je suis nue, passe ma chemise de nuit sur mes épaules. Je lui fais signe que non. Alors il retire ses habits et, lorsqu'il est nu, nous nous allongeons en frissonnant un peu jusqu'à ce que l'air se réchauffe entre nous. J'entrelace mes doigts dans les siens. Il se blottit contre mon épaule et, peu à peu, je le sens qui s'éloigne et s'enfonce dans le sommeil.

Pendant un long moment, j'écoute l'horloge. Pour la première fois, je me rends compte que chaque instant passe si vite, et que celui qui le suit arrive tout aussi rapidement.

France

Après des journées suffocantes, des averses venues du nord font tomber la température. Un jour, les baies sont grandes ouvertes ; le lendemain, il faut allumer le poêle.

Mme Anholts se plaint en s'éventant avec une serviette : « Je n'aime pas du tout ce temps. » Francine non plus : elle a trop chaud dans sa chambre, dort mal et passe son temps à trépigner, à faire des caprices et à répondre. L'humeur du Monsieur n'est pas meilleure ; ses *Méditations* provoquent en lui l'exact opposé de ce que son texte propose. Il donne des coups de pied à Monsieur Grat, claque les portes plus qu'il ne les ferme, jette parfois ses documents par la fenêtre.

Et puis, en juillet, il termine son premier jet et tout reprend son cours. Il l'envoie à Utrecht pour en connaître les objections avant sa publication, contrairement à ce qui s'est passé pour son *Discours*. Quels ennuis ce livre lui a causés ! Je suis persuadée que c'est ce qui le fait demeurer à Leyde alors qu'il préférerait être à Utrecht. Les critiques à son encontre – à l'encontre du *Discours* – ont repris. Tout ce qu'il

392

écrit, apparemment, provoque des remous et le met en danger. « Ce ne sont que pédants, imbéciles, pseudo-théologiens ! Ces prétendus experts sont des canailles, en vérité. Ils parlent avec assurance, alors que seuls les idiots se croient savants. Ne t'inquiète pas, je ne vais pas mettre le feu aux poudres : ils en sont tout à fait capables eux-mêmes. »

Ses visites, irrégulières, durent quelques jours ou une semaine. Étant donné sa disposition d'esprit, cela me suffit. Il m'arrive d'être soulagée de le voir repartir. Il projette un voyage en France à la fin de l'été ; la fois suivante, il annonce qu'il n'ira finalement pas.

La chaleur devient accablante. Il est difficile de réfléchir ou de rester en place ; les pensées s'envolent aussi vite que la brume matinale. Il a commencé un nouveau texte sur les marées ; quelque chose monte et descend en lui aussi, mais on dirait qu'il ne peut décider ce qu'il va faire.

Un soir, après le dîner, lorsque Francine est partie se coucher, il déclare : « J'ai une tante. » Il s'est montré inhabituellement calme pendant le repas, n'a pratiquement pas touché à son assiette et a fui mon regard. Nous sommes encore à table. Je suis tentée de lui répondre que ça n'a rien d'extraordinaire d'avoir une tante, même pour lui qui n'a pour ainsi dire pas de famille, mais je vois que ce serait une erreur de le taquiner – il a envie de parler.

« Il me semble que Francine sera assez grande… »
Il trace un cercle avec son doigt sur la nappe comme
s'il poursuivait une idée avec.

« Monsieur ?

— Je t'ai fait la promesse de lui assurer une éducation convenable. Elle va bientôt avoir cinq ans et son
intelligence est vive.

— Elle voit un précepteur deux fois par semaine.

— Rien ne s'oppose à l'apprentissage – chez une
fille. » Il continue à dessiner des cercles avec son
doigt. J'ai envie de lui prendre la main et de lui
demander ce qui le trouble autant. « T'ai-je déjà
parlé d'Anne Marie Schurman ? Voet l'a complètement démolie, alors qu'elle était fort savante.

— Francine, Monsieur ? » J'essaie de le faire revenir à son point de départ.

Il continue de pourchasser son idée avec ses cercles.
« Un précepteur, une ou deux fois par semaine ? Je
considère que c'est insuffisant. »

Pour lui, cela n'en vaut pas la peine ? Cela ne
devrait pas continuer ?

« Elle étudie si bien ! »

Il acquiesce. « Que peut-on connaître du monde
cloîtré dans une chambre ? »

Oh ! Je vois à quel point cette pièce doit lui
paraître petite. Cette maison. Amersfoort. Je me dis,
en relevant le menton : *Avec Dieu pour nous guider,
il n'est pas nécessaire d'aller loin pour savoir ce qui est
bon et vrai.* Pourtant, cette pensée ne me fait pas me
tenir plus droite et je n'en suis pas plus grande pour
autant.

« J'ai pris une décision : Francine se rendra en France cet automne. Elle séjournera chez ma tante, Mme du Tronchet, et y recevra une éducation appropriée.

— En *France* ? » Ai-je bien entendu ?

« Oui, c'est cela. En France. »

On dirait qu'il tambourine ce mot sur une peau : *Boum ! Boum ! Boum !* Je repousse mon assiette.

« Quand ça ?

— En octobre, ou peu après. »

En octobre ? Je compte les semaines – *une petite poignée* – et je les vois déjà envolées, passées, terminées. Il n'y a dans son regard aucune trace de doute ; il soutient le mien sans ciller. Sa décision est prise. *Octobre.*

« J'y songe depuis quelque temps. Limousin m'a conforté dans cette opinion.

— *Limousin ?* »

Je donne un coup sur la table, et la colère m'entraîne bien au-delà de la frontière derrière laquelle je me suis tenue toute ma vie, cette ligne invisible qui disait : *Reste à ta place.*

« Vous suivez les conseils de *Limousin* ? » Je me suis levée de ma chaise sans m'en rendre compte. Je me souviens de leur discussion à Santpoort, de la discorde que Limousin a cherché à semer.

« Helena, *Helena.* »

Helena, Helena ? Il s'est raidi. S'il fait mine d'écouter, en fin de compte, c'est lui qui choisira. Décidément, rien ne change. Il s'approche de moi ; je me recule. « Non ! »

La mer déferle par-dessus les dunes et bouillonne à nos pieds. *Savez-vous nager, Monsieur? Le savez-vous?* Je me mets à arpenter la pièce, sans même m'adresser directement à lui.

« *Limousin*! Ce serpent! Ce serpent venimeux, *venimeux*! »

Il se penche en arrière et croise les mains. « Un serpent?

— Parfaitement, un serpent. »

Il esquisse un sourire. « Parce que tu crois que j'ai besoin de prendre conseil auprès d'un serpent? Que je suis incapable de décider par moi-même? »

Je fais mine de n'avoir rien entendu. « Vous voulez me l'enlever. Et la cacher, pour que personne ne sache.

— As-tu terminé?

— Et moi? Faut-il m'éloigner aussi? Limousin a décidé de ça pour vous également? Ce sera où, la prochaine fois? N'allez-vous pas être à court d'endroits où m'envoyer? »

Il lève une main pour que je me taise et la laisse en l'air jusqu'à ce que je me calme.

« Tu me comprends mal. Pourquoi t'en irais-tu à moins que tu ne le désires? Bien sûr que nous pourrions continuer à vivre ici, et pour ce qui est de se cacher... Francine partira en France en tant que ma pupille et non ma nièce, ce qui ne pourrait se faire en aucun cas. »

Il s'interrompt un instant; son sourire s'est effacé.

« Je leur ai dit. Ma famille est au courant. »

Papier

J'ai décidé d'écrire à Betje en lui racontant tout pour avoir son avis. Mais le papier n'est plus sur la table. Ni l'encre. Ni les plumes. Je contemple le plateau en clignant des yeux, comme si ça pouvait les faire revenir. J'ouvre le tiroir, au cas où ils y auraient été rangés, le vide de ses coquillages et galets. Pas la moindre feuille.

« Mme Anholts ? Mme Anholts ? »

Elle est dans la cuisine, en train de préparer un gâteau roulé à la cannelle.

« Savez-vous où est *mon papier* ?

Elle continue à pétrir la pâte en ajoutant une poignée de farine. « De quel papier s'agit-il ? » Son cou est tout rouge.

À son avis ? À part le mien, il n'y en a pas d'autre que celui du Monsieur, qu'il conserve dans une malle fermée à clé. Ma colère, après ma discussion de la veille avec lui, se réveille aussitôt. Je me force à répondre d'une voix calme.

« Celui qui a toujours été dans la pièce de devant. Sur la table. Il n'y est plus. »

Elle se gratte le cou — les traces de farine rendant sa peau plus cramoisie encore —, et dit tout à coup, semblant s'en souvenir à l'instant : « Ah ! C'est Francine qui l'a.

— Francine ?

— Elle en avait besoin.

— *De mon papier ?*

— Oui.

— Vous n'avez rien dit ?

— Personne n'y avait touché. »

Ainsi, tout le monde conspire contre moi ? Je ne peux même pas disposer d'une feuille ? Personne ne songe à me demander mon avis – à propos du papier, de Mme du Tronchet, de la France, *de quelque sujet que ce soit ?*

« Où est-il maintenant ?

— Dans sa chambre, je suppose.

— Dans sa chambre, vous supposez ? » Je me retiens de crier.

Elle m'adresse un sourire prudent. « Il vous en faut ?

— Eh bien, s'il en reste ! » Je fais demi-tour et quitte la pièce avant de m'emporter vraiment.

Francine est avec son précepteur et je ne vais pas les déranger dans l'état de rage où je suis. Je monte jusqu'à sa chambre en grimpant les marches deux par deux. Il n'y a de papier ni sur l'étagère, ni sur sa table de toilette, ni dans le tiroir où sont rangés ses habits. Je retourne les draps, m'attendant à le trouver dessous ou caché sous l'oreiller ; il n'y a rien à part un petit creux, là où elle a dormi. Je m'assieds sur le lit pour préparer ce que je vais dire en redescendant. Puis j'aperçois une boîte, cachée derrière la porte, avec une paire de chaussures de Francine posée dessus.

Une boîte. Je ne sais pas ce que je m'attends à découvrir en l'ouvrant. Des pages déchirées, roulées en boule, noircies de gribouillis ? En soulevant le couvercle, je vois plusieurs morceaux découpés. Je pense, le cœur serré : « *Mon papier* » et j'ai aussitôt honte. En les dépliant, ils s'éparpillent sur le sol : un, deux, trois, quatre – quatre flocons de neige. Je les mets devant la fenêtre ; à la lumière, ils forment une dentelle.

Dessous, plusieurs feuillets couverts de lettres. Elle s'est entraînée à copier et recopier l'alphabet. Il y a les lettres que j'ai apprises enfant, celles que je lui ai montrées à Santpoort, et d'autres que je n'ai vues que dans les textes du Monsieur : le c avec une petite queue en tire-bouchon et celles qui sont surmontées d'accents : *à, è, ç, é.*

Ailleurs, elle a répété plusieurs fois son prénom, avec des lignes qui penchent vers le bas au fur et à mesure.

F R A N C I N E

F R A N C I N E

F R A N C I N E

F R A N C I N E

Sur une troisième page, une liste :

maman

fransine

chien

poulai

frnscene

belle

monsur grat

Francene

daikart

decart

descarte

de scartes

francine Des cartes

Au fond, des feuilles qu'elle n'a pas touchées. Je remets tout dans la boîte, la replace près de la porte et ses chaussures par-dessus.

Certes, elle n'a pas volé ce papier ; elle ne me l'a pas demandé non plus. Ce qu'elle a écrit n'est pas caché, mais elle ne m'en a pas parlé. C'est à elle, pas à moi – une partie d'elle séparée de moi.

Francine Descartes.

Je regarde la boîte. Ce n'est pas la peine que Limousin me le dise : je sais où est ma place.

Ombre

« *Viens*, Francine. » Le Monsieur la prend dans ses bras, la fait virevolter dans les airs et l'assied au bord de la table, les jambes pendantes. Il plonge dans sa poche et en sort un objet qui, de loin, ressemble à un galet plat qui tiendrait parfaitement dans sa paume. Pourtant, je n'ai jamais vu un galet en or et argent, au bout d'une longue chaîne en or. Il le tend devant lui pour que nous puissions le voir. Autour de l'attache sont finement gravées les silhouettes de deux femmes vêtues de jupes si vaporeuses que l'on distingue nettement la ligne de leurs jambes, de la hanche aux pieds nus. En me penchant, je me rends compte qu'elles ne portent rien d'autre.

« C'est un nocturlabe, une montre de nuit. Regardez. » Il appuie sur un poussoir et le couvercle se soulève.

« Oh ! » Francine recule, surprise.

Il sourit. « Veux-tu le tenir ? »

Elle fait non de la tête, mais se penche plus près.

« Non ? »

Elle refuse encore, moins fort.

« Tiens. »

Il dépose doucement l'instrument dans ses mains. Elle lève les yeux vers lui, sans bouger, les bras raides; elle se souvient peut-être de s'être fait gronder pour avoir touché son horloge. « Ça sert à quoi?

— À donner l'heure. Il comporte un cadran solaire pour la journée, et l'on peut aussi lire les étoiles la nuit. Tu vois, il est si petit que je peux le mettre dans ma poche; ainsi, où que je sois, je sais quelle heure il est. Incroyable! Je ne pourrais pas le faire avec mon horloge, n'est-ce pas? » Il mime le geste de la porter et d'essayer de l'extraire de sa poche. Elle se met à rire. Il lui reprend le nocturlabe.

« Cette bordure, à l'extérieur, indique la date; grâce à elle, on sait quel jour du mois on est. Et là, à l'intérieur du couvercle, il y a une *table* de longitude : *Lyon, Marseille, Grenoble.* »

À l'intérieur, il relève un anneau d'argent, sous lequel est fixée une pointe centrale. Il incline le nocturlabe vers la fenêtre. « La lumière n'est pas très bonne aujourd'hui… Non, ce n'est pas possible. Trop de nuages. »

Francine tend le cou. De là où nous sommes, nous ne pouvons voir. Il vise à travers un minuscule orifice percé dans le couvercle.

« La nuit, pour avoir l'heure, on cherche l'étoile polaire par ce trou, et l'on fait pivoter l'aiguille – *ainsi*!

— Mais la nuit, on dort! Dans notre lit! On fait dodo! » Francine bat des pieds; elle ne s'ennuie pas vraiment, elle s'impatiente.

402

Il referme le couvercle, enferme l'ombre à l'intérieur et me passe le nocturlabe. Il est plus lourd que je ne l'imaginais. Dessous, il est inscrit : *À Monsieur René Descartes.*

« Un cadeau, Monsieur ?

— Oui », répond-il en se frottant les doigts, l'esprit ailleurs.

J'appuie sur le poussoir pour observer l'aiguille centrale. Je ne peux pas dire l'heure qu'il est mais, bien que le jour soit gris, le soleil a déjà bougé. Je n'ai pas envie de penser au temps qui passe, au fait qu'un jour prochain, elle sera loin.

Je le lui rends : « Tenez. »

La malle qu'il a apportée de Leyde ne contient pas de vêtements. En plus du papier, il y conserve sa correspondance – les lettres qu'il a reçues, les copies de celles qu'il a envoyées et les miennes. Elle est verrouillée en permanence et la clé rangée dans le buffet. Il ne m'a pas caché où il l'a mise.

De tous les endroits où j'ai vécu, c'est Amersfoort que je préfère. Ainsi que Mme Anholts l'avait prédit, j'ai repris des forces petit à petit. Après un hiver rude, la chaleur de l'été nous éprouve. Mme Anholts la supporte mal ; elle redoute l'eau stagnante des canaux et l'atmosphère fétide. En août, elle décide de repartir à Deventer. « Vous allez suffisamment bien pour vous débrouiller seule, maintenant, Helena. L'Yssel, et la brise qu'elle apporte, me manquent. Il n'y a pas assez d'air dans cette ville. »

Ensuite, je vais me promener chaque jour avec Francine, parfois jusqu'au bout du canal. À la fin du mois d'août, les feuilles commencent à tomber, se posent sur l'eau et dérivent au fil du courant ; le canal devient un ruban doré ondoyant à travers la ville.

Mon esprit est occupé par les prochaines semaines et le départ de Francine. Je l'imagine assise à un bureau, apprenant le français, et un autre langage dépourvu de mots, composé uniquement de chiffres et de formes – la géométrie. Observera-t-elle les étoiles dans le ciel ? L'obscurité qui les sépare ? À qui ressemblera-t-elle : à moi ? à lui ? Se souviendra-t-elle, ou oubliera-t-elle ?

Un soir, au moment de s'endormir, elle me déclare : « Je vais aller en France. » Je lui réponds : « Oui » en tirant les couvertures sous ses bras pâles pour qu'elle ne bouge pas pendant la nuit. Ma petite fille, bordée dans son lit.

« Tu ne peux pas venir avec moi, Maman ? »

Je me détourne pour qu'elle ne puisse pas voir mon visage et lui réponds en feignant l'entrain : « Je dois rester ici pour m'occuper de Monsieur Grat.

— Monsieur Grat peut venir aussi !

— Chut. » J'embrasse son front. « Monsieur Grat a besoin des bateaux du canal pour aboyer après.

— Je veux que tu viennes, Maman.

— Oh, Francine, ma chérie… » Je ne sais que dire. « Tu me raconteras tout à ton retour, n'est-ce pas ? *Promis ?* »

Elle se pelotonne sous la couverture et murmure en français : « *Bonne nuit* » dans son oreiller, comme pour se préparer à ce moment du coucher quand elle sera loin. Avant de sortir, je lui réponds en français : « *Bonne nuit.* »

Je laisse sa porte entrouverte et vais m'asseoir près de la fenêtre de ma chambre, immobile, jusqu'à ce que la chandelle soit consumée et que les ombres aient envahi la nuit.

Fièvre

« Francine, allons faire un tour. » Je lui tends la main pour qu'elle se lève. Elle est sur les marches, devant la maison. Elle voudrait apprendre au chien à s'asseoir ; d'après ce qu'elle m'a montré de ses nouveaux talents, il est surtout doué pour aboyer campé sur ses pattes. Elle fait la sourde oreille.

« Tu ne peux pas rester ici toute seule. »

Elle sautille d'un pied sur l'autre. « Si, je peux. Monsieur Grat est avec moi.

— Juste une petite ballade, Francine. »

Elle s'interrompt. « Je n'ai pas envie. »

Elle a changé, je le vois : elle a grandi, et ses cheveux – que j'ai pourtant coiffés – paraissent plus longs. J'aime me promener avec elle ; et j'aurai si peu d'occasions de le faire avant qu'elle s'en aille. Je laisse passer un moment en espérant qu'elle change d'avis, mais elle joue avec les oreilles de Monsieur Grat en faisant semblant de ne pas me voir. Je n'aurais jamais cru qu'un jour je serais jalouse d'un chien. Ma main retombe.

« Bien, je ne pars pas loin. » Je lui montre du doigt l'endroit où je vais marcher. « Je longe par là et je reviens de l'autre côté ; je ferai une boucle. Tu ne t'approches pas du canal, tu ne bouges pas d'ici et tu es sage. » Elle me fait un large sourire, aussi surprise que moi de me voir céder ; je suis trop énervée pour le lui rendre.

Je fais mon tour aussi rapidement que possible et reviens hors d'haleine. Ma hanche me fait souffrir et mon humeur ne s'est pas améliorée. En me voyant, Francine saute sur place comme si je m'étais absentée un mois. « Maman ! » Elle écarte les bras en descendant les marches, se prend le pied dans le bas de sa robe, trébuche et tombe lourdement devant moi. À part quelques égratignures, elle ne me paraît pas blessée ; pourtant, elle hurle aussi fort que si elle s'était brisé quelque chose.

« Combien de fois t'ai-je dit de faire attention à ces marches ? » Je la gronde en mouillant mon pouce pour frotter une coupure qu'elle s'est faite à la main. Elle essuie ses larmes sur ma manche. La douleur dans ma hanche est lancinante. J'ai besoin de m'asseoir. Je la repousse et la fais rentrer à l'intérieur.

« Pour l'amour du Ciel, ma fille, écarte-toi ! »

J'ai tellement à faire avant qu'elle s'en aille. Même si la famille du Monsieur n'est pas dans la gêne, je veux qu'elle se présente à elle correctement habillée. Je lui couds des vêtements que l'on pourra rallonger en rétrécissant l'ourlet au fur et à mesure qu'elle grandira. Je repense aux personnages qui ornaient les cartes de M. Veldman ; je ne sais plus comment les Français étaient vêtus. Le Monsieur est à Leyde et je ne peux pas l'interroger. Dois-je ajouter un ruban ou pas ?

Je fais monter Francine sur une chaise et je tourne autour d'elle en épinglant l'ourlet d'une nouvelle jupe. Elle gratte sa plaie. Je m'écrie : « Non, Francine ! Tu dois bien te tenir !

— Oui.

— Oui qui ?

— Oui, Maman.

— Bien. »

Je la fais pivoter un peu pour poser d'autres épingles.

« Et si tu as besoin de quelque chose, tu demandes. *Toujours.* » Je repense aux feuilles dans sa chambre.

« Oui. »

Je suis excédée. « Oui qui ? »

Je lui donne une petite tape pour lui montrer que j'ai terminé et qu'elle peut retirer la jupe pour que je fasse la couture. Elle lance : « Oui, merci » en sautant de la chaise, sort en entraînant le chien avant que je puisse l'attraper et s'enfuit dans l'escalier.

« Francine, reviens tout de suite ! »

Le soir, elle vient me voir en se frottant la tête. « Maman, ça me gratte. » Je pose mon ouvrage et la raccompagne à l'étage. C'est la troisième fois qu'elle descend et il est tard. Elle a le visage tiré, cerné d'ombres grises.

« Il faut que tu dormes. Tu n'y arriveras pas si tu te relèves tout le temps. » Je la borde et touche son front. « Tu es inquiète, c'est ça ?

— Non.

— Bien. Il n'y a pas de raison. »

Elle avale sa salive et fait la grimace.

« Je vais te laisser Monsieur Grat, mais il faut que tu t'endormes tout de suite. Si je vous entends faire des bêtises...

— Non, Maman. » Elle tire le couvre-lit sous son menton. J'ouvre la fenêtre de sa chambre ; il ne fait pas plus frais dehors. Mme Anholts a raison, il y a quelque chose dans l'air de cette ville.

« Dors bien. »

Puis, dans la nuit, un fantôme. Je m'assieds dans mon lit, immédiatement réveillée. *Francine ?* Monsieur Grat se blottit à ses pieds. Elle titube. « Maman, j'ai froid...

— Francine ? Qu'est-ce qu'il y a, ma chérie ? *Francine !* »

Je saute de mon lit et la serre dans mes bras. Elle papillote des yeux, à moitié somnolente. Elle est moite et collante, comme si elle était sortie sous la pluie. Je pose les doigts sur son front ; il est brûlant. Je la porte dans mon lit, referme la fenêtre, enflamme le petit bois dans le poêle et ajoute de la tourbe. Il faut de la chaleur pour faire baisser la température. J'allume les chandelles. Même sous cette lumière faible, elle est rouge. Je soulève sa chemise de nuit :

409

tout son corps est recouvert de plaques – son ventre, son cou, ses bras. *Que faire ? Que faire ? Que faire ?*

Je n'ai jamais vu quelqu'un tomber malade aussi vite. Thomas, ma mère, Limousin, le Monsieur ont eu des rhumes, des coupures, des abcès, des rages de dents ; bien que Daan ait tout fait pour me briser, mes os ont guéri avec le temps. Le mal qu'a Francine s'est insinué sous sa peau et y est emprisonné. Je ne sais comment l'expulser. Je n'ai rien pour la soulager, rien pour arrêter cela.

Le lendemain matin, je fais venir le médecin pour avoir son avis. Il examine sa langue – qui a gonflé dans la nuit et est toute rouge – et l'éruption cutanée ; il me montre que le bord des taches est enflé. Je retire mes doigts : sa peau est aussi rugueuse que celle d'une anguille.

« C'est un symptôme évident de scarlatine. La fièvre écarlate. »

La fièvre écarlate ? Soudain, parmi les murmures et les ombres, me revient un lointain souvenir : les enfants avec qui j'ai grandi qui en ont péri, et ceux qui ont survécu : Isaak, sourd ; Griet, aveugle.

Il va chercher un couteau dans son sac ; un couteau à lame fine, qui ressemble à celui dont se servait le Monsieur à Santpoort. Je revois le mince lambeau de chair rose – le minuscule cœur de l'anguille – et tout en moi se raidit.

« Non !

— Le sang est mauvais, il faut le faire sortir. » Il inspecte le fil du couteau et l'essuie sur sa manche.

« Je vous en prie. Non. » Je m'agrippe à son bras.

« C'est ce qui donne la meilleure chance de guérison. » Il attend que je le lâche. « Je l'ai fait de nombreuses fois. Les enfants ne ressentent pas la douleur autant que nous.

— Elle est trop petite… »

Une anguille vidée de son sang meurt. Un lapin à qui l'on retire le sang meurt aussi. Je l'ai vu.

Il dégage le bras de Francine, passe le pouce à l'intérieur, tâte sa paume.

« Quand est-elle née ?

— En juillet.

— Non, non. Gémeaux ? Cancer ? *Lion ?* » Son ton est impatient.

« Cancer.

— Alors saigner le bras ne sert à rien. » Il tire sur sa chemise de nuit pour dénuder son épaule et appuie au–dessus de sa clavicule. « Un peu plus diffi-cile, mais… ah, voilà. » Il se penche au–dessus d'elle. « Une toute petite incision suffira. »

Lorsqu'il pose le couteau sur sa peau, Francine se soulève en criant : « *Maman !* » Sa respiration est courte et irrégulière. Je lui serre la main très fort. Je ne sais que regarder – l'horreur de ce qui coule entre les doigts du médecin, ou les yeux de ma fille, aussi noirs que la tache qui grandit sur le drap. Qu'ai-je laissé faire ?

« Ma chérie, je suis désolée, désolée… »

Il me reprend : « Si vous ne vous montrez pas forte, comment voulez-vous qu'elle le soit ? » Il étouffe ses pleurs et pèse de tout son poids sur elle pour l'immobiliser. Son sang jaillit. Je compte jusqu'à vingt. Jusqu'à trente. Quand cela va-t-il cesser ?

Il dit : « Voilà, c'est bien », en voyant qu'elle résiste de moins en moins. Son ton devient pressant. « Une serviette. Dépêchez-vous, pour l'amour de Dieu ! » Il appuie, d'abord avec une main, puis avec les deux, pour stopper l'hémorragie. Il s'agite, saisit une serviette, la roule en boule, comprime la plaie. « Une autre, une autre ! » Les serviettes se succèdent et il en jette plusieurs avant d'avoir fini. Ensuite, il se rince les mains et essuie la sueur sur son front.

« Vous voyez, elle s'est calmée. Vous n'aviez aucune raison de douter de moi. » Il range ses affaires et vient boire un verre d'eau-de-vie dans la cuisine.

« Où est son père ?

— À Leyde.

— Faites-le venir. Je vous le conseille.

— Et le traitement ? »

Il prend une grande gorgée et la garde dans sa bouche avant de l'avaler. « Parfois, *malheureusement*, les effets ne durent pas. On le constate surtout chez les enfants, les infirmes et les faibles d'esprit. » Il fouille dans sa poche et me tend une petite carte.

Saartje & Filles ~ Amersfoort
Veillées mortuaires
Cortèges funèbres
Linceuls

Je comprends chacun des terribles mots qui y sont inscrits, mais ils concernent quelqu'un d'autre, *pas Francine*. Il vide son verre. « Elles peuvent aider… aux préparatifs. Si cela devait s'avérer nécessaire.

— Non. »

Il referme mes doigts sur la carte et serre bien. « Rien ne me rendrait plus heureux que d'apprendre dans un jour ou deux que vous l'avez jetée au feu. Gardez-la. Brûlez-la. Je ne veux pas la récupérer. »

Après son départ, elle s'endort, en apparence paisible ; ses joues cramoisies sont le seul signe de ce qui bouillonne en elle. Je m'assieds près de son lit pour coudre. Je prépare du bouillon et, pleine d'espoir, lui en apporte une tasse.

Elle n'en veut pas quand il est chaud ni, plus tard, quand il est froid.

Elle n'a rien dans le corps, n'a rien avalé de la journée.

« Il faut que tu manges. *Francine… mange !* »

Elle repousse ma main ; la cuiller tombe par terre.

Est-ce qu'elle dort ? Va-t-elle se réveiller ? Dois-je la réveiller ?

*
* *

Il faut que je couse l'ourlet de sa jupe, elle va en avoir besoin. Ma vue est tellement brouillée par les larmes que je la repose.

Je voudrais la faire boire, mais j'ai du mal à soulever sa tête et incliner la tasse en même temps. Elle n'en veut pas. L'eau glisse sur sa joue. J'en fais couler dans sa bouche avec une cuiller, mais elle s'étouffe. J'en fais goutter d'une serviette. Elle se détourne.
Elle n'en veut pas. Elle refuse de boire. Elle vomit. Elle frissonne. Elle pleure.
L'éruption devient purulente.

Je vais voir dans le livre. *Son* livre. Il y en a un exemplaire non relié dans la malle. Le Monsieur connaît le fonctionnement du corps, la circulation du sang, les anguilles et les lapins. Il sait réchauffer le sang froid pour qu'un cœur se remette à battre. Je prends la clé dans le buffet et ouvre la malle. Il est là :

DISCOURS DE LA MÉTHODE
POUR BIEN CONDUIRE SA RAISON
ET CHERCHER LA VÉRITÉ DANS LES SCIENCES

Je commence par l'introduction ; je saute les phrases, les lignes. Une page, une autre ; je jette celles qui ne me servent à rien. *Considérations touchant les sciences… règles… morale… raisons par lesquelles il prouve l'existence de Dieu.* Puis je vois : *Cinquième partie, l'ordre des questions de physique… et particulièrement l'explication du mouvement du cœur, et de quelques autres difficultés qui appartiennent à la médecine.*

Quelques autres difficultés de la médecine ? Ce doit être cela. Je m'oblige à ne pas lire en diagonale. Il décrit un cœur pendant plusieurs pages. Je connais ce travail, je m'en souviens : j'ai frotté le sang sur sa table, jeté les restes d'animaux dans la casserole. Je lis le texte en entier. Il n'y a rien sur les *autres difficultés de la médecine.* Le passage se termine par des différences entre les hommes et les animaux. *L'âme n'est point sujette à mourir avec le corps…* À la page suivante, je lis : *Sixième partie.* Non, Monsieur ! Je reviens en arrière. Cela ne peut être tout ce qu'il a écrit ? *Tout ce qu'il sait ?*

Francine gémit.

Je parcours les feuilles par paquets. *Optique, Réfraction, L'œil, Télescopes, Géométrie, Grêle, Sel, Nuages…* Non, non, non, non, non ! Je lance le livre par terre. Il n'y a rien dedans qui puisse m'aider.

Ce vers quoi je me précipitais s'éloigne de moi tout aussi vite.

Où est-il ? Quand viendra-t-il ?

Il est là le soir même. Les feuilles sont encore sur le sol, là où je les ai abandonnées. Toute la nuit, nous parlons à voix basse. Nous ne dormons ni l'un ni l'autre. Au matin, il m'envoie me reposer dans une autre chambre.

« Je serai avec elle. Je te réveillerai si... »

Il ne peut le dire. Moi non plus. Nous n'avons plus de mots.

Je ne peux admettre qu'elle est en train de mourir, qu'elle va mourir. Même si son état a empiré, je me dis : *C'est ainsi que ça se passe, elle va s'en sortir. Dans un moment, elle va boire une gorgée de lait, elle dormira et ça ira mieux.*

Lorsque je reviens dans la chambre, le visage du Monsieur exprime bien autre chose ; il révèle ce que j'essaie de nier. Son teint est gris, ses traits tirés. Pire que cela : il est complètement perdu. Nous nous étreignons, nous avons besoin de la force de l'autre pour tenir debout. La dernière fois qu'il est venu, elle s'est glissée entre nous, a enfoui son visage contre mon ventre. Je peux encore la sentir, le souvenir est là.

« Tu te souviens des hirondelles à Amsterdam ? *Un, deux, trois.* Le vent apporte la pluie, les hirondelles aussi. Les hirondelles ? J'ai perdu mon temps ! Je ne veux plus jamais en voir une ! Je comprends les *oiseaux*, et pas une fièvre – *une simple fièvre ?* » Il recule en se tenant les tempes. « *Mon Dieu*, est-ce ma punition ? »

Punition ? Je me couvre le visage ; un sanglot se soulève en moi. Comment pourrai-je vivre si elle meurt ?

416

Dieu, ayez pitié. Dieu, ayez pitié. Épargnez-la, je vous en conjure.

Francine se réveille dans l'après-midi.

« Maman…

— Je suis là, ma chérie. Veux-tu que je te raconte une histoire ? » Je caresse sa joue. Elle hoche la tête, faiblement. « Il était une fois… » Les larmes coulent sur mon visage. « Une petite fille. Elle était si heureuse, et sa maman l'aimait plus que tout. »

Je crois la voir sourire. Je crois sentir ses doigts bouger dans les miens avant qu'elle referme les yeux.

Je la veille pendant qu'elle dort. Les heures s'écoulent, la lumière faiblit, la nuit tombe. La journée prend fin.

Cendres

Alors vint un des chefs de la synagogue, nommé Jaïrus, qui l'ayant aperçu, se jeta à ses pieds et lui adressa cette instante prière : « Ma petite fille est à l'extrémité, viens, impose-lui les mains afin qu'elle soit sauvée et qu'elle vive. »

La poitrine de Francine se soulève – une infime respiration, insuffisante, même pour un enfant. J'entrecroise ses doigts dans les miens ; je voudrais lui insuffler ma vie. Je retiens mon souffle jusqu'à en avoir mal, jusqu'à ce que mon corps me force à inspirer.

Saartje se déplace à petits pas glissés. Elle recouvre le miroir, l'horloge, pose une serviette sur la cuvette. Après qu'elle a masqué toutes les surfaces brillantes, elle tire les volets et ferme la fenêtre pour occulter la lumière. Elle allume les chandelles ; derrière leurs petites flammes vacillantes, nos ombres se courbent contre le mur.

Comme il parlait encore, survinrent de chez le chef de la synagogue des gens qui dirent : « Ta fille est morte, pourquoi importuner davantage le maître ? »

Saartje soulève le poignet de Francine avec une infinie douceur. Je sais ce que cela signifie, ce qu'elle cherche. Elle secoue la tête. « Je suis désolée. » Lorsque le Monsieur l'entend, il s'écroule sur le lit en sanglotant. Mon regard va de Saartje à Francine. Ma petite fille chérie. « Non… Ce n'est pas vrai. » Je m'accroche à ses doigts, mais je comprends que leur chaleur vient de moi.

Saartje fait avancer ses filles. La plus jeune, Rachel, s'approche la première, la démarche hésitante, en se tordant les mains. La suivante, Isabella, est plus âgée – suffisamment pour savoir que la mort est gourmande, qu'elle emporte aussi facilement un bébé dans son berceau qu'un vieillard dans son lit. Elle enfouit son visage dans la manche de Saartje, mais cette dernière la prend par les épaules et la pousse en avant. Le menton d'Isabella tremble pendant qu'elle prie. C'est enfin le tour de l'aînée, Margarieta, qui se tient droit devant Francine et dépose sans ciller un brin de romarin sur l'oreiller.

J'embrasse les doigts de Francine, un par un. Ils ont le goût de mes larmes.

On arrive à la maison du chef de la synagogue, et il voit du tumulte et des gens qui pleurent et poussent de grands cris. Il entre et leur dit : « Pourquoi ce tumulte et ces pleurs ? L'enfant n'est pas morte, elle dort. »

Je me répète sans cesse le texte des Écritures et je ferme les paupières pour ne pas voir la vérité. *Elle ne dort pas.* Saartje me touche l'épaule. « Nous allons nous occuper de sa toilette et l'habiller. Monsieur… »

Elle s'incline pour lui signifier qu'il doit quitter la pièce.

J'enfonce mes ongles dans mes paumes, bascule d'arrière en avant. Du plus profond de moi remonte une plainte qui n'en finit pas : tout ce qui est là, qui aurait pu être – sa naissance, sa vie, sa mort –, qui s'est brisé en mille morceaux.

Saartje replie le couvre-lit, retire les oreillers et fait basculer le corps de Francine pour lisser le drap. Elle déboutonne sa chemise de nuit tachée, essore une serviette et la lave. Si elle est habituée à la mort et travaille vite, elle n'est pas indifférente ; en tapotant sa joue et l'éruption qui la recouvre, elle dit : « Voilà. » On croirait qu'elle veut la soulager.

Je regarde la plaie qu'elle s'est faite au genou en trébuchant sur les marches ; une petite marque, pas plus grosse que mon pouce, qui ne guérira jamais. Dire que je l'ai repoussée sans lui donner un baiser…

Saartje déplie une robe en lin à côté de Francine. Elle n'est pas destinée à une enfant et dépasse largement ses pieds. Je prends sa tête, comme quand elle était bébé ; ses cheveux, encore humides, glissent entre mes doigts. Ils ont poussé pendant cinq ans, depuis sa naissance, noirs, bouclés – et non blonds et raides comme les miens. *Francine*, fille de France ; sa fille à lui et à moi ; le nord et le sud réunis. Elle est née à Deventer, mais elle aurait vécu en France et y aurait reçu une éducation. Paris, Châtellerault, Poitiers – il a écarté les rideaux pour que nous puissions voir. Elle ne s'y rendra pas, ne connaîtra pas la France. Les rideaux ont été refermés et cousus.

Saartje et moi prenons chacune une manche et les faisons glisser le long des bras de Francine, qui ne font rien pour nous aider ou nous gêner. Elle ne proteste pas contre le fait qu'on l'oblige à porter cette étrange robe qui n'est pas à sa taille. Je voudrais qu'elle se débatte, qu'elle crie, qu'elle donne des coups de pied, morde et résiste jusqu'à ce qu'on lui retire ce maudit vêtement. Je lui mets des bas, noue les rubans à ses chevilles. Saartje la peigne et glisse ses boucles sous une coiffe. Une fois qu'elle a terminé, elle la repose sur le lit si doucement qu'on croirait qu'elle craint de la réveiller. Je croise ses mains et pose un doigt sur ses lèvres. Ses bavardages, ses chansons, ses rires, ses caprices – plus jamais. Ce silence infini où il devrait y avoir du bruit.

Saartje pose la serviette dans la cuvette, la passe à Isabella. « Tiens, et prends Rachel avec toi. » Elle s'adresse à sa fille cadette, qui s'est mise en retrait dans l'ombre. « Va dire à M. Descartes que nous avons terminé. » Quand le Monsieur revient, elle se tourne vers lui : « Je vais prier pour elle. Pour vous tous. » Elle ramasse son livre de prières et nous laisse.

Nous nous asseyons de chaque côté du lit. Il ouvre la Bible, mais ne peut parler. Je commence la prière pour lui. Elle passe entre nous ; un fil qui relierait la terre et le Ciel, le malheur et l'espoir, le tourment et la paix.

Je voudrais le croire. Pourtant, ma chère enfant est morte. Dieu en a décidé ainsi.

Vérité

L'enterrement a lieu dans la semaine. Cette nuit-là, je m'allonge sur son lit sans m'assoupir. Le lendemain matin, le Monsieur m'annonce : « J'ai un travail à finir à Leyde. » Ses yeux sont rouges, le sommeil l'a fui aussi. Je ne réagis pas à ses paroles. Il n'y a plus de frontière entre nous ; rien non plus pour nous réunir.

Le monde n'attend pas. Ni moi. Ni lui. Il progresse, quoi qu'il arrive – avec ou sans nous. *Il est indifférent.* Il se désintéresse de l'enfant, de la femme, de l'homme. Qu'est-ce alors, sinon un monde sans Dieu ? Qui n'a pas besoin de Dieu pour le guider ?

Au moment où il s'apprête à partir, je le retiens par le bras. Je mets un moment à lui parler ; je dois aller chercher les mots très loin en moi.

« Aviez-vous honte, Monsieur ? De moi, d'elle ? »

Son visage est d'une tristesse infinie. « Oh, Helena, non. Jamais. *Est-ce ce que tu penses ?* »

Je ne peux dire ni oui ni non.

« Helena, par pitié… » Sa voix tremble. Il me saisit les épaules, me fait presque mal. « Helena.

— Allez-vous revenir ? »

— Oui, oui, bien sûr. »

Je vois qu'il le pense vraiment. « Pourquoi ?

— *Pourquoi ?*

— Nous avions un enfant, Monsieur. Nous n'en avons plus. »

Ce qui suit vient d'encore plus loin.

« De quoi avez-vous envie, Monsieur ?

— *De toi*, Helena. »

Je ne peux retenir un petit rire.

« Je ne peux t'épouser, tu le sais, c'est impossible.

— *M'épouser ?* Je ne vous l'ai jamais demandé. Je ne vous y ai jamais contraint. Elle est partie, Monsieur. Pourquoi voudrais-je vous épouser ? »

Nous nous tenons l'un en face de l'autre comme si nous venions de nous rencontrer.

Désormais, Monsieur, que reste-t-il ? Qui sommes-nous maintenant qu'elle n'est plus ? A-t-elle fait de nous plus que ce que nous étions, plus que ce que nous pouvions être ? Est-ce qu'une partie de nous s'en est allée avec elle ? Sa perte est un gouffre qu'aucun océan ne peut remplir ; un gouffre dans lequel l'océan se déversera à jamais.

Je retire ses mains de mes épaules et place les miennes devant moi pour l'empêcher de me serrer dans ses bras. Il y a toutes sortes de façons de se dire au revoir, je l'ai appris. Celle-là en est une. « Partez, Monsieur. Ne revenez que lorsque vous serez certain. Revenez parce que vous le voulez, parce que vous le devez, parce qu'il n'y a rien d'autre que vous puissiez faire. »

Après son départ, je monte à l'étage et m'allonge sur le lit de Francine. Je ne le regarde pas s'éloigner.

*
* *

Dans la nuit, je vais dans la chambre qui a été la nôtre, vers le buffet où il a mis la clé de sa malle. Les lettres sont rangées par paquets. Le plus gros contient sa correspondance avec Mersenne. Je le mets de côté, ainsi que les courriers à Huygens et à Beeckman. Je trouve les lettres que je lui ai écrites et celles qu'il m'a envoyées. Je ne les dénoue pas. Je referme la serrure et descends à la cuisine. Les carreaux de Delft brillent au clair de lune, et leur bleu a des reflets gris ; tous ces petits bateaux voguent sans jamais accoster. La vie est ainsi faite – elle nous pousse, sans relâche, que nous le voulions ou non.

Les braises rougeoient sous les feuilles fumantes. Je les tisonne pour qu'elles prennent feu. Mon visage est éclairé par les flammes. Je les laisse s'éteindre ; les feuilles se transforment en cendres, rouges, puis noires.

Tout ce que j'ai écrit dans ma vie. Je ne peux supporter que mes mots survivent et pas elle.

De la suie dans la cheminée. Et, comme elle, ils disparaissent.

ÉPILOGUE
EGMOND AAN DEN HOEF

Goutte d'eau

Je me suis mariée. Avec Jan, un veuf – ainsi que ma mère l'avait prédit.

Je ne sais ce qui lui a été dit de mon histoire. Toujours est-il que le Monsieur a versé à Jan une somme d'argent qui lui a permis de réparer le toit de sa maison, d'acheter du terrain, et un peu plus encore. Je dispose d'une pièce avec une table sous la fenêtre où la lumière est la meilleure. Du papier et de l'encre à volonté. Jan n'a jamais posé de questions sur le croquis que j'ai accroché au mur, qui représente Francine et le Monsieur ; il ne m'a jamais demandé non plus de le retirer. Cela ne le gêne pas que le Monsieur vive à proximité ni que je passe mon temps à dessiner.

J'ai une chambre à moi.

Je ne compte plus les jours.

Je boite, mais je peux marcher sur le sable.

Je le rejoins à l'endroit qu'il a indiqué, près du rivage, au milieu des dunes. Il faut connaître le

427

chemin. Il est facile de s'y perdre. Facile aussi de s'y cacher.

Les derniers pas, je les fais en courant. Si le sable s'enfonce sous mes pieds, il ne peut m'empêcher d'avancer. Je lui crie : « Monsieur ! » Il me fait face, pose sa bouche sur la mienne, m'embrasse le visage et le cou. Je tombe à genoux, déboutonne sa culotte. Il s'agenouille à son tour et tire les rubans de mon corsage. Nous nous allongeons tels des arbres abattus.

Je reçois son amour et, à la fin de l'année, j'ai un fils. Un beau petit garçon. Mon enfant. Ses cheveux bouclent sur les oreilles, ses yeux sont aussi noirs que ses cheveux.

Cinq ans plus tard

J'ai vu le coche s'approcher de loin et, avec lui, le passé venir à ma rencontre.

Le passager qui en descend est aujourd'hui un vieil homme ; les rares cheveux qui lui restent sont blancs comme du duvet de chardon, la main qui tient la canne est déformée. Il a le regard larmoyant que l'on a parfois à cet âge ; dans son cas, c'est qu'il a pleuré. Il replie son mouchoir, le glisse dans sa poche et s'incline avec raideur : « Mme van Wel. » Je lui réponds sur un léger ton de reproche : « Allons, *Limousin*, ce n'est pas la peine. »

Nous ne nous serrons pas la main ; nous ne nous étreignons pas non plus. L'étrange famille que nous avons un jour formée rend peut-être ces gestes superflus. Je le fais entrer et prends son manteau. Il garde sa canne et s'assied sur la chaise la plus proche du feu en se frottant le genou.

« On ne peut pas dire que je perde mes moyens, c'est plutôt que je deviens raide de partout.

— Justinus, apporte du vin à notre visiteur. »

Limousin saisit le verre que lui offre Justinus et le retient par le coude : « Viens à la lumière, que je te regarde comme il faut. » Il tousse. « Oh, maintenant je vois, oui. » Ses paupières tremblent, agitées par un lointain souvenir. « J'ai connu le Monsieur quand il était enfant. Plus âgé que toi, mais assez jeune, assez jeune… » Il sourit et lâche le coude de Justinus. « Tu es tout aussi beau. Es-tu gentil avec ta mère ? »

Justinus acquiesce avec tant d'énergie que quelques gouttes de vin giclent du pichet.

« Bien. Quel âge as-tu ?

— Cinq ans.

— Comme moi ! » En voyant les yeux de mon fils s'écarquiller, il éclate de rire. « Allez, va jouer. »

Il repart en sautillant.

« Le Monsieur l'a connu ?

— Oui, il l'a connu.

— *Mais ton époux ?* » Il regarde autour de lui, mal à l'aise. Dans sa voix, j'entends sa surprise, son embarras à poser cette question. Je repense à toutes celles auxquelles j'ai dû répondre, aux hommes qui m'ont interrogée. Quelle importance ont les siennes aujourd'hui ?

« Nous avons pris des dispositions. Les dernières. Jan était au courant. »

Il boit une gorgée de vin ; sa respiration est laborieuse. « Le Monsieur m'a dit peu de chose. Et après son départ pour la Suède, je n'ai plus reçu de nouvelles. »

Nous restons un moment songeurs, puis Limousin se signe. « *Que son âme repose en paix grâce à l'infinie miséricorde de Dieu.*

— *Amen.* » Je cligne des paupières pour ne pas pleurer. Comment un si petit mot peut-il faire aussi mal ?

« Comment l'as-tu appris ?

— Par Mme Anholts. Le Monsieur lui avait donné des instructions.

— Je vois. Je serais venu, sinon. Pour que tu saches. »

C'est la première fois qu'il reconnaît ce qui a existé entre le Monsieur et moi.

« J'avais de l'affection pour la petite fille. »

Je hoche la tête. Si tout s'était passé selon son vœu, Francine ne serait jamais née. Peut-être sait-il à quoi je pense, car il dit : « Pardonne-moi. » Son menton tremble. Il a perdu sa carapace. Je vois au fond de lui, dans son âme. Je redresse le dos et joins les mains.

« Je sais que vous aimiez le Monsieur, Limousin.

— La Suède – quelle contrée ! Un froid pareil, ce n'est pas pour les Français. Il a signé son arrêt de mort – il ne m'a jamais écouté, tu le sais.

— Qu'allez-vous faire ? »

Il hausse les épaules avec un petit rire. « Qui a besoin d'un vieux Limousin ?

— Les maîtres ne manquent pas – surtout à Amsterdam. Lorsqu'elle vivait ici, Mme Anholts parlait de vous en termes élogieux. »

Il sourit à ma taquinerie. « Mme Anholts ne voudra pas de moi. Non, je vais rentrer en France. Élever des poules, planter des poireaux. » Nous rions. Des poules et des poireaux ? Nous savons l'un et l'autre qu'il ne le fera jamais.

Une fois qu'il s'est réchauffé, il observe les tableaux au-dessus de la cheminée, les dessins sur la table, le chevalet à la fenêtre.

« C'est ce que tu fais ?

— Oui, Limousin. Tout le monde m'en demande en ce moment. C'est bien payé. »

Je repense à M. Sergeant : a-t-il réussi à vendre un livre à chaque habitant d'Amsterdam ? J'espère qu'il a emménagé au bord du canal des Seigneurs.

Pendant que Limousin contemple un dessin à l'encre représentant des fleurs dans un vase, je prends une plume sur la table, la lisse entre mes doigts et la centre – une habitude que je n'ai jamais abandonnée. Il s'adosse à sa chaise : « Celui-là me plaît », puis se rappelle la raison de sa visite. « J'ai quelque chose pour toi. » Il ouvre sa sacoche usée, la même qu'il avait à Amsterdam il y a si longtemps.

« Voilà. Une dernière lettre. » Il la garde un moment avant de me la passer et ajoute : « Et ceci », en me donnant un objet enveloppé dans un morceau

431

de tissu blanc, auquel un petit papier est attaché par un ruban.

Le coche s'éloigne avant de disparaître, emportant Limousin, *l'intermédiaire* du Monsieur, chargé de ses affaires, qui n'est plus le valet de personne.

Il s'est trompé : ce n'est pas une lettre, du moins pas comme celles que j'ai déjà reçues du Monsieur. Le pli contient plusieurs feuillets – qu'il a intitulés *Amour, Passion, Désir* – et quelques dessins : Francine endormie dans le jardin de Santpoort ; un autre d'elle que je ne me souviens pas avoir fait, où elle a le bras autour du cou de Monsieur Grat ; des croquis de lui, aussi – les flocons de neige à Amsterdam. Et puis, dans un carré de velours vert, la bague en or dont il se servait pour cacheter ses lettres.

La toile de lin qui entoure le petit objet ovale a été découpée dans une de ses chemises. En le soupesant, je le reconnais tout de suite : son nocturlabe. Je dénoue le ruban ; sur le papier, il est écrit : *Pour Justinus*.

J'entends la pluie crépiter contre la fenêtre et couler en lignes brisées le long des carreaux ; je l'avais sentie dans l'air ce matin. J'attire Justinus contre moi. « Viens ici, toi. »

On peut contempler le monde dans une seule goutte d'eau. Pour cela, il suffit d'observer.

Monsieur. Mijn liefde. De cela, je suis certaine.

UN PEU D'HISTOIRE

Helena Jans s'est effectivement présentée un jour au n° 6, Westermarkt à Amsterdam, ignorant tout de ce qui l'attendait derrière cette porte et de la façon dont elle serait traitée. La maison existe toujours : une plaque signale que son occupant le plus célèbre, René Descartes, y logea en 1634 chez le libraire anglais Thomas Sergeant, dont Helena était la servante.

Les femmes ont longtemps été les grandes absentes de l'Histoire, et les archives comportent des lacunes considérables. Que savons-nous avec certitude ?

En juillet 1635, Helena a donné naissance à une fille, Francine. Il est avéré que Descartes en était le père car il l'a indiqué dans une note manuscrite. Il est également établi que Francine a reçu le sacrement du baptême à Deventer le 28 juillet de la même année. Le registre donne le nom des parents : Reyner Jochems (Reyner correspond en néerlandais à René ; Jochems signifie littéralement « de Jean », prénom du père de Descartes) et Helena Jans – ainsi que celui de l'enfant, Fransintge (équivalent de Francine).

Aucun document ne confirme que Descartes a envoyé Helena à Deventer, mais il connaissait la ville et y avait vécu avec son ami Reneri. Il est probable que Francine y a vu le jour : à l'époque, les enfants étaient baptisés très peu de temps après leur naissance. En 1635, Descartes résidait à Utrecht ; il lui aurait été possible de se rendre de temps à autre à Deventer.

Helena est également mentionnée dans deux actes notariaux rédigés à Leyde. Le premier, daté de mai 1644, fait état de son mariage avec Jan van Wel et stipule que Descartes accorde à Helena une dot substantielle, qu'on estime à un millier de florins. En juin 1644 (soit après son mariage), le nom d'Helena réapparaît, cette fois au-dessus d'un inventaire de bijoux et autres articles lui appartenant dans la maison de Descartes.

S'il est vrai que Descartes chercha à dissimuler sa paternité, Helena ne partagea pas le sort de nombreuses autres mères célibataires, qui étaient le plus souvent mises au ban de la société. Nous savons qu'ils ont entretenu une correspondance. En 1637, Descartes a adressé un message à Helena par l'intermédiaire d'un tiers, l'invitant à le rejoindre près de Santpoort *et à venir avec sa fille*. Nous ne savons pas si Helena accepta. Néanmoins, il subsiste une anecdote selon laquelle Descartes frappait dans ses mains dans son jardin de Santpoort pour provoquer un écho et inciter une jeune enfant à le poursuivre. En 1640, il prend des dispositions pour que sa « nièce » séjourne chez sa tante, Mme du Tronchet, en France, afin d'y recevoir une éducation. Cette petite fille était Francine. Elle n'a jamais fait le voyage car elle est morte subitement de la scarlatine en septembre 1640, à l'âge de cinq ans. Descartes connut « le plus grand regret qu'il eût jamais senti de sa vie ».

En l'état actuel de nos connaissances, aucune des lettres que s'adressèrent Descartes et Helena n'a subsisté. Il était tout à fait inhabituel qu'une femme du rang social d'Helena sache écrire. Je me suis demandé comment elle avait appris, et pourquoi. Cette question occupe une place centrale dans le roman ; elle en fournit l'arrière-plan et donne chair au personnage.

Helena a connu Descartes pendant au moins dix ans, à une époque charnière de la vie du philosophe : celle qui a précédé la publication de son premier texte. Il s'intéressait aux chandelles, aux flocons de neige, aux hirondelles, aux anguilles, au sel, aux chatouillements, entre autres sujets. Dans le roman, tout cela se mêle à la vie quotidienne d'Helena, ainsi qu'à son combat pour apprendre à lire et mieux comprendre le monde qui l'entoure.

Ceci est une œuvre de fiction. Rien ne permet d'affirmer que Justinus était le fils de Descartes. Cependant, le fait qu'ils restèrent en contact épistolaire et qu'ils vécurent non loin l'un de l'autre plusieurs années après la mort de Francine laisse penser que leur relation avait de l'importance pour eux deux.

Si la fiction permet de raconter l'histoire d'Helena, elle conduit également à considérer Descartes d'un point de vue différent. À travers les yeux de cette jeune femme, il nous apparaît probablement moins familier et plus complexe que nous l'imaginions. On dit souvent de lui qu'il était un solitaire. Je n'en suis pas si certaine.

SUGGESTIONS DE LECTURE

René DESCARTES, *Correspondance complète*, « Tel », Gallimard, 2013.

—, *Discours de la méthode*, « Classiques de la philosophie », Le Livre de Poche, 2000.

—, *Méditations métaphysiques*, « Classiques de la philosophie », Le Livre de Poche, 1990.

—, *Les Passions de l'âme*, « Classiques de la philosophie », Le Livre de Poche, 1990.

—, *La Recherche de la Vérité par la lumière naturelle*, « Classiques de la philosophie », Le Livre de Poche, 2010.

—, *Règles pour la direction de l'esprit*, « Classiques de la philosophie », Le Livre de Poche, 2002.

John COTTINGHAM, *Descartes*, « Points essais », Éditions du Seuil, 2000.

Laurence DEVILLAIRS, *René Descartes*, « Que sais-je ? », PUF, 2013.

Paul DIBON, *Regards sur la Hollande du Siècle d'or*, Vivarium, 1990.

Jean-Luc QUOY-BODIN, *Un amour de Descartes*, « L'infini », Gallimard, 2013.

Geneviève Rodis-Lewis, *Descartes*, Calmann-Lévy, 1995 (rééd. CNRS Éditions, 2010).

Jeroen van de Ven, « Quelques données nouvelles sur Helena Jans », *Bulletin cartésien* n° XXXII, publié par le Centre d'études cartésiennes (Paris IV–Sorbonne) et par le Centro di Studi su Descartes e il Seicento de l'université de Lecce, 2001.

Paul Zumthor, *La Vie quotidienne en Hollande au temps de Rembrandt*, Hachette, 1960.

REMERCIEMENTS

J'aimerais remercier tout particulièrement mes amis écrivains Siobhan Costello et Anni Domingo, qui m'ont accompagnée et encouragée depuis le début. Merci à Louise Doughty pour son soutien sans faille, et au Dr Erik-Jan Bos, qui a répondu à mes questions sur Descartes et lu mon premier jet.

Merci à Thiemo Wind, Enny de Bruijn, Robin Buning, Maartje Sheltens, au personnel du Service des archives de Deventer et à Jos Hof, guide et historien d'Egmond aan den Hoef, qui m'ont généreusement fait part de leurs connaissances. Merci aussi à Elaine Bishop, Katharine McMahon, Judith Murray, Sarah Savitt, Rebecca Swift et à la belle équipe du Writers' Centre de Norwich, dont le programme d'aide aux auteurs m'a permis de lancer ce projet.

Merci à Cressida Downing qui a fourni le gin chaque fois que nécessaire, pour sa bonne humeur, les longues marches et les conseils avisés le reste du temps.

Merci à mon mari pour son amour et son soutien. Merci à ma chère fille Saskia, à qui cet ouvrage est dédié, et qui me rappelle qu'il n'y a pas que l'écriture dans la vie.

À mon merveilleux agent, Veronique Baxter, et à Alice Howe chez David Higham Associates : merci, merci !

Merci à ma correctrice, Celia Levett, à mon éditrice anglaise, Lisa Highton, et à tous ceux qui font de Two Roads une formidable maison d'édition – pour le soin qu'ils ont apporté à la publication de ce livre.

Ce roman a pu voir le jour grâce à une bourse de l'Arts Council England, que je remercie sincèrement.

Toutes ces belles personnes ont contribué à réaliser l'ouvrage qui est aujourd'hui *entre vos mains*.

TABLE

VOUS AVEZ AIMÉ CE LIVRE ?
Découvrez ou redécouvrez
au **Livre de Poche**

*LES ARCANES DE L'AMOUR
SELON LE PHILOSOPHE*

LES PASSIONS DE L'ÂME
DESCARTES
N° 4602

*Dernier ouvrage publié par Descartes
de son vivant, Les Passions de l'âme (1649)
peut faire figure de testament philosophique.
On y trouve en effet une série de réflexions
qui viennent approfondir, préciser, parfois même
rectifier les thèses du philosophe sur des points
essentiels de sa recherche, en particulier
l'élaboration de sa propre morale.
La liberté, les rapports de l'âme et du corps,
l'affirmation d'un individu moral : tels sont encore,
parmi d'autres, les sujets abordés.*

UNE AUTRE SERVANTE AU DESTIN EXCEPTIONNEL

UNE SAISON À LONGBOURN
JO BAKER

N° 33699

Sur le domaine de Longbourn résident les Bennet et leurs cinq filles, en âge de se marier. À l'étage inférieur veillent les domestiques. Personnages fantomatiques dans l'œuvre de Jane Austen Orgueil et préjugés, ils deviennent ici les protagonistes du roman. Mrs Hill, l'intendante, orchestre la petite troupe – son époux, la juvénile Polly, Sarah, une jeune idéaliste qui rêve de s'extraire de sa condition, et le dernier arrivé, James – d'une main de fer. Tous vivent au rythme des exigences et des aventures de leurs patrons bien-aimés. Une fois dans la cuisine, les histoires qui leur sont propres émergent et c'est tout un microcosme qui s'anime, pendant qu'Elizabeth et Darcy tombent amoureux au-dessus.

UNE HISTOIRE D'AMOUR
ENTRE DEUX PERSONNES QUE TOUT OPPOSAIT...

NATASHA SOLOMONS
LE MANOIR DE TYNEFORD

N° 33310

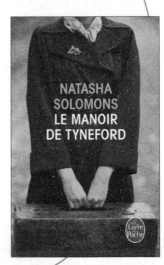

Au printemps 1938, l'Autriche n'est plus un havre de paix pour les juifs. Elise Landau, jeune fille de la bonne société viennoise, est contrainte à l'exil. Tandis que sa famille attend un visa pour l'Amérique, elle devient domestique à Tyneford, une grande propriété du Dorset. C'est elle désormais qui polit l'argenterie et sert à table. Au début, elle se fait discrète, dissimule les perles de sa mère sous son uniforme, tait l'humiliation du racisme, du déclassement, l'inquiétude pour les siens, et ne parle pas du manuscrit que son père, écrivain de renom, a caché dans son alto. Peu à peu, Elise s'attache aux lieux, s'ouvre aux autres, se fait aimer... Mais la guerre gronde et le monde change. Elise aussi doit changer. C'est à Tyneford pourtant qu'elle apprendra qu'on peut vivre plus d'une vie et aimer plus d'une fois.

Le Livre de Poche s'engage pour
l'environnement en réduisant
l'empreinte carbone de ses livres.
Celle de cet exemplaire est de :

450 g éq. CO_2

PAPIER À BASE DE   Rendez-vous sur
FIBRES CERTIFIÉES   www.livredepoche-durable.fr

Composition réalisée par Belle Page

Achevé d'imprimer en juin 2016 en Italie par
Grafica Veneta
Dépôt légal 1re publication : août 2016
LIBRAIRIE GÉNÉRALE FRANÇAISE
31, rue de Fleurus – 75278 Paris Cedex 06

38/3962/6